D0285990

BOOMERANG

DU MÊME AUTEUR CHEZ LE MÊME ÉDITEUR :

Les héritiers du fleuve, tome 1 : *1887-1893*, 2013
Les héritiers du fleuve, tome 2 : *1898-1914*, 2013
Les héritiers du fleuve, tome 3 : *1918-1929*, 2014
Les héritiers du fleuve, tome 4 : *1931-1939*, 2014
Les années du silence 1 : La tourmente et La délivrance, 1995, réédition 2014
Les années du silence 2 : La sérénité et La destinée, 1998, 2000, réédition 2014
Les années du silence 3 : Les bourrasques et L'oasis, 2001, 2002, réédition 2014
Mémoires d'un quartier, tome 1 : *Laura*, 2008
Mémoires d'un quartier, tome 2 : *Antoine*, 2008
Mémoires d'un quartier, tome 3 : *Évangéline*, 2009
Mémoires d'un quartier, tome 4 : *Bernadette*, 2009
Mémoires d'un quartier, tome 5 : *Adrien*, 2010
Mémoires d'un quartier, tome 6 : *Francine*, 2010
Mémoires d'un quartier, tome 7 : *Marcel*, 2010
Mémoires d'un quartier, tome 8 : *Laura, la suite*, 2011
Mémoires d'un quartier, tome 9 : *Antoine, la suite*, 2011
Mémoires d'un quartier, tome 10 : *Évangéline, la suite*, 2011
Mémoires d'un quartier, tome 11 : *Bernadette, la suite*, 2012
Mémoires d'un quartier, tome 12 : *Adrien, la suite*, 2012
La dernière saison, tome 1 : *Jeanne*, 2006
La dernière saison, tome 2 : *Thomas*, 2007
La dernière saison, tome 3 : *Les enfants de Jeanne*, 2012
Les sœurs Deblois, tome 1 : *Charlotte*, 2003
Les sœurs Deblois, tome 2 : *Émilie*, 2004
Les sœurs Deblois, tome 3 : *Anne*, 2005
Les sœurs Deblois, tome 4 : *Le demi-frère*, 2005
Les demoiselles du quartier, nouvelles, 2003, réédition 2015
De l'autre côté du mur, récit-témoignage, 2001
Au-delà des mots, roman autobiographique, 1999
Boomerang, roman en collaboration avec Loui Sansfaçon, 1998, réédition 2015
« Queen Size », 1997
L'infiltrateur, roman basé sur des faits vécus, 1996, réédition 2015
La fille de Joseph, roman, 1994, 2006, 2014 (réédition du *Tournesol*, 1984)
Entre l'eau douce et la mer, 1994

Visitez le site web de l'auteur :
www.louisetremblaydessiambre.com

LOUISE TREMBLAY D'ESSIAMBRE
LOUI SANSFAÇON

BOOMERANG

La promesse à Élise

Guy Saint-Jean Éditeur
3440, boul. Industriel
Laval (Québec) Canada H7L 4R9
450 663-1777
info@saint-jeanediteur.com
www.saint-jeanediteur.com

• • • • • • • • • • • • • • • • •

Catalogage avant publication de Bibliothèque et Archives nationales du Québec et Bibliothèque et Archives Canada
Tremblay-D'Essiambre, Louise, 1953-
Boomerang
2e édition.
Édition originale : c1998.
ISBN 978-2-89455-976-5
I. Sansfaçon, Loui, 1958- . II. Titre.
PS8589.R476B66 2015 C843'.54 C2015-940576-9
PS9589.R476B66 2015

• • • • • • • • • • • • • • • • •

Nous reconnaissons l'aide financière du gouvernement du Canada par l'entremise du Fonds du livre du Canada (FLC) ainsi que celle de la SODEC pour nos activités d'édition. Nous remercions le Conseil des Arts du Canada de l'aide accordée à notre programme de publication.

Canada Patrimoine canadien Canadian Heritage SODEC Québec Conseil des Arts du Canada Canada Council for the Arts

Gouvernement du Québec – Programme de crédit d'impôt pour l'édition de livres – Gestion SODEC

Nouvelle édition de *Boomerang*, publié en 1998.

Conception graphique : Christiane Séguin
Photographie de la page couverture : Junga/Shutterstock.com

Dépôt légal – Bibliothèque et Archives nationales du Québec, Bibliothèque et Archives Canada, 2015

ISBN : 978-2-89455-976-5
ISBN ePub : 978-2-89455-977-2
ISBN PDF : 978-2-89455-978-9

Imprimé et relié au Canada
1re impression, mai 2015

ASSOCIATION NATIONALE DES ÉDITEURS DE LIVRES
Guy Saint-Jean Éditeur est membre de l'Association nationale des éditeurs de livres (ANEL).

À mes enfants, avec amour

Mes remerciements à Loui.
Sans lui l'écriture de ce livre
aurait été impossible.
Merci aussi à Ginette,
Paul et Hélène
pour leurs avis judicieux
et leur enthousiasme
indéfectible.

Note des auteurs

On dit que la réalité dépasse parfois la fiction. Moi je crois plutôt qu'elles se rejoignent, car dans toute réalité il y a au départ une bonne dose de rêve et d'intention. Chez certains êtres, c'est encore plus flagrant. Malheureusement, cela se fait souvent au détriment d'une certaine vérité. Il est si facile de s'idéaliser et d'oser croire qu'on a le beau rôle. C'est tellement rassurant de se dire en contrôle. L'imagination aidant, on choisit sa réalité et on s'y accroche.

De ces rêves et d'un gros paquet d'intentions est né Vincent Savoie, l'infiltrateur. Un personnage dont on a dit qu'il est plus vrai que vrai; dont on a même tenté de retrouver la trace. Mais comment peut-on identifier un être fait de faux-fuyants, d'images et d'illusions? Il ne faut jamais se fier aux apparences, elles peuvent être si trompeuses. Cela, je l'ai appris et vérifié en écrivant le premier tome de L'Infiltrateur. *Pour ceux qui connaissent déjà Vincent Savoie, je sais que tour à tour, vous avez aimé et détesté cet homme. Il vous a exaspéré, il vous a touché, il vous a choqué, il vous a séduit. Je sais même que par moments, vous avez pleuré avec lui. Et moi, c'est exactement là que j'ai envie que nous nous rejoignions. Qu'importe qu'il fût un jour policier ou médecin. Ce que j'ai gardé du personnage, c'est l'homme qui, à travers ses qualités et ses défauts, touchait l'humain en moi. L'être différent, insécure, idéaliste qui nous habite tous. Comme chacun des personnages à qui j'ai prêté vie, Vincent Savoie a envahi mon existence. Je l'ai vu se battre, foncer, aimer, parier, profiter, gagner et perdre. J'ai participé à ses joies et j'ai pleuré ses déceptions. Mais contrairement à ce qui se passe habituellement, quand j'ai eu fini d'écrire ce livre, le personnage refusait de me quitter. Vincent persistait à vibrer en moi. Je l'entendais continuer à se débattre et à crier qu'il n'avait surtout pas envie de se taire. Qu'il avait quelque chose à dire et qu'on devrait l'écouter. Je l'entendais clamer que la réalité que nous livrent les quotidiens rejoignait sa vérité. Mais en même temps, j'ai senti la peur en lui. L'envie de dire bien présente, mais la peur de parler, lui qui affirmait que les silences parlent plus que les mots...*

Oui... De l'ambition et des aspirations d'un jeune policier, j'ai eu envie d'écrire un livre. Pour cela, j'ai modelé un personnage. Avec lui, j'ai découvert un monde particulier, fascinant, mais dont on ne sait que ce que l'on veut bien nous en dire. Le monde hermétique dans lequel évoluait Vincent Savoie a piqué les curiosités et suscité les passions. Mais j'ai aussi compris, en écrivant cette histoire, que dans ce monde particulier, on ne doit jamais se fier aux apparences. Tout n'est que chimère, qu'illusions. Surtout quand on exerce un métier qui n'est inscrit dans aucun livre, dont on ne parle que sous la couverture, en catimini. Être agent double, c'est accepter d'exister en parallèle. C'est accepter aussi de vivre dans un monde fait de mensonges, d'apparences, de manipulation, de silences et parfois même de désespoirs aussi grands que la mort. Vincent Savoie l'a appris au prix de sa liberté... Il a décidé de plaider coupable.

Aujourd'hui, il doit assumer ce choix. Qu'a-t-il de nouveau à dire? Jusqu'où ira sa quête de justice et de vérité? Je ne le sais pas plus que vous. La seule chose dont je suis certaine, c'est que le personnage refuse de me quitter. Ce que je comprends de son langage, c'est qu'il veut agir à tout prix. À ses yeux, la réussite est un objectif valable en soi. En cela, il n'a pas changé.

Quel chemin empruntera-t-il pour rétablir les faits et la vérité? Jusqu'où dix années d'infiltration et de silences peuvent-elles mener? Jusqu'où la méfiance et la peur peuvent-elles conduire quand un homme est blessé, quand il reste en permanence sur la défensive? Ensemble nous allons découvrir ce que l'infiltrateur nous propose. Car, comme il le disait si bien, c'est au moment où il s'est assis dans le fourgon cellulaire que sa véritable défense a commencé.

Ceux qui ont lu le premier tome de L'Infiltrateur *seront peut-être surpris par le ton qu'emprunte ce second livre. Pourtant, je ne fais qu'être fidèle à ce que la vie nous réserve parfois. Nous suivrons le chemin d'un homme qui continue à se battre. Le jour où Vincent Savoie a plaidé coupable parce qu'il n'avait pas vraiment d'autre choix, il a été condamné à sept ans de pénitencier. Tout ce qui avait été sa vie venait de basculer. Alors, quand les portes se ferment devant soi, quand les regards se font fuyants et les paroles évasives, où peut-on puiser la force de continuer, sinon à l'intérieur de soi?* L'Infiltrateur, *c'est donc aussi l'histoire de cet homme qui a choisi de lutter pour rester en vie.*

C'est pourquoi, je vais lui laisser la parole encore une fois. Je vais permettre à Vincent Savoie d'envahir ma vie, mon cœur et ma pensée. Et avec mes tripes, je vais lui donner une autre chance de s'exprimer. Parce que je suis profondément convaincue qu'il y a des silences encore plus destructeurs que la vérité. Parce que j'ai appris, au fil des années, qu'il y a des silences qui tuent...

Où commence la réalité et où se termine la fiction? La frontière est mal définie et nullement protégée. Tout se peut et rien ne se vérifie. Les choses, les gens, les événements se croisent, se doublent, se chevauchent et se répètent. Un roman, c'est un reflet de la vie. Parfois en mieux, parfois en faux, parfois criant de vérité. La vie est aussi, à certains moments, plus rocambolesque qu'un roman. J'ai envie d'écrire, j'ai envie de dire, j'ai envie de laisser les mots vous surprendre. Vincent Savoie m'a tendu la main et j'ai choisi de le suivre. À travers sa réalité, ses rêves et sa folie. La spirale des illusions et des images m'emporte. Et je me laisse emporter sans savoir où cela me mènera. Il n'y a plus de limite ni de barrière. La démesure ne m'inquiète plus. La vie a réussi à me rejoindre, plus imprévisible, plus délirante que le plus extravagant des romans. Alors je laisse aller…

Où commence la réalité et où se termine la fiction? La frontière est mal définie et nullement protégée. Tout se peut et rien ne se vérifie.

Louise Tremblay d'Essiambre

Il y a dans les mots beaucoup d'émotion, de joie, de peine et d'incertitude. Il y a dans les silences entre ces mots toute la réflexion et la couleur que le lecteur veut bien leur donner. Je sais pour ma part que les silences sont chargés de mystère et de pièges, que certains silences cachent la vérité.

Dans ce livre, vous découvrirez que Vincent Savoie doit prendre les meilleures décisions pour sauver sa vie. La promesse faite à Élise motive toutes ses actions.

Pour ceux qui ont lu L'Infiltrateur, *vous comprendrez en lisant* Boomerang *combien j'aurais aimé être à la place de Vincent Savoie. Mais Vincent pourrait-il vraiment exister? Malgré tout, il a de vieux comptes à régler. Le crime au Québec est de mieux en mieux organisé et la police encore plus efficace que tout ce que Vincent aurait pu rêver. Il comprend, trop tard, que nécessité fait loi. Que la Sécurité provinciale ne lâche jamais une enquête.*

Mon père me disait: « Si tu veux vaincre ton opposant, mets-toi à sa place, pense comme lui. Ne crois pas qu'il soit un imbécile et considère-le comme plus intelligent que toi. Prends les mesures honnêtes pour gagner et si malgré tout tu perds, tais-toi et réfléchis. Il te reste la vie pour apprendre. Il n'y a pas de meilleure défense que la vérité. »

Si vous voulez vraiment apprécier ce livre, jouez le jeu. Prenez la place de Vincent, vous pourrez peut-être comprendre mes choix. Vous serez alors seul à décider s'ils étaient les bons. Ne jugez pas trop vite. Personne ne veut que la présomption d'innocence soit renversée.

« Si tu veux tuer ton chien, accuse-le d'avoir la rage. »

Merci à Louise pour son accueil. Merci d'avoir accepté de mettre son talent au service d'une histoire qui, pour moi, devait être racontée avec justesse et efficacité. Au-delà des jours heureux, merci à France d'avoir été là dans les moments plus sombres et d'avoir permis à Émilie, notre fille, de naître. Elle qui nous offre son dynamisme, ses sourires, ses espoirs d'enfant heureuse. Merci à mes amis qui ont été présents, honnêtes et forts. Je pense surtout à toi Hélène, à Paul, aux deux Pierre. Et à tous les autres que la vie m'a permis de rencontrer et d'apprécier...

Loui Sansfaçon

Prologue

Janvier 1994

« ... Même si parfois la vérité se fait patiente,
elle ne donne pas toujours les résultats escomptés
car il y a des silences qui tuent... »

La matinée est glaciale... Avec un frisson convulsif, Vincent s'engage en marche arrière pour stationner son auto au Palais de justice de Québec... Fermant les yeux un instant, Vincent s'oblige à respirer profondément pour chasser le malaise qui resurgit dans ses veines à chaque battement de cœur... Il entend Christine, sa femme, qui ouvre la portière et la referme derrière elle d'un geste vif. Silencieuse, imperturbable, comme déjà détachée... Vincent claque la portière à son tour... Il redresse la nuque et passe machinalement la main dans ses boucles sombres. Puis il porte le regard de ses yeux clairs droit devant... Alors, instinctivement, Vincent refait son visage de marbre avant de rejoindre son épouse au moment où elle passe la porte du Palais de justice...

Curieusement, quand il se présentait ici pour témoigner, c'est toujours par cette même porte que le policier Savoie entrait, impassible, satisfait, sûr de lui, une trace d'impertinence au coin des lèvres. Mais là, en ce moment, en mettant les pas de ce matin dans ceux d'hier, ce n'est plus le même homme qui avance. Le policier Vincent Savoie n'existe plus. C'est le citoyen Savoie qui se présente ici, l'inculpé Savoie...

— Vincent Savoie, connaissant les charges qui pèsent contre vous, plaidez-vous coupable ou non coupable ?

Lentement Vincent tourne la tête pour venir rencontrer le regard du magistrat. De toutes ses forces, il aurait envie de crier non. Mais quand il se décide enfin à desserrer les lèvres, les mots se bousculent, plus forts que lui.

— Votre Seigneurie, je dois... Je plaide coupable.

Voilà, c'est fait ! Il a réussi à le dire. Et il comprend maintenant que c'est pour sa fille qu'il vient de le faire. Un bourdonnement se fait entendre dans la salle. Tous les regards fondent sur lui. C'est la consternation. Coupable... Vincent Savoie vient de plaider coupable. Les stylos des journalistes courent sur les feuilles de papier... Les gens se penchent les uns vers les autres, commentent. Christine et sa sœur Andrée se tiennent par la main. Victor, son ancien partenaire, regarde le sol. Bolduc et Ducharme, ses derniers patrons en lice, le fixent intensément. Alors, fièrement, Vincent soutient leur regard. C'est là, maintenant, que sa véritable défense commence. Elle ne cessera que le jour où sa fille Élise aura compris...

Le juge s'est remis à parler. De nouveau, Vincent se tourne vers lui, tentant vainement de porter attention à ses paroles. Les battements de son cœur l'assourdissent et il doit faire un effort quasi surhumain pour saisir tout ce que le magistrat est en train de déclamer pour la galerie.

— Monsieur Savoie, vous comparaissez aujourd'hui devant moi pour répondre de vos gestes. Vous avez décidé de vous soustraire aux différentes dispositions légales en choisissant de ne pas subir de procès. Vous avez sans doute mesuré l'impact d'une telle décision sur votre avenir. Je suis toujours surpris de constater qu'un citoyen ne se prévaut pas de son droit ultime. Ayant entendu les représentations des deux avocats, j'ai apprécié les commentaires et j'en conclus que je dois sévir. J'ai construit ma réflexion d'abord sur votre réputation, celle d'avoir été un enquêteur chevronné, de haut niveau d'efficacité, sur l'importance des crimes commis, sur l'exemplarité et sur l'impact dissuasif que je dois chercher. Votre mandat même vous obligeait à connaître la loi et surtout à la faire respecter.

Vous agissiez au nom de la Sécurité provinciale. En ce sens, chaque citoyen du Québec attendait de vous que vous soyez un exemple. Vous n'avez pas répondu à cet espoir légitime de la population. De plus, vous avez même voulu profiter de votre statut de policier. Je rejoins donc la suggestion que m'a faite le représentant du substitut du procureur de la Couronne et je vous condamne à sept ans de pénitencier. J'ajoute cependant que votre vie se poursuivra au-delà de cette condamnation... Ainsi, je suggère de favoriser votre réinsertion sociale en vous accordant le support nécessaire à des études universitaires, puisque c'est là un désir que vous avez manifesté... Malgré la situation, je vous souhaite bon courage et bonne chance...

Sur ces derniers mots, le juge donne un violent coup de marteau. Un silence de plomb tombe sur la salle de comparution, avant que les murmures ne reprennent.

« Sept ans... sept ans... Dans sept ans, Élise aura dix ans... »

Ils ont tenu parole. Vincent n'est ni surpris ni déçu. Simplement amer... Ça fait déjà un mois qu'il sait. Alors il pose son regard sur Christine qui s'est mise à pleurer et qui n'arrive pas à maîtriser ses sanglots. Tout en lui tenant la main, Andrée dévore son frère des yeux. Un policier s'approche de Vincent, le prend par le bras. Vincent se tourne vers le juge qui, d'un signe de la tête, lui permet de rejoindre son épouse. De toutes ses forces, Vincent la tient contre lui, essayant de lui transmettre un peu de sa force, de sa chaleur...

Puis on l'emmène.

Une salle à l'arrière, un petit couloir, un ascenseur qui descend. Un autre couloir, très long celui-là, qui conduit à la pièce où les détenus sont départagés selon leur destination. Vincent, lui, en a pour quelques heures de route. Il est attendu au pénitencier de Sainte-Anne-des-Plaines. Mais alors qu'il essaie de suivre le policier d'un pas qu'il voudrait détaché, une porte s'ouvre à sa droite. Vincent fronce les sourcils.

— Messieurs... un moment...

Le policier qui accompagne Vincent s'arrête, se retourne.

— Laissez-nous... Vous reviendrez dans quelques minutes. Nous avons à parler.

Posant le regard impersonnel de ses yeux trop bleus sur Vincent, Ducharme lui fait signe d'entrer. Son attitude habituelle, froide et glaciale, soutient ses paroles. D'un geste autoritaire, il referme la porte derrière lui, s'y appuie les bras croisés sur sa poitrine.

Vincent pivote lentement sur lui-même, le front marqué par des rides qui traduisent sa méfiance. Un long regard unit les deux hommes. Alors, lentement, sans quitter Vincent des yeux, le lieutenant Paul-André Ducharme dessine un sourire satisfait.

— T'as fini par plaider coupable...

Sans répondre, impassible, Vincent continue de soutenir le regard de Ducharme. Puis son regard se durcit quand il tourne la tête vers le fond de la pièce où il entend une porte qui s'ouvre. Gary, de la Police nationale fédérale, la PNF, paraît, un volumineux dossier sous le bras. Tout comme Ducharme, Gary sourit. Il vient jusqu'à la table et dépose le document qu'il avait en main. Vincent ne comprend pas. Il est sur la défensive, revient face à Ducharme, décide de jouer l'arrogance. Ultime défense face à ceux qui l'ont renié. Sauver la face, sauver ce qui lui reste de fierté dans un moment comme celui-ci.

— Ducharme... Tu dois être content ?

À nouveau, pendant quelques secondes, le lieutenant fixe Vincent. Puis lentement, il penche la tête et se concentre sur ses mains. Silencieux. Brusquement, il relève le front.

— Oui... sauf pour les sept ans...

PARTIE I

Le pénitencier

Janvier 1994 – avril 1995

« … le temps fuit, les événements se précipitent,
l'actualité n'existe plus… »

Chapitre 1

Le fourgon cellulaire en partance pour Montréal n'attend plus que lui pour démarrer. Dès que Vincent quitte la salle où Ducharme vient de lui parler, le policier le prend à nouveau par le bras et l'emmène jusqu'au bout du couloir. D'un pas rapide, à la limite de la course. Appuyé contre le chambranle de la porte, Ducharme le regarde s'éloigner. Gary l'y rejoint. Quand Vincent disparaît, les deux hommes échangent un long regard équivoque et entrent à nouveau dans la petite pièce en refermant la porte sur eux.

À l'arrière du fourgon, il y a une sorte de cage, avec un banc. Vincent le savait, en avait déjà souvent entendu parler. Cette cage existe pour les violeurs, les pédophiles afin d'assurer leur sécurité face aux autres condamnés. Vincent comprend vite que c'est aussi valable pour les ex-policiers. Les regards qui l'attendent n'ont rien d'amical, ni même de cordial. L'air est vicié par la haine.

Vincent se laisse guider par le gardien, s'installe dans la cage, retient un frisson quand la porte se referme sur lui.

— Sacrament, qu'esssé qu'y'a faite pour qu'on l'mette là ?

— Baptême… J'pense que j'le reconnais…

Puis ce sont les portes du fourgon qui agressent les oreilles de Vincent et le font sursauter. Ce bruit de métal que l'on verrouille à double tour.

« Coupable… j'ai plaidé coupable… Condamné à sept ans… sept ans… sept ans… Quelle heure est-il ? Élise, Élise a-t-elle fini de manger ? »

Pendant un moment, Vincent arrive à oublier les sarcasmes et les attaques. Le vide, faire le vide en lui et ne garder que l'image du sourire de sa petite fille.

Quand il relève les yeux, Vincent s'aperçoit qu'un des détenus s'est levé et se tient devant lui.

— Aie, les gars... C'est ben lui... C'est l'flic qu'on a vu dans l'journal...

Il a un rire mauvais.

— C'est d'ça qu'ça l'air un stool qui s'est faite pogné...

Un des trois hommes présents crache en direction de Vincent.

— Un crisse de sale... Sont toutes pareils : un panier de pommes pourites.

Toujours silencieux, Vincent soutient le regard de l'homme qui se tient jambes écartées devant lui. Un homme comme ceux sur qui il enquêtait. Le temps semble se figer. Aversion contre aversion. Le dégoût mutuel est presque tangible. Puis Vincent tourne la tête. Ils sont quatre dans le fourgon. Quatre hommes dont le destin est lié pour quelques heures. Quatre hommes que tout aurait dû séparer et qui sont ridiculement associés à une seule et même statistique sur une liste : un transport quelconque en direction de Sainte-Anne-des-Plaines... Quatre condamnés au pénitencier...

Lentement, Vincent regarde chacun des hommes. Ne se dérobe pas aux regards. Il les connaît par cœur, en a tant et tant croisés depuis dix ans. Il sait leurs codes et leur langage ; leurs habitudes et leurs envies. Il les a copiés, s'y est même fait des amis. De ces amitiés de convenance qu'il a appris à manipuler, à utiliser. Il en a usé et abusé. Trop peut-être. Finalement, le jeu de l'illusion a fini par le rejoindre et a refermé son filet sur lui. Pourquoi ? Il n'en sait rien. Depuis des mois qu'il essaie de comprendre et seule la réalité d'un moment comme celui-ci arrive à imposer sa présence et sa véracité. Dure, impitoyable, illogique, démentielle...

Vincent ramène la tête devant lui, s'attarde un instant sur le colosse aux cheveux grisonnants noués sur la nuque et qui lui cache la fenêtre grillagée en haut de la porte du fond. Il le trouve ridicule dans cette attitude qui ne dupe personne, sauf peut-être lui-même. Ce n'est qu'un géant de papier, sans intérêt. Vincent aurait envie de fermer les yeux. Se soustraire à cette lutte où il n'a pas eu le choix des armes. Alors il se cale contre le dossier de son banc et baisse effectivement les paupières. Qu'importe l'image que ces hommes garderont de lui. Il s'en fout. Cela n'a plus aucune espèce d'importance. Plus rien n'a d'importance. Tout à coup, il est épuisé. Immensément fatigué.

« Allez-vous-en tous, foutez-moi la paix... Je n'ai rien demandé. Tout c'que j'veux, c'est voir Élise... pis dormir... Oh oui, dormir... Si vous saviez... »

Un rire insensé, comme un délire qui part du ventre avant d'éclater dans toute sa démence, le fait sursauter. Par réflexe, Vincent ouvre aussitôt les yeux, se redresse. À côté de lui, sur le banc contre la paroi du fourgon, un petit homme, maigre, sec, à demi chauve se frotte les mains en fixant l'homme qui est toujours debout face à Vincent.

— Envoye, Gus, t'es capable...

Vincent se retourne, retient son souffle. Le colosse debout devant lui a ouvert son pantalon et a sorti son sexe. Il se masturbe en regardant Vincent avec mépris, avec insolence.

— Ça, mon crisse de sale, c'est juste en attendant...

Vincent n'ose bouger. Il connaît les lois du milieu carcéral et s'attendait à entrer rapidement en contact avec elles. Mais si vite ? Mentalement, Vincent hausse les épaules. Aussi bien s'y faire tout de suite. Alors, il s'oblige à rester de glace. Il n'a pas le choix. Le cubicule où il est assis ne lui offre aucune possibilité de fuite. Quand l'homme éjacule enfin, pour la même raison, Vincent retient la nausée qui le prend à la gorge. La répugnance qu'il ressent n'a d'autre issue que l'indifférence visible. Tenir le coup. Il lui faut à tout prix tenir le coup. Pendant un instant, il baisse les yeux et s'attarde sur la tache visqueuse qui coule le long de son soulier. Un frisson de dégoût qui part de la nuque pour mourir au creux des reins essaie de s'imposer. Pourtant aucun muscle ne bouge. Contrairement à ce qu'il pensait tout à l'heure, Vincent comprend que l'image qu'il projette a beaucoup d'importance. Il doit rester en contrôle. Le jeu des illusions le rejoint jusqu'ici, au fond d'un fourgon cellulaire nauséabond et sombre. Dès maintenant, et pour les mois à venir, Vincent doit apprendre à durcir la carapace. Pour éviter de se sentir sali, encore plus bafoué. Pour éviter de mourir. C'est pourquoi il regarde son soulier sans émotion apparente. Indifférence calculée, apprise au fil des années. Sa vie d'infiltrateur, une vie de duperie.

L'instinct de survie reprend tout son sens. Ne garder que le dégoût, le faire sien, s'en servir pour imposer son propre code. De l'autre pied, à gestes lents, Vincent vient frotter la tache avec sa semelle jusqu'à ce qu'elle se mêle à l'eau boueuse, qu'elle disparaisse. Puis Vincent relève la tête avec arrogance. Face à ce colosse de papier, absurde et grotesque. Mais aussi avec fierté face à la vie. Face à sa vie. Vincent Savoie va survivre. Coûte que coûte. Il l'a promis à sa fille, la nuit dernière en la regardant dormir et personne sur terre ne viendra se mettre en travers de sa route.

L'homme recule d'un pas. Et malgré l'ombre qui règne dans le fourgon, Vincent s'aperçoit qu'il rougit. Oh ! juste un peu, un tout petit peu. Mais c'est suffisant. Vincent se redresse, superbe, insolent, maître de la situation. La haine et la répulsion donnent un éclat de dureté farouche à son regard. Irrévocable, démesuré, presque envoûtant. Sans un mot, l'homme reprend sa place. Personne ne parle. Personne n'ose se regarder. Lentement, Vincent s'attarde sur les trois hommes qui l'accompagnent. Il enregistre leur visage. Ça pourrait peut-être servir, un jour. Il sait que la *game* ne sera pas facile en dedans.

Quand il a l'assurance que l'image est bien enregistrée dans sa mémoire, Vincent se détourne des trois hommes et lève les yeux.

Par la fenêtre grillagée, il regarde le ciel qui défile à l'arrière du fourgon. Un ciel bleu glacier, comme le regard de Ducharme. Vincent a un petit sourire. Il vient de comprendre, là maintenant, que ce petit carré de ciel bleu, du même ton que les yeux impersonnels de Ducharme, sera la couleur de la liberté pour lui. Et surtout, il vient de se rappeler qu'il a quelques comptes à régler. Comme il l'a dit à Christine : c'est ici, maintenant, que sa véritable défense commence. Quelle qu'elle soit…

Chapitre 2

Chaque fois qu'il entend le roulement métallique d'une porte qui se referme en se verrouillant automatiquement dans son dos, Vincent sursaute. Il est quinze heures. Il vient d'arriver au pénitencier de Sainte-Anne-des-Plaines.

Tout au long de la route, plus ils s'éloignaient de Québec et plus le ciel se couvrait. En arrivant dans la cour de la prison, l'horizon était complètement gris et lourd. L'air sentait déjà la neige mouillée. Le fourgon s'est rangé à reculons le long d'une porte de garage puis on a enfin ouvert les deux battants. Un courant d'air froid a assaini instantanément l'air du fourgon et lui a offert le mirage d'un moment de liberté. Aussitôt l'ordre de sortir a rétabli une réalité impersonnelle et intransigeante. En passant du véhicule à l'entrée de la prison, Vincent a levé la tête et avalé une longue goulée d'air frais. Une sorte de réflexe pour oublier qu'il est comme une sorte de marchandise que l'on vient de livrer à destination. Les yeux rivés sur un minuscule coin de ciel obstinément sombre, il a compris que dorénavant, tout espoir de liberté se fondrait inexorablement à un avenir incertain. Au fur et à mesure où ses pas le conduiraient profondément à l'intérieur des murs de la prison, cet avenir serait de plus en plus incertain.

Puis il hausse les épaules. Tout ici n'est que la conséquence de son choix. À lui de l'assumer jusqu'au bout... Sa vie passe par là et nulle part ailleurs. Quoi qu'il lui en coûte... Il se retrouve un peu dans la même position que le gars qui a voulu sauter en parachute. Ou comme le soldat qui a choisi d'aller au combat. Là maintenant, Vincent Savoie fait face à l'inconnu. Passage obligatoire dans un univers inconnu. Il a l'impression d'avancer vers le vide. Mais il ne peut plus revenir sur ses pas. Les dés sont lancés et ils roulent sur la table.

Vincent entre dans la prison la tête haute.

Toutes les portes sont lourdes et grillagées. Quand il arrive dans le hall, Vincent s'arrête une fraction de seconde. Une tristesse un peu surprise traverse son regard quand il porte les yeux au sol. Le plancher qu'il foule est en terrazo. Pareil à celui de la crèche, à celui du collège ou de l'Institut de police. L'image d'un petit camion vert roulant dans une grande salle de jeu traverse son esprit, puis c'est le souvenir de l'escalier à paliers de l'Institut de police du Québec qui le ramène en arrière. Vincent soupire d'amertume, de nostalgie. Comme une chape de plomb lui tombant sur les épaules, une vague d'ennui irrépressible le submerge et lui serre la gorge. Et cette senteur de soupe au chou qui flotte dans l'air et qui semble vouloir constamment le suivre, imposante, omniprésente, imprégnant plusieurs moments importants de sa vie…

Sans trop s'en rendre compte, Vincent a ralenti l'allure. Une poussée dans le dos l'oblige à reprendre le rythme imposé par le gardien. Alors il contraint les souvenirs à battre en retraite. Loin, très loin dans sa mémoire. Et c'est probablement mieux comme cela. Ne pas s'attarder à un passé qui pourrait le blesser inutilement et concentrer ses efforts sur demain. Rebâtir sa vie. Il s'est promis de le faire tout le temps qu'il serait ici. Se donner des buts et préparer sa défense.

Une autre lourde porte se referme derrière lui, dans un bruit mat qui semble aspirer l'air ambiant. Puis une petite salle anonyme, grisâtre, avec une table dans un coin. Une première fouille, par-dessus les vêtements au cas où... Puis une voix au ton rogue, comme un chien hargneux qui montre les crocs.

— Déshabille-toi. Fouille complète et douche.

Le gardien est déjà parti. Vincent regarde autour de lui et se bute à la petite pièce banale qui n'a rien à montrer. Alors il s'approche de la table, son sac de papier brun à la main. Il enlève son manteau, sa montre et commence à délacer ses chaussures. Dans le couloir, un bruit feutré de voix et de pas. Il tend l'oreille. Sursaute quand la porte s'ouvre à nouveau. Le gardien revient avec des vêtements sur le bras, une paire de souliers à la main.

— Après la fouille et la douche, tu mettras ça.

Sans un regard pour Vincent, l'homme va jusqu'à la table, lance les vêtements par-dessus ceux que Vincent y a déposés. Vincent aurait envie de demander s'ils sont à la bonne taille. Il y renonce aussitôt. L'air est déjà assez lourd. Le gardien a plongé une main dans sa poche de pantalon pour en sortir un gant de nylon blanchâtre, comme on en voit chez le médecin.

— Envoye, grouille, déshabille. J'ai pas juste ça à faire...

Sans émotion, surveillant Vincent du coin de l'œil, le gardien enfile le gant à sa main droite. Pendant qu'il finit de se dévêtir, Vincent reste de marbre. Seul un mouvement des mâchoires, en secousses incontrôlables, dénote l'humiliation qu'il ressent quand il tourne le dos au gardien et se penche à sa demande. Vincent ferme les yeux, essaie de se détendre.

Au prix d'un effort surhumain, il arrive à retenir les larmes de rage et d'impuissance qui lui piquent les paupières. Il s'applique à respirer longuement, calmement.

Personne ne saura jamais ce qu'il est en train de vivre. Personne, jamais.

Face à lui-même et à l'image qu'il projette, Vincent aura

toujours le contrôle. Aucun être sur terre ne pourra tenter ni même espérer lui enlever ça… Il passe ensuite à la douche. Le visage fermé, il s'habille enfin, pendant que le gardien prend ses vêtements pour les mettre dans le sac avec le reste de ses affaires personnelles. Vincent sait que bientôt, tantôt, ce gardien se vantera d'avoir été celui qui était là. Ici, Vincent Savoie représente le voyou maximum. Il n'a plus d'amis nulle part.

* * *

La prison n'a qu'un seul étage et la forme d'une étoile.

« Non, pas une étoile, pense Vincent en marchant devant un autre gardien. L'image est trop belle. Ce serait plutôt une sorte de pieuvre… »

Une pieuvre aux tentacules étouffantes qui se referment sur lui… Vincent arrive difficilement à respirer. Pourra-t-il un jour refaire dans l'autre sens chacun des pas qui le plonge un peu plus profondément dans ce long corridor ? Est-ce cela la peur ? Ce creux vertigineux dans le ventre qui fait presque mal, qui coupe le souffle et donne envie de se plier en deux pour parer les coups ? Vincent, qui croyait l'avoir connue sous toutes ses formes quand il infiltrait des bandes criminelles, se rend compte que ce n'était rien à côté de l'incontrôlable. Quand on ne peut influencer le rôle à jouer, ni l'image que l'on projette. Parce qu'ici, l'image, on s'en fout. Vincent Savoie est à la merci de décisions prises par autrui. Cet autre n'a sans doute que mépris pour lui. Mépris ou indifférence. Peut-être même de la haine. Probablement de la haine. Il sent le jugement du gardien peser sur lui. Comme une brûlure à travers ses vêtements. Il entend son souffle court et bruyant qui le poursuit. Et toutes ces portes qui se referment derrière lui, à la fois chuintantes et métalliques, sectionnant chaque fois un peu plus profondément le lien qui le retenait encore au monde extérieur. Son monde, celui de sa famille, de ses amis... De tous ceux qu'il ne reverra que dans plusieurs mois. Sa femme a été formelle: jamais elle n'acceptera de venir le voir en prison. Jamais... Et Vincent a dit qu'il comprenait. Son orgueil et sa fierté ont choisi de comprendre et d'accepter...

De l'entrée, où il a pris sa douche et revêtu l'uniforme grisâtre qui sera le sien pour les années à venir, part ce long corridor qui mène à une rotonde: c'est le poste central de sécurité où toutes les allées et venues sont ultimement vérifiées, acceptées ou rejetées. Tout autour partent des ailes, les *wings* comme on les appelle ici, avec encore une fois, un poste de garde à l'entrée de chacune de ces ailes.

On consulte une liste et on le dirige vers une cellule comme celle qu'il a déjà vue quand il rencontrait une source en prison. Relativement confortable. On lui a expliqué que dès demain, il pourrait faire venir et y installer quelques objets personnels.

Sa cellule (sa chambre comme Vincent a décidé de l'appeler) est dans une aile à sécurité maximum. Pourtant, pendant la journée, à certaines heures, les portes des cellules sont ouvertes pour permettre aux détenus de se rendre aux ateliers, aux salles de cours, au gymnase, ou à la salle commune. En se dirigeant vers le fond de l'aile, Vincent soutient le regard d'un homme très grand, à la peau d'ébène, appuyé contre le chambranle de la porte de sa propre cellule et qui le suit des yeux jusqu'à ce qu'il disparaisse dans sa chambre. Puis l'homme retourne s'asseoir sur son lit, silencieux, mâchant consciencieusement une grosse chique de gomme, un rictus au coin des lèvres...

Vincent s'est laissé tomber sur le lit. Il écoute le bruit des pas du gardien qui s'éloigne, distillé goutte à goutte dans un silence oppressant qui prend possession de toute l'aile où il se trouve. Un silence opaque à peine perturbé par quelques toux et reniflements. Puis deux hommes s'interpellent à voix basse. Un rire de gorge, feutré, comme retenu, clôt la brève discussion. Vincent a l'impression que l'air se raréfie, qu'il s'épaissit autour de lui, vicié de toutes ces misères d'hommes qu'il entend dans ces toux et ces reniflements. C'est exactement comme si un poids sur la poitrine l'empêchait de respirer normalement. Il a le souffle court et son cœur bat comme au sortir d'un cauchemar. Alors il se tourne sur la gauche, dos à la porte et il replie le bras sur le côté de la tête pour se cacher l'oreille afin d'entendre une autre forme de silence. Le sien. Celui de ses souvenirs, soutenu par la modulation de sa respiration. Petit à petit, son souffle reprend un rythme normal. Il se reprend en main. C'est le seul contrôle qui lui reste. Ses traits se détendent un moment. Puis un autre rictus redessine un visage raviné. Instinctivement, il se tourne sur le dos, face à la porte tout en gardant les yeux fermés. Il a toujours dit que le meilleur endroit pour s'isoler c'est encore dans une foule. Il ne savait pas que cela se transformerait en une cruelle réalité. Entouré de centaines d'hommes, Vincent ressent la solitude avec une acuité tranchante. Comme jamais auparavant.

Seul. Vincent Savoie est seul. Parce que chacun de ces hommes sera son ennemi juré et personnel à la seconde précise où il saura quelle est sa véritable identité.

Un doute aussi grand qu'un raz-de-marée lui balaie l'esprit. Vincent revoit clairement le regard du grand Noir. Oui, cet homme l'attendait, lui, l'ex-policier. Vincent en est convaincu. La rumeur avait précédé son arrivée et a déjà fait son œuvre. Les lois de la prison sont implacables. Le jeu des clans et des alliances fera le reste. On sait sûrement qui il est. Et probablement que son sort en est déjà jeté. La lourdeur de l'air en fait foi. Vincent Savoie, ex-policier dont on a tant parlé dans les journaux, était attendu par tous. Aucun doute possible. On a sûrement débattu de son cas et on a profité de l'occasion pour faire le bilan des comptes à rendre. Vincent n'est qu'une marchandise permettant de régler certaines dettes. Les paris sont sûrement pris. Combien de temps avant de le passer ? Personne ne lui viendra en aide, car personne ne veut de lui ici. Pas plus les détenus que les gardiens pour qui il n'est qu'un paria, qu'un faux-frère.

Vincent ouvre les yeux. Son instinct de chasseur ne lui fait pas défaut. Dans l'encadrement de sa porte, trois hommes. Le grand Noir de tout à l'heure, nonchalant, mâchant sa chique toujours aussi vigoureusement, mais sans aucun bruit, et deux autres détenus, un peu plus petits. Ils ne bougent pas et le fixent intensément. Comme si on leur avait demandé de faire son portrait par la suite, mais uniquement de mémoire. Vincent ne bouge pas non plus. Pas un muscle, à peine un battement de paupières de temps en temps. Et il attache son regard à celui du plus grand des trois. L'homme a la pupille et l'iris aussi sombres qu'une nuit sans lune. C'est troublant, dérangeant. Vincent est certain de ne pas le connaître et, en même temps, il lui semble qu'il l'a déjà rencontré à plusieurs reprises. Pourtant, jamais il n'oublie un visage. Puis Vincent se soulève brusquement sur un coude, silencieusement, comme un chat saute sur le sol. Il vient de comprendre. Aussi foncé soit-il, le regard de ce Noir a la même opacité que le regard trop pâle de Ducharme. Vincent reconnaît le flux de la colère qui monte en lui. Un éclat de dureté traverse son regard, le rend froid et irréductible. C'est la seule défense qu'il peut utiliser contre les trois hommes qui le dévisagent, arrogants. Le temps suspend son cours au-dessus de la cellule. On s'examine, on s'évalue. C'est le cri strident d'une sorte de sirène, comme celle qu'il entendait dans la cour de récréation du collège, qui permet à Vincent de reprendre son souffle. Le grand Noir crache sa gomme sur le sol, et d'un hochement du menton, fait signe aux deux autres de se retirer. Quelques secondes plus tard, la porte de la cellule se referme en glissant silencieusement. Alors Vincent pousse un profond soupir de soulagement.

Maintenant il peut se tourner sur le côté et replier le coude pour se soustraire au monde. La porte fermée, pour quelques instants, Vincent peut compter sur une relative sécurité. Il doit en profiter pour tenter de se créer un monde bien à lui, s'il veut survivre. Pour l'immédiat, ce n'est pas ce qui l'a amené ici qui a de l'importance mais ce qui suivra. Il lui faut croire de toutes ses forces et sa conviction que sa vie ne s'arrêtera pas au pénitencier de Sainte-Anne-des-Plaines.

Il ne faut surtout pas que sa vie s'arrête ici.

C'est en se répétant cela qu'il revoit le sourire calculateur de Ducharme. Instinctivement, Vincent serre les poings. La seule chose essentielle finalement, c'est de survivre.

Parce qu'autrement, jamais Élise ne saura la vérité. Il en est persuadé...

C'est pourquoi il doit se bâtir une nouvelle image et s'y accrocher. Ce qu'il connaît le mieux, c'est le monde de l'illusion. Alors, oui, il va créer un personnage. À l'image de tous ceux qui l'ont amené à ce jour. Pierre Côté, Michel Valois, François Guertin... Ces rôles qu'il jouait pour son travail et où il a gagné. Ce monde d'illusions qu'il a habilement monté autour de lui et où il performait parce qu'il s'y sentait à l'aise, qu'il y était le maître malgré les apparences. Aujourd'hui, il doit apprendre un nouveau rôle, qu'il doit peaufiner au point où personne ne se doutera de quoi que ce soit. Il va s'y appliquer pour survivre. Il va s'y appliquer pour remplir la promesse faite à sa fille.

Un jour, il le jure, Élise connaîtra la vérité.

Vincent serre très fort les paupières et fait renaître le sourire de sa fille dans son esprit. Sa toute petite fille de trois ans au regard lumineux, au rire contagieux. Pour elle, il n'y a rien de changé, rien de nouveau dans sa routine. Et il faut qu'il en soit ainsi. Vincent s'en est remis à Christine pour expliquer son absence à Élise.

« Élise, ma puce... Comment pourrais-je t'expliquer ? Comment te dire à quel point je t'aime ? Comment... Hier, Christine a fait une tarte aux pommes... Tant mieux, Élise aime bien la tarte aux pommes... Moi aussi je voudrais manger de la tarte. Je voudrais prendre une autre douche... Je voudrais avoir une raison de rire... »

Seul, dans une cellule, condamné à sept ans de pénitencier, Vincent Savoie se jure qu'il va reprendre sa vie en mains. Toute sa vie. Même si, pour l'instant, l'avenir se compte en minutes...

* * *

À nouveau, une sonnerie stridente lui fait battre le cœur. Il se soulève sur un coude, en bâillant. Finalement, Vincent s'était assoupi. À peine trente minutes. Mais cela est amplement suffisant pour qu'il promène un regard surpris autour de lui, le cœur battant la chamade. Il ne reconnaît ni les lieux ni les odeurs. Puis, brusquement, la réalité le rattrape, lui coupant le souffle. Une douleur incroyable lui laboure le ventre. Il est en prison. Il a plaidé coupable et il est condamné à sept ans. Et comme si cela ne suffisait, il sait qu'il n'est pas le bienvenu ici.

Trois hommes le lui ont fait clairement savoir par leur silence. Ce silence plus percutant que les mots.

Est-ce bien ce matin qu'il se trouvait devant le juge ? Ou dans une autre vie ?

Abasourdi, Vincent promène une main tremblante sur son visage, s'attarde à presser longuement ses paupières. Ensuite, il s'assoit sur le rebord de sa couchette, lentement, les yeux au sol, comme s'il était brusquement très vieux et qu'il avait besoin de rassembler toutes ses forces pour se lever.

Comme un automate, Vincent finit par se lever. Il s'étire par habitude plus que par besoin et marche jusqu'à la porte de sa cellule. Trois pas, tout au plus. Il entend le bruit de toutes les portes qui s'ouvrent en même temps, des voix d'hommes qui se rejoignent dans le couloir. À entendre le semblant d'enthousiasme qui sous-tend leur intonation, Vincent comprend que c'est l'heure du souper. Mais dès qu'il paraît dans le couloir, le silence se fait. Aussi lourd, aussi oppressant que celui de tout à l'heure. Tous les hommes présents dans le corridor le dévisagent longuement.

Silencieusement, Vincent se glisse dans la file des détenus et se laisse porter par le courant. Chaque pas l'éloignant inexorablement du poste de garde… Le grand Noir s'est placé volontairement juste derrière lui et il sent son souffle chaud dans son cou…

Lorsqu'il met les pieds dans l'embrasure de la porte de la cafétéria, tout l'impact et à quelle vitesse fonctionne le téléphone de brousse lui est confirmé. À peine quelques heures depuis son arrivée et un silence de plomb l'accueille. Toutes les têtes se tournent simultanément vers lui pendant un bref instant. Puis aussitôt après, pendant qu'un malaise indéniable flotte sur la salle, des regards se croisent, des coups de coude s'échangent. Le colosse du fourgon est debout à côté d'une table et fixe intensément Vincent. Le petit chauve, à deux places de là, a repoussé son plateau et fixe Vincent lui aussi, les coudes appuyés sur le rebord de la table, un sourire mauvais au coin des lèvres. Dans la file, les hommes se sont éloignés de Vincent, une moue de mépris et de rage sur le visage. Et en même temps, il y a une drôle d'excitation dans l'air. Comme une fièvre malsaine qui aurait contaminé tous les détenus. Il n'y a que le grand Noir qui semble indifférent. Alors autant pour sauver les apparences que parce qu'il n'y a rien d'autre à faire, Vincent continue d'avancer. Il prend un plateau, s'approche du comptoir, glisse un bol de soupe sur ce plateau. Vincent projette une image d'indifférence, de détachement. Personne ne peut se douter que son cœur bat à un rythme fou. Pourtant, il n'est pas dupe et il sent très bien que le flottement perdure dans son dos, même si les conversations reprennent peu à peu. Même s'il craint que les détenus des cuisines fournissent un couteau à qui que ce soit, il continue d'avancer.

Au moment où il prend l'assiette, tout bascule. Un violent coup derrière les genoux. Vincent grimace, trébuche et le plateau tombe sur lui, la soupe brûlante lui coulant sur la poitrine. Il grimace de douleur et tente de rouler sur lui-même pour parer les coups de pied qui lui labourent le ventre et les reins. Le temps semble suspendu. La douleur envahit son corps et son esprit, devient omniprésente. Pourtant il ne s'écoule que quelques instants avant d'entendre un coup de sifflet et le bruit mat de la course des gardiens qui se sont enfin décidés à intervenir. Vincent reçoit un dernier coup à la tête, près de l'œil droit. Il se revoit à Percé, quand Comtois et José l'avaient agressé dans une toilette. Ces deux louches à qui il avait tendu un traquenard et qui avaient décidé de se venger à leur façon. À la suite de sa première mission d'infiltration. Il avait à peine vingt ans. Pourtant, il avait compris que sa vie ne serait plus jamais la même. Qu'une vie basée sur l'illusion et les fausses interprétations ne ressemblait à rien de ce qu'il connaissait. Vincent a à peine le temps de se dire qu'il n'avait probablement jamais vu aussi juste de toute sa vie, puis c'est le trou noir. Le grand vertige qui vous emporte loin de toute réalité.

* * *

Quand il revient à lui, Vincent se rend compte qu'il est à l'infirmerie du pénitencier. Il a mal à la tête et au dos. Sous le drap, il sent le frottement d'un bandage sur sa poitrine et une dizaine de points de suture referment grossièrement la plaie près de son œil. La pièce est sombre. Il est seul. Il regarde autour de lui, cherche une sonnette pour appeler. Il a soif. Il se soulève sur un coude, glisse la main sous l'oreiller puis se recouche.

Il est surtout terriblement fatigué. De toute la fatigue d'une vie. Alors il se tourne sur le côté, replie les genoux contre son ventre. Il faut qu'il dorme. Il n'a pas le choix s'il veut se remettre en forme. Pour retrouver la clarté habituelle de ses pensées. Il sait que demain, il aura des décisions à prendre. De celles qui peuvent venir influencer inéluctablement le cours d'une destinée.

* * *

Une flaque lumineuse de clarté sur le mur du fond éveille Vincent. Le soleil est de retour. Le ciel est d'un bleu électrique comme seul un ciel d'hiver peut l'être, sans le moindre nuage. Vincent s'étire longuement avant de chercher à se tourner sur le dos. Il suspend son geste dans une grimace. Il a les reins en marmelade. Même sa vieille blessure à la clavicule s'est réveillée. Tout doucement, il arrive à changer de position. Puis il se cale dans l'oreiller.

La fenêtre de la chambre est relativement grande et il peut contempler un coin de paysage et un grand pan de ciel. On en oublie presque le grillage. Il inspire profondément. Comme si un vent de liberté venait le rejoindre ici. Lui dire que tout espoir n'est pas perdu. Il aimerait bien savoir où se trouve la salle de bains, mais il n'ose pas appeler. Il n'a envie de voir personne. Ce qu'il voudrait, c'est se faire tout petit, se fondre au décor de cette chambre impersonnelle et qu'on l'oublie. Au moins, seul dans cette minuscule chambre à deux lits, il y a suffisamment d'air pour ne pas mourir étouffé. Repliant un bras sous sa nuque, Vincent laisse son regard s'accrocher au bleu du ciel...

* * *

Déjeuner, toilette, changement de draps et de pansements. Même à l'infirmerie, la routine d'un pénitencier est incontournable. Heureusement, l'infirmier est avenant et a la langue bien pendue. Comme s'il ne savait pas qui est vraiment Vincent Savoie. Vincent s'amuse d'une conversation banale entre gens civilisés. C'est comme un baume de fraîcheur qu'on étalerait sur sa vie. Il oublie où il est et se prête volontairement au jeu. On parle politique, temps, voyage. Puis l'infirmier repart.

— Le directeur doit venir te voir un peu plus tard. Et le doc aussi...

Vincent lui rend son sourire. C'est le premier contact chaleureux depuis hier. La porte se referme. Le soleil barbouille maintenant le pied de son lit et lui réchauffe les pieds. Vincent soupire d'aise en se laissant glisser sur l'oreiller. Ce serait bien si le médecin ordonnait qu'il reste ici pour quelque temps. Il se sent à l'abri dans cette chambre et n'a pas vraiment l'impression d'être en prison. Et comme la solitude a toujours fait partie de son quotidien, ce n'est pas le fait d'être seul qui l'incommode. Au contraire. N'a-t-il pas des décisions à prendre ? Et à la lumière de ce qui s'est passé hier soir, Vincent ne doit rien négliger. De toute façon, rester en vie l'obligera à faire des concessions.

Il revoit le sourire froid de Ducharme et celui plus chaleureux de Gary. Ducharme l'attendait à la sortie de la salle d'audience hier. Comédie ou traquenard ? Le souffle de Vincent s'accélère. Son regard se durcit. Et ce dossier que Gary tenait. Et pourquoi Gary Monaghan s'intéressait-il à lui soudainement ? Vincent le connaît à peine. Il revoit clairement leur première et seule rencontre, à la suite d'un tournoi de golf en banlieue de Montréal où les policiers de la Sécurité et de la PNF avaient fraternisé. Gary avait parlé de ses méthodes d'enquête. Le grand Gary avec ses allures d'Irlandais...

Vincent ferme les yeux. Il revoit très clairement Paul-André Ducharme et Gary, dans la petite salle du Palais de justice. Il revoit le lourd document que Gary vient de mettre sur la table. Il entend encore son cœur qui s'est mis à battre comme un fou, alors qu'il restait de marbre. Mais où donc était Pierre Gendron ? Vincent aurait aimé qu'il soit avec lui dans cette salle pour le conseiller, pour le guider vers demain. Puis il entend la réponse qu'il a faite à Ducharme sans se départir de sa prudence habituelle que certains appellent arrogance.

— Un jour, les gens devront savoir...

Ducharme avait eu son sourire froid, calculateur. Pourquoi ? Jeu ou sincérité ?

— Aujourd'hui, tu décides rien. Toi, tu fais ton temps pis nous autres on est payés pour attendre...

Vincent avait soutenu le regard de Ducharme. Maintenant plus que jamais, il savait qu'il ne faut jamais faire confiance. À personne.

* * *

Vincent s'est endormi encore une fois. Comme si toutes les nuits d'insomnie et les inquiétudes des derniers mois faisaient valoir leurs droits. Il a bien des heures de sommeil à rattraper. L'arrivée du médecin le tire d'un sommeil lourd et sans rêves.

Examen sommaire, rapide et sans chaleur. Puis le verdict tombe.

— Demain tu pourras retourner à ta cellule.

Vincent échappe un soupir de soulagement. Vingt-quatre heures de répit. Il a encore vingt-quatre heures devant lui. Le temps de savourer cette nouvelle et le médecin est déjà parti. Vincent aurait eu envie de le remercier. Tant pis. L'important c'est d'avoir toute une journée devant lui. Après, de retour à sa cellule, ce sera la survie heure après heure qui va recommencer. Hier, ce n'était qu'un avertissement. Tout est clair. L'ex-policier n'a pas sa place ici et tous les détenus de Sainte-Anne-des-Plaines sont sans aucun doute prêts à régler le cas.

* * *

La visite du directeur sera à l'exemple de celle du médecin: brève, froide et impersonnelle. Pratiquement une mise au point entre deux hommes que tout semble séparer.

Le directeur est un homme insaisissable. Il a salué Vincent

sans le regarder vraiment. Puis il s'est appuyé sur le pied du lit en fixant un point invisible sur le mur au-dessus de lui. Tout en l'écoutant, Vincent a un peu l'impression de se retrouver avec Philippe Bolduc, un de ses derniers patrons. Même allure un peu débonnaire, sans genre particulier, mêmes propos vagues, sans conviction véritable, même façon de prendre des décisions sans véritablement s'impliquer. L'art de ménager la chèvre et le chou.

— Ce que tu me demandes là est inusité.

— Oui. Et après ? Ai-je le choix ?

Le directeur penche la tête et, pour la première fois, il dévisage Vincent. Sans retenue, un scepticisme évident dans le regard.

— Personne n'a jamais fait une telle deman…

— Et moi, je la fais, coupe aussitôt Vincent. Je veux sortir d'ici vivant. C'est la seule chose qui a de l'importance. Je vous jure que ma vie ne s'arrêtera pas à Sainte-Anne-des-Plaines.

Le directeur hausse les épaules, un sourire blasé au coin du regard.

— Ils disent tous ça…

Puis il étire son sourire qui, du coup, devient presque amical.

— Mais j'peux comprendre ce qui te motive… On va prendre les dispositions nécessaires. Mais fais-toi pas d'illusions, prédit-il en soupirant, ça sera pas facile. Tu t'en vas au trou, au super maximum.

C'est au tour de Vincent d'esquisser un sourire.

— Pas facile ? reprend-il, un léger détachement dans la voix. C'est une expression que je commence à connaître… De toute façon, je suis certain qu'il n'y a aucune autre alternative… C'est encore mieux que d'essayer de survivre dans ma cellule. Au moins, là, je n'aurai pas à surveiller qui se tient dans mon dos… Parce qu'il n'y aura personne… J'aurai juste à apprendre à vivre avec Vincent Savoie. Avec ses souvenirs, ses projets et sa peine.

Le directeur hausse encore une fois les épaules. Comme s'il voulait se décharger du poids de cette décision, le visage à nouveau fermé. Sans même un dernier regard pour Vincent, il se dirige vers la porte.

— Tu vas avoir des papiers à signer...

Quand la porte se referme dans un chuintement d'air, le sourire de Vincent s'accentue. Au trou, la survie au quotidien est presque assurée. Ne reste qu'à savoir ce qu'il entend faire des mois à venir. Mais pour cela, il aura tout son temps pour y réfléchir. Maintenant, ce dont il a besoin, encore et encore, c'est de dormir un peu avant l'heure du souper. Demain, ou après-demain, ou encore la semaine prochaine, peu importe, il verra à son avenir. Les décisions à prendre sont trop importantes pour ne pas y mettre tout le soin et l'attention qu'elles méritent.

Vincent se tourne avec un peu plus de facilité sur le côté: la douleur au dos se résorbe tranquillement. Il ramène la couverture sur ses épaules en fermant les yeux. Peu à peu, il fait le vide. L'important c'était d'assurer l'immédiat et c'est maintenant chose faite. Le reste attendra... Le temps doit passer.

C'est sur le sourire d'Élise que Vincent s'endort enfin...

Chapitre 3

Si la chose est possible, la nouvelle cellule est encore plus petite que la précédente. Le mobilier sommaire est en métal et fixé au mur. Un lit, une table, une chaise. Tout est conçu de façon à ce que personne ne puisse se faire d'armes. Le couloir qui divise l'aile du super-max est sectionné par un mur et la porte qui ferme sa cellule est aveugle. Jamais Vincent ne verra ses voisins. C'est peut-être mieux comme ça. Il se trouve dans l'aile des tueurs en série, des malades. L'aile des pétés, comme il se plaît à la nommer. Le seul contact humain, c'est une voix monocorde qui lui crache son horaire par un haut-parleur inséré dans le haut d'un mur. Ce grillage noir lui est rapidement intolérable. S'il peut entendre la voix, à l'autre bout, on doit l'entendre aussi. Vincent doit se faire violence pour ne pas devenir paranoïaque à la pensée de l'œil noir qui le fixe. Il s'oblige à rester de glace. Chose certaine, personne ne peut entendre ses pensées. À ce niveau, il reste un homme libre. Son intégrité est intacte. Sa lucidité doit l'être aussi. Une conclusion s'impose : plus les murs sont proches et plus le cerveau agit. Il suffit de l'orienter dans la bonne direction, vers les bons objectifs...

Mais combien de mois à faire ici ? Combien d'heures, de minutes, de secondes...

* * *

— Vincent Savoie, c'est l'heure de la promenade...

Vincent sursaute. Comme chaque fois que le grillage noir lui crache un ordre quelconque, lui rappelant qu'il fait toujours partie du monde des humains. Cette maudite tache incrustée dans le haut du mur et qui le fixe comme l'œil d'un cyclope. Ou encore l'œil de Dieu qui voit tout, qui entend tout, qui dicte tout. Vincent, qui était allongé sur son lit, se relève en grimaçant et prend son manteau. Puis il glisse les pieds dans ses bottes. Il n'a que deux minutes pour se préparer avant que la porte de sa cellule ne s'ouvre automatiquement. Et comme l'air qui entre par sa fenêtre fissurée a quelque chose de plus doux, ce matin, il ne voudrait surtout pas rater la promenade.

Dans un chuintement, la porte de sa cellule s'ouvre et se referme aussitôt dans son dos. Vincent tourne à sa droite, marche le long du corridor, attend un bref moment pour que glisse la seconde porte qui ferme l'aile du super-max. Dans cette aile, il n'y a jamais deux portes qui sont ouvertes en même temps. Sécurité oblige...

Vincent avait bien deviné. Ce matin, l'air a une légèreté inespérée dans le calendrier de février. À l'abri du vent, dans la cour intérieure, il fait même très doux. Détachant le premier bouton de son manteau, Vincent tourne à sa gauche. Il a une heure à tourner en rond, les traces de ses pas se confondant entre elles, mais c'est une heure magique car il a presque l'impression d'être libre...

Les épaules bien droites, la tête légèrement penchée vers l'arrière, les paupières mi-closes, Vincent respire tout son saoul. C'est sa dose de survie, son viatique. Il en a besoin comme il a besoin de boire et de manger. Chaque matin, il espère ce moment avec impatience.

Les fenêtres des cellules qui donnent sur la cour sont entrouvertes. Chacun des détenus a probablement eu le même réflexe devant l'omniprésence du soleil. Quand on vit en dedans, enfermés presque vingt-quatre heures sur vingt-quatre, ces petits cadeaux que nous offre parfois l'existence prennent une importance capitale. Le bruit des conversations et des exclamations qui se faufilent jusqu'à Vincent donnent un tout autre cachet à la promenade de ce matin. Brusquement, il prend conscience qu'il fait toujours partie du monde des vivants. Qu'il appartient encore à la société. Une société différente, certes, refermée sur elle-même, mais qui chemine quand même en parallèle avec l'autre société. Celle des hommes libres que lui, Vincent Savoie, va bien finir par rejoindre un jour. Ce n'est qu'une question de temps, n'est-ce pas ?

Au fond, ce n'est qu'un mauvais moment à passer.

Chaque jour, il se répète ces quelques mots, afin de rendre son quotidien supportable. Et contre toute attente, il commence à croire qu'il va y arriver. C'est pourquoi, en ce moment, Vincent est presque heureux. Le soleil est bon, l'air est clément et il a devant lui une longue heure pour penser à Élise. L'ombre d'un sourire traverse son visage. Sa micro-puce ! Sûrement que ce matin, Élise va jouer dehors avec ses amis de la garderie. Elle aime tellement jouer dans la neige. Vincent laisse l'image de sa petite fille envahir le moindre recoin de sa pensée. Encapuchonnée dans son habit de neige marine, les joues rougies par le froid, les yeux pétillants, elle l'accompagne dans son périple monotone dans une cour de prison. Il entend son rire comme si elle était là et il ajuste volontairement le rythme de ses pas à celui d'une enfant de trois ans. Comme une litanie absurde mais essentielle, il se répète que chaque jour de son cauchemar le rapproche de la liberté et de sa fille… Y a-t-il autre chose qui puisse avoir de l'importance en ce moment ?

— Aie, les gars, r'gardez qui c'est qui s'promène en bas…

Une voix rauque au timbre insolent, crachée par une des

fenêtres ouvertes à l'étage supérieur. Aussitôt, l'image de sa petite Élise éclate comme une bulle de savon rabattue sur l'herbe drue par un vent contraire.

Il ralentit imperceptiblement l'allure, tous les sens en alerte.

— C'est Savoie... Le narc. Aie Savoie... Pourquoi c'est faire que t'es pas resté avec nous autres, l'autre soir à la cafétéria ?

Un rire démentiel remplace la voix gutturale et se répond à lui-même. Puis une autre voix, aiguë, discordante.

— C'est-y que t'avais peur pour ton cul ? Aie, Savoie... C'est nous autres qui fait ta bouffe... Bon appétit... Casse-toi pas la tête, mon chien, on est patient icitte...

Quelques rires semblent vouloir mettre un terme à cette conversation absurde qui se déroule à sens unique. Mais aussitôt la voix de crécelle reprend là où elle avait laissé.

— T'as peut-être ben réussi à protéger tes couilles, mon crisse de sale, mais fais-toi pas d'idées, on saura ben te r'trouver en dehors. Nous autres avec on va finir par sortir d'icitte. Pis peut-être encore plus vite que toé.

La voix rauque revient.

— Pis si j'me trompe pas, y'a une femme pis une fille, ce sacrament-là... Si on peut pas l'avoir lui, on peut peut-être s'occuper d'sa famille, à place...

Puis une autre voix, avec un drôle d'accent.

— Pis moé j'serais prêt à gager une semaine de cigarettes que c'est une belle femme avec toute c'qui faut aux bonnes places.

Les rires reprennent, se fondent les uns aux autres, indécents, provocants, pour finalement exploser comme une décharge de mitraillette dans la tête de Vincent. Dans toute la vie de Vincent. Malgré tout, il arrive à ne pas lever la tête et il garde le rythme lent de sa marche. Comme s'il était totalement indifférent aux propos qui l'agressent comme une pointe acérée chauffée à blanc. Mais dans le fond de ses poches, il sent la douleur infligée par ses ongles incrustés dans la paume de ses mains tellement il serre les poings. Qu'on ne touche pas à sa femme ou à sa fille. Qu'on ne touche surtout pas aux deux femmes de sa vie.

Quand il revient à sa cellule, Vincent est en nage. D'un geste rageur, il lance son manteau dans un coin de la chambre et se laisse tomber sur son lit, complètement épuisé. Habituellement, il hésite à prendre impulsivement des décisions. Son travail l'a amené à toujours chercher à tout prévoir, à tout analyser avant de faire des choix. Mais en ce moment, il n'a qu'une seule idée. C'est la résolution qu'il a prise en tournant en rond dans la cour, bombardé par les railleries et les menaces. Sur un coup de tête, sur un coup de cœur.

Le détenu Vincent Savoie n'ira plus jamais en promenade.

Tant pis pour l'air frais et la sensation de liberté qu'il y retrouvait. La douleur au cœur et au ventre, celle qui vient de la peur et de la rage a eu le dessus. Sur ce point, les autres détenus ont gagné. Vincent se pliera à leur code sans se battre. Ce matin, il a eu trop peur, trop mal. À la place, il va demander l'autorisation de s'entraîner seul au gymnase, une fois par jour. Quand les autres détenus seront couchés.

Le soir même, parlant à Christine au téléphone, il admet qu'il ne sait plus. Il n'y a qu'avec elle qu'il puisse faire le point. C'est la seule personne qui puisse peut-être comprendre et partager.

— Non, Christine, je ne sais pas si j'ai fait le bon choix. Peut-être que j'aurais dû essayer autre chose, le procès... Je ne sais pas... Pour toi, pour Élise, pour la job. C'est pas évident. Toi, Christine, occupe-toi d'Élise et de toi. La vie continue après moi. Ça c'est quelque chose que je viens de comprendre...

Ah oui ! Bonne nouvelle ! Je vais demander de m'entraîner au gymnase. Je... je pense que ça va marcher. C'est super...

* * *

Vincent est fébrile. Et en même temps inquiet, sur ses gardes. Le micro vient de lui annoncer qu'il a une visite, qu'on l'attend au parloir. Il passe la main dans ses cheveux, les doigts en forme de peigne et il ajuste sa chemise dans son pantalon. À part le bref appel téléphonique qu'il fait une fois par semaine à Christine, depuis qu'il est ici, Vincent n'a vu personne, n'a eu de nouvelles de personne.

Le cœur battant un peu plus vite que de coutume, il attend que la porte de sa cellule se décide enfin à glisser sur elle-même.

Derrière la vitre qui l'isole des visiteurs, Vincent reconnaît aussitôt Pierre Gendron. Un copain de longue date qui avait d'abord été son instructeur à l'Institut de police. Au fil des années, ils sont devenus de véritables amis. Malgré la différence d'âge qui les sépare, ils sont l'un pour l'autre le frère qu'ils n'ont pas eu. Leur amitié et la confiance mutuelle qui les unit ont fait en sorte que Pierre ne l'a jamais laissé tomber. À titre de patron de la Sécurité, l'intervention de Pierre s'est faite discrète, bien sûr. Mais avait-il le choix ? Par contre, sa présence et son soutien indéfectibles ont permis à Vincent de passer au travers. Ému, Vincent s'assoit devant lui, de l'autre côté de la vitre. Cette maudite vitre qui l'empêche de serrer la main de Pierre, de lui faire l'accolade. Qui lui rappelle que chacun de leurs mots est présentement écouté, peut-être même transmis pour analyse...

— Salut Vincent... Ça va ?

Vincent sursaute. Le timbre de cette voix qu'il connaît bien lui fait tout drôle. C'est donc vrai qu'il a encore une place quelque part dans le monde ? Curieusement, la voix grave de Pierre le reporte quelques mois en arrière. Il se retrouve un certain soir d'automne et, face au fleuve, près de Trois-Rivières, les deux hommes tentent de faire le point sur la situation. C'est ce soir-là, sous les conseils de Pierre, que Vincent avait finalement choisi de plaider coupable. Si choix il avait vraiment eu...

— Alors Vincent, comment ça va ?

L'interrogation répétée de Pierre ramène Vincent au temps présent. Il rend le sourire à son ami.

— Ça va... Je suis entouré d'amis... Je pense que je suis aimé et apprécié. Malgré ça, j'ai demandé une chambre seule...

— Ouais, je peux comprendre... Mais au-delà de ça ?

— Qu'est-ce que tu veux que je te dise ? C'est long, c'est monotone, c'est complètement dingue mais on va passer...

Vincent fait une pause et regarde longuement Pierre, droit dans les yeux. Puis, d'une voix sourde, sans appel, il répète :

— Je te jure qu'on va passer.

Alors Pierre lui refait un sourire.

— Je le sais, Vincent. Je te connais. Je n'ai jamais eu de doute là-dessus.

Comme une complicité qui se fout complètement de la vitre séparant les deux hommes et qui atteint Vincent droit au cœur. Il se racle la gorge avant de répondre.

— Merci Pierre...

Puis dans un élan, il ajoute :

— Si tu savais comme ça me fait du bien de te voir.

— Moi aussi, Vincent... Moi aussi.

À nouveau, un bref silence se glisse entre eux. Comme s'il n'y avait plus rien à ajouter parce que l'essentiel venait d'être dit. Pierre se penche vers la vitre.

— Alors Vincent ? Qu'est-ce que tu as décidé ?

Vincent hésite.

— Décidé ? Je ne comprends pas...

— Bien sûr que tu comprends. Pour Ducharme... Qu'est-ce qui va se passer ?

Ce serait donc là le véritable but de la visite de Pierre ? Vincent perçoit ces quelques mots comme une véritable trahison. Que son ami ait encore quelque rapport que ce soit avec Ducharme écorche au passage la complicité qu'il ressentait il y a quelques instants à peine. Mais aussitôt, une décharge d'adrénaline et de bon sens balaie cette déception. Quoi de plus normal que deux patrons de la Sécurité soient appelés à se rencontrer ! Malgré cette évidence, la méfiance refait surface. Il a l'impression d'être à nouveau en mission d'infiltration. Il ressent en lui l'urgence de trouver la bonne réponse à une question qu'il n'attendait pas, une question qu'il n'avait pas prévue. La situation doit rester à son avantage. Il se fait volontairement évasif.

— J'y pense.

— Tu y penses... C'est normal.

Le ton employé par Pierre est moins chaleureux que tout à l'heure. Un peu comme celui de Ducharme. Et ce changement dans l'intonation est aussitôt intolérable aux oreilles de Vincent. Il esquisse un demi-sourire. Ce pli du coin des lèvres que plusieurs trouvent arrogant.

— J'ai tout mon temps.

Pierre recule sur sa chaise, fixe intensément Vincent.

— Toi, oui, peut-être... Mais pas nécessairement ceux qui...

— Je me fous des autres, Pierre. Complètement. Personne ne peut savoir ce que je vis. Personne. Pas même toi.

Pierre hésite un moment, puis il penche la tête, comme s'il était blessé.

— C'est pas vrai... Je pense que je peux comprendre.

— Non, Pierre, tu ne peux pas comprendre. Personne le peut. Crisse, Pierre, je l'ai déjà dit à Vic: je vais prendre le chapeau tout seul. Vic c'est mon partenaire, et ça va rester comme ça. Le méchant dans l'histoire, c'est Gilbert Noël. Pis peut-être aussi Saillant qui doit être mort de rire en dehors...

Pierre reste silencieux pendant un instant:

— D'accord, Vincent. Tu as probablement raison. Mais ça ne change rien à ce que je t'ai demandé.

— Au contraire, ça change tout. Je viens de te le dire... Pis qu'est-ce que tu veux que ça me fasse? Ducharme avait dit qu'il attendrait. Qu'il attende.

Un léger malaise s'infiltre entre Vincent et Pierre. Et cette tension, aussi ténue soit-elle, lui rappelle tout ce qu'il a vécu au fil des années où il faisait de l'infiltration. Une vie qu'il avait choisie sans trop savoir dans quel engrenage il mettait la main, sur quel bateau il embarquait. Mais le genre de croisière qu'on lui offrait l'avait rapidement séduit. Cette sensation de liberté, ces choix à faire, ce contrôle sur les situations. Oui, il avait aimé ce qu'il faisait. Il y avait cru. Avec toute la sincérité et l'honnêteté dont il était capable. Et qu'est-ce qui l'attendait une fois rendu au port? Qu'est-ce qu'il avait récolté au bout de la route? Le mépris, les accusations, la trahison. De toute façon, pourquoi est-ce qu'il y avait eu un bout à sa route? Terminus tout le monde descend! C'était insensé. Une vie difficile où il avait donné le meilleur de lui-même et qui avait fini par se retourner contre lui. Vincent hausse imperceptiblement les épaules. N'est-ce pas ce même Pierre qui l'exhortait à se poser les bonnes questions face à sa vie?

« Essaie de trouver l'essentiel en toi. Je suis certain que tu vas trouver tes solutions en même temps. »

Oui, c'est exactement ce que Pierre lui avait dit, ce fameux soir d'automne. Vincent avait alors répondu que ce n'était pas évident. Et depuis le tout premier instant où il a mis les pieds dans cette prison, il se le répète. L'évidence lui saute aux yeux: il lui faut rester maître de lui-même. Rien de plus, rien de moins. À cause de sa famille, à cause de la vie qui va continuer après. C'est avec le sourire de sa fille en mémoire que Vincent se décide enfin.

— Ducharme veut une réponse? Tout de suite? Eh bien, il va l'avoir. C'est non, Pierre. La seule chose que je sais vraiment, c'est que Ducharme a toujours été un profiteur. Ça, oui, je le sais. Alors ma réponse, c'est non. Mon argent, je vais le faire autrement. Ici, je pense à longueur de journées... Moi aussi, le système peut me servir. C'est pas comme ça que je vais me refaire une santé. Oublie ça Pierre. Je ne resterai pas deuxième toute ma vie.

Vincent est surpris par la conviction qu'il a su mettre dans ses paroles. D'où lui viennent cette assurance, cette certitude qu'il n'aurait pu agir autrement? Quant à lui, Pierre semble surpris sans l'être. Il recule à nouveau sur sa chaise et fixe Vincent pendant un moment. Puis il trace un sourire. Comme s'il était soulagé.

— Okay, c'est ton choix. Je le respecte. Tu as raison d'agir comme ça. Ducharme n'est pas le bon gars.

Puis au bout d'un bref silence.

— Probablement que l'avenir répondra à ça.

Vincent lui offre alors un large sourire.

— L'avenir c'est tout de suite, Pierre. Je le sais, je le sens.

— Oui, ça aussi c'est vrai. L'avenir c'est maintenant qu'il commence. Alors pourquoi attendre pour tes études? Avec une entente fédérale-provinciale, tu pourrais même faire ton droit à Québec, proche de chez vous... Ça pourrait te donner des outils pour plus tard. Penses-y Vincent. Tu sais comment est la vie... On ne sait jamais ce qui peut arriver.

— C'est sûr, ça... De toute façon, je n'ai pas vraiment le choix: je vais devoir réorienter ma carrière. Si je ne sors pas d'ici dans une boîte...

Sur ces mots, Pierre se relève. Il hésite un moment, puis se penche vers la vitre.

— Tu sais, les gars, tes vrais chums, ils se cassent la tête pour toi. Si tu as besoin de quelque chose, tu m'en parles. L'idée c'est que tu passes au travers. Des défis, il y en aura bien d'autres.

Soutenant le regard de Pierre, Vincent reste silencieux un moment. Se levant à son tour, il ajoute:

— Merci, Pierre. Je sais que ça ne sera pas facile, mais j'y crois. Ça va marcher pour moi. Mais Ducharme, jamais...

— Je te fais confiance.

Vincent pointe son cœur et son front d'un index décidé.

— Te souviens-tu, Pierre? Tu m'as déjà dit que tout devait passer par là. Je venais de finir mon stage à l'Institut. On prenait une bière ensemble au mess. Je n'ai jamais oublié ce que tu m'as dit ce soir-là. C'est pour ça que je sais que je ne me trompe pas. La vie, c'est des choix...

* * *

Cent neuf jours au trou. Cent neuf jours à n'avoir de contact humain que cette voix impersonnelle crachée par le mur et deux mains tatouées qui lui glissent ses plateaux de repas au bout du couloir.

Cent neuf jours à ne sortir de sa cellule qu'au moment où l'on veut bien qu'il en sorte. De l'extérieur, à partir du moment où il a choisi de ne plus faire de promenade, pendant plus de mille neuf cent vingt heures, Vincent ne verra qu'un coin de ciel bleu ou gris, à travers une fenêtre grillagée. Il ne saura du temps que ce que la fissure dans sa vitre veut bien lui laisser savoir. Jusqu'en mars, les nuits resteront glaciales.

Pendant des semaines, ses rêves vogueront au gré des avions qui zèbrent son minuscule coin de ciel. Avec eux, il parcourra le monde.

À défaut d'autre chose, il lira le dictionnaire. Une ancienne édition qu'un gardien un peu moins taciturne lui aura procurée. Il aura tout le loisir de s'y attarder, de comparer, de s'en gaver. Jamais il n'a eu de vocabulaire si riche, lui qui ne parle à personne.

Son seul contact avec le monde extérieur, ce sera un petit poste de radio que Pierre, à sa demande, lui fera parvenir. Il se nourrira des informations comme on s'abreuve à une fontaine en plein désert.

Quand il a choisi de plaider coupable, Vincent savait que ce ne serait pas facile. Il sera allé jusqu'au bout de son choix. Il aura bu le vin jusqu'à la lie.

Ne reste en lui qu'une terrible amertume qui le servira longtemps.

Et le besoin de plus en plus pressant de retrouver les siens. Mais il n'en laisse rien paraître. Pas plus à Christine quand il lui parle au téléphone chaque semaine. Il a réussi à se convaincre qu'il le faisait pour elle. En fait, il sait qu'il le fait pour survivre. Aujourd'hui, la carapace s'est endurcie. Il en aura besoin, même s'il ne sait plus ce que signifie le mot confiance. Il continue de marcher la tête droite et le regard devant. Fixant au loin un avenir que lui seul peut voir.

Au matin du cent dixième jour, le directeur de la prison

viendra le voir. Après entente entre les deux niveaux de gouvernement, il a été convenu que Vincent Savoie, condamné à sept ans de pénitencier pour avoir offert des stupéfiants, continuera de purger sa peine à la prison provinciale de Québec. Et ce, afin de lui permettre de poursuivre ses études à l'université comme l'avait recommandé le juge. Il ne reste qu'à recevoir l'assentiment de la cour, et Vincent pourra retourner dans la vieille Capitale.

Pendant que le directeur lui fait part de ces changements, Vincent reste impassible. Il fixe le vide devant lui sans émotion apparente. Depuis qu'il est au pénitencier de Sainte-Anne-des-Plaines, le jeu des images est devenu une question de survie. S'il avait laissé les émotions s'emparer de lui, Vincent n'aurait jamais tenu le coup. Il a blindé son cœur et a pris les journées les unes après les autres. Il a déjà assez souffert et personne ne le protégera. Tant pis si cette nouvelle image ne plaît pas à tout le monde. Lui, il s'en accommode aisément.

Plus tard, beaucoup plus tard, il apprendra que c'est grâce à Pierre Gendron si, un jour, Vincent Savoie a pu sortir aussi facilement de l'aile des pétés...

Chapitre 4

Finalement, quarante jours plus tard, le juge a donné suite à la requête de transférer Vincent Savoie, afin qu'il reprenne ses études. À Orsainville, on a installé Vincent à l'infirmerie. Pour sa protection. Le directeur de la prison est affable. Un homme correct, comme le dira Vincent, chaque fois qu'il aura l'occasion d'en parler. Il est inscrit à la session d'été de l'Université Laval. En droit. Les cours commencent dans une semaine. Départ de la prison à huit heures le matin et retour obligatoire à dix-neuf heures, sauf s'il y a des cours le soir. Tantôt l'autobus, tantôt la voiture quand Christine peut la lui laisser. Il doit signaler chacun de ses déplacements, signer à chacune de ses sorties, aviser à chacune de ses arrivées et subir la fouille complète à chacun de ses retours. Interdiction absolue de contacter quiconque travaille dans les médias et défense formelle d'entrer en communication avec ses anciens partenaires. Pas le droit non plus de quitter la ville, sous aucun prétexte. Mais pour quelqu'un qui sort du trou, c'est presque la vraie liberté.

Et par-dessus tout, pour Vincent, ce qui ressemble le plus à la liberté, c'est qu'à partir de la semaine prochaine, il pourra souper avec Élise tous les soirs…

* * *

Même s'il sait qu'à cause de son dossier criminel il ne pourra pas devenir avocat prochainement, les cours de droit sont un véritable défi. Jusqu'à maintenant, sa vie était orientée vers le monde policier et judiciaire. Il a donc la très nette sensation de reprendre son existence là où il l'avait laissée. De la compléter, exactement comme il souhaitait le faire quand il était entré à l'Institut de police. Il met les bouchées doubles, suit les cours du jour et du soir, étudie comme un forcené. Et il en est heureux. En ce sens, il n'a pas changé : il aime toujours en faire plus que moins. De toute façon, tout vaut mieux que de rester à Orsainville.

Surtout, chaque soir, avec l'aide de confrères de cours qui enregistrent la dernière période de cours pour lui, il passe à la maison et soupe avec sa famille avant de mettre Élise au lit.

Juin. L'été est là, chaud, ensoleillé. Vincent a aidé Christine à préparer la piscine et, avant de manger, quand le temps le permet, il nage avec Élise pendant quelques instants. Malgré ses quatre ans, la petite se débrouille fort bien dans l'eau. Depuis quelques jours, il va chercher sa fille à la garderie pour l'emmener à la maison. Pour Élise, c'est comme si son père était vraiment de retour. Avec cette facilité qu'ont les enfants à voir le beau côté des choses, l'absence de son père n'est plus qu'un vague souvenir. Il a dû s'absenter pour son travail et maintenant il est revenu. Quoi de plus simple, de plus normal ?

Élise et Vincent viennent de sortir de la piscine. En riant, une grande serviette enroulée autour d'eux, ils regardent dans le réfrigérateur pour dénicher ce qu'ils pourraient faire pour le repas.

— On va faire une grosse surprise à maman, a annoncé sérieusement Élise en ouvrant la porte du frigo.

Vincent lui a fait un clin d'œil avant de se pencher à sa hauteur pour voir ce qu'ils pourraient bien préparer. C'est au moment où il sort les œufs et le lait pour une omelette que la porte d'entrée claque avec fracas.

— Vincent, tu es là ? Oh, bonjour ma puce…

— Zut! Tu arrives trop vite, lance Élise, un peu déçue de voir que sa surprise tombe à l'eau.

Puis machinalement, elle lui tend la joue pour le baiser habituel avant de s'enfuir vers sa chambre.

— Maintenant que maman est là, fait-elle philosophe en regardant son père, tu n'as plus besoin de moi.

À ces mots, Vincent se tourne vers Christine, un sourire de complicité dans le regard. Comme ces toutes petites choses du quotidien lui ont manqué pendant son séjour à Sainte-Anne-des-Plaines. Ces petits riens qui font la vie belle. Mais c'est à peine si Christine répond à son sourire. Un rapide coup d'œil vers lui, puis elle lance sa valise de travail sur la table.

— As-tu vu?

Elle sort aussitôt un quotidien de la ville, paru le matin même. À la une, on retrouve une photo de Vincent. Une photo d'archives, prise lors de sa comparution en janvier dernier.

— Me semble que ça devrait suffire, non? Pourquoi te poursuivent-ils encore? J'en ai assez...

Vincent ne répond pas tout de suite. Penché sur la table, il lit l'article où un journaliste se demande de quel droit Vincent Savoie peut circuler à sa guise. N'a-t-il pas été reconnu coupable et condamné à sept ans de pénitencier? Pendant un long moment, Vincent reste pensif. Il relit le bref article où le journaliste ne manque pas de résumer les commentaires gratuits du représentant de la Sécurité, alléguant que Vincent Savoie avait malheureusement sombré dans le piège de la consommation de drogue, expliquant ainsi, facilement et sans appel, les déviances engendrées par son travail d'inflitrateur. Puis il relève la tête vers Christine, rouge de colère.

— Ceux qui me connaissent n'embarqueront pas là-dedans. Ce n'est qu'une petite vague. On n'a qu'à pencher la tête...

— Une petite vague ? s'emporte Christine. Mais te rends-tu compte du pouvoir d'un texte qui est lu par des milliers de personnes ?

— Que veux-tu que je dise ?

— Que ça suffit. Que tu as droit à ta tranquillité et moi aussi...

— Je ne peux rien faire... Tu le sais comme moi... De toute façon, le temps finira bien par arranger les choses. Sûrement que demain, on va lire l'explication que le journaliste a trouvée. On verra bien. Moi je ne peux rien faire. Il faut être prudent.

— Être prudent... Tu ne penses pas qu'ils en font un peu trop...

Et comme si la conversation était inutile, elle se tourne vers le comptoir, sans chercher à voir tout ce que ces quelques mots peuvent avoir de cruel pour Vincent. Découvrant les œufs dans un bol, elle hausse encore une fois les épaules en sautant aussitôt du coq à l'âne :

— On a mangé des crêpes au déjeuner, Élise et moi. J'avais prévu des nachos pour le souper.

Vincent ne répond pas à ce qu'il a perçu comme une attaque de Christine. Il s'approche du comptoir à son tour et tend la main vers le bol pour replacer les œufs dans le réfrigérateur. Si Christine a envie de manger des nachos... Mais sa femme ne le laisse pas finir son geste. Elle le repousse du bras en ajoutant :

— Laisse. Je m'en occupe. Va, va rejoindre ta fille. C'est elle qui a le plus besoin de toi.

Pendant un instant, Vincent soutient le regard de sa femme. Que veut-elle dire exactement ? Il est peiné, un peu blessé comme lorsqu'on rend visite à quelqu'un qu'on a très envie de voir et que l'on sent qu'on le dérange. Il a l'impression que Christine veut lui passer un message. Mais en même temps, il n'a pas envie de le comprendre. Il soupire longuement, toujours muet. De toute façon, que pourrait-il expliquer ? Il n'y a rien à dire. Christine a-t-elle perçu toute la tristesse qu'il y avait dans les yeux de Vincent ? L'a-t-elle seulement pressentie ? Au moment où il tourne les talons, elle ajoute encore :

— Tu sais, Vincent, ce n'est pas facile pour moi, non plus. Ça fait des mois que je me débrouille seule. Comme tu me l'as demandé, j'ai essayé de penser à Élise et à moi. Je me suis fait une vie qui me convenait. Qui nous convenait à toutes les deux. Alors, ton retour, qui n'en est pas vraiment un, me dérange. Tu es là juste à moitié. C'est peut-être encore pire que de vivre seule. Laisse-moi du temps, Vincent. N'impose rien.

À nouveau, Vincent la regarde sans répondre. Là non plus, il n'y a rien à dire. Christine a probablement raison. Il ne le sait pas. Il n'est pas à sa place. Au moment où il vient pour tourner le coin du mur de la cuisine, Christine le retient une autre fois.

— Ce n'est pas tout, Vincent. Il y a la maison.

— Quoi la maison ?

— Je voudrais vendre. Je... Il y a trop de mauvais souvenirs, ici. Je veux vendre.

Vincent reste silencieux pendant un long moment. Vendre ? Pourquoi vendre ? C'est ici qu'il a ses plus beaux souvenirs. Cette maison et la vie qu'il espérait y retrouver ont été son phare pendant de longs mois. Alors, sans la regarder, il articule lentement :

— Je vais prendre quelques jours pour y penser.

— D'accord... On en reparlera la semaine prochaine. Mais ne compte pas que je change d'idée. Je ne resterai plus très longtemps ici. Il faut faire quelque chose. Penses-y comme il faut.

* * *

Tel que l'a demandé Christine, ils ont finalement mis la maison en vente.Vincent espère seulement que le déménagement leur permettra de reprendre une vie normale. Une vie de couple et une vie familiale comme tout le monde, avec des buts communs, des intérêts réciproques. Parce que depuis ce semblant de retour, comme le dit Christine, Vincent n'a pas l'impression d'avoir repris sa place. Christine le tient à distance, comme si désormais elle avait choisi de vivre en parallèle. Des colocataires, ayant en commun une fille prénommée Élise, née d'un amour lointain…

Octobre est là. La maison n'est pas vendue. Les études de Vincent vont bien. Il espère avoir terminé une bonne partie des crédits en avril, à la fin du semestre d'hiver. Au moment même où il sera éligible à une libération conditionnelle. Il met donc toute son énergie à atteindre ce but. Peut-être bien qu'après, quand tout ce cauchemar sera derrière eux, peut-être bien que Christine sera plus présente dans sa vie. Avec une nouvelle maison, ils pourront peut-être tourner la page et se donner d'autres objectifs. Peut-être un autre enfant, un fils. Pourquoi pas ? Reprendre à deux ce qui a été commencé à deux. Repartir à zéro, comme au premier jour. Avec une petite bonne femme entre eux. Une petite fille qui va bientôt avoir cinq ans et qui ressemble de plus en plus à son papa.

L'hiver a passé. Sans trop s'en rendre compte, Vincent s'est fait peu à peu à cette drôle de vie qui est la sienne. À moitié libre, à moitié incarcéré et tous ces défis qui lui trottent dans la tête. Il continue d'espérer que rien n'est complètement perdu entre sa femme et lui. Il ose croire que leur famille saura traverser cette épreuve, sans y laisser toutes ses plumes. Élise mérite une vraie famille, avec des parents unis. Vincent en est profondément convaincu. Il essaie d'être le plus présent possible, sans pour autant brimer la liberté à laquelle Christine semble aspirer. Cette vie nouvelle qu'elle a bâtie pour essayer de tenir le coup. Ce qu'elle a vécu n'a pas été plus facile pour elle. Il doit le comprendre et l'accepter. Et, comme il le dit souvent, le temps finira bien par arranger les choses.

En avril 1995, à quelques jours de son anniversaire, Vincent Savoie est convoqué devant le comité des libérations conditionnelles. Il a été condamné il y a quinze mois pour avoir plaidé coupable à l'accusation d'avoir offert des stupéfiants à un informateur, à une source codifiée de la Sécurité provinciale. Sa demande de libération conditionnelle est acceptée.

Cependant, les interdits demeurent. Défense d'accorder des entrevues, d'aborder des journalistes ou de répondre à leurs questions pour commenter sa situation ou toute autre situation connexe, interdiction de quitter la ville sans avoir au préalable justifié ce déplacement auprès de son agent de probation. Obligation de rencontrer ce même agent tous les quinze jours.

Mais peu importe. Il écoute la femme qui lui récite les conditions liées à sa liberté provisoire et il n'attend que l'instant où elle lui tendra le document afin qu'il puisse le signer. Ces dernières minutes à Orsainville lui semblent interminables.

On lui demanderait de manger ses souliers, qu'il le ferait sans hésiter. N'importe quoi pour être enfin libre. Vincent brûle du désir de vivre... Dans sa tête, un seul but: réussir...

Il doit assumer son choix jusqu'à la fin... Le 13 janvier 1994, il plaidait coupable. Ce n'était pas une finalité. Ce n'était, en fait, que le prélude...

PARTIE II

Le retour

Avril – septembre 1995

« ... où tout est question de confiance et de franche amitié...
même si le doute, parfois, sert l'illusion... »

Chapitre 5

Libre… Vincent est libre. Depuis une semaine, au réveil, il est encore tout surpris de se retrouver dans sa chambre, dans son lit, Christine à ses côtés. Comme s'il ne s'était écoulé que quelques jours entre sa condamnation et maintenant, Élise a tout naturellement repris l'habitude de venir se glisser entre ses parents quand elle s'éveille le matin. Tout à l'heure, après le déjeuner, il va retrouver Pierre Gendron chez lui, à sa maison de campagne. Et le simple fait de savoir qu'il peut enfin quitter la région de Québec, même après autorisation, est à ses yeux la preuve irréfutable de cette nouvelle vie qui commence. Il n'en tient qu'à lui pour qu'elle soit à la hauteur de ses aspirations.

Pour l'instant, au-delà des projets et des attentes, il savoure pleinement cette liberté tant espérée.

Pierre et Vincent passent deux journées ensemble, loin des familles, loin des enfants, les pieds sur la bavette du poêle, à la sucrerie de Pierre. Et Vincent en profite pour faire le point. Il est resté loyal envers Vic et c'est suffisant pour ne rien regretter. C'était l'unique choix… Il peut se regarder avec fierté dans le miroir chaque matin. Demain, il aura trente-cinq ans, c'est donc dire qu'il a encore toute la vie devant lui.

Tout au long du chemin du retour, Vincent se remémore ces deux journées. Les encouragements, les reculs, les mises en garde, les espoirs, l'avenir… Tout y passe. Pierre lui a même vaguement parlé d'une nouvelle entreprise qu'il aimerait mettre sur pied : une entreprise de téléphones cellulaires. Vincent a fait bifurquer la conversation, croyant que Pierre essayait de lui tendre la main. Il ne veut pas devoir son premier emploi à un ami, même s'il s'appelle Pierre Gendron. Et il ne peut imaginer travailler dans un endroit restreint, clos. Dorénavant, Vincent Savoie aura besoin d'espace et d'air autour de lui. De toute façon, son premier job, il veut le trouver seul. Après, plus tard, on verra…

Quand il arrive finalement chez lui, il commence à faire sombre. Le soleil n'est plus que rougeoiement sur l'horizon. L'air est frisquet de la neige qui persiste en longues bandes sales sur les pelouses noircies par le gel. La maison semble vide. Pendant une fraction de seconde, Vincent est déçu. C'est pourtant sa fête aujourd'hui. Puis il hausse les épaules en refermant la portière de l'auto. Personne ne savait l'heure exacte où il devait arriver. Tant pis. En quelques enjambées, il gagne le perron et ouvre la porte, cherchant l'interrupteur à tâtons.

— Surprise !

À la seconde où Vincent a tourné l'interrupteur et que la lumière a jailli, tous ses amis l'ont salué en chœur. Christine est toute souriante de la belle surprise qu'elle a réussi à faire à Vincent. Patrick et Gisèle, les amis de toujours depuis la Gaspésie en passant par Chibougamau, sont là. Ainsi que ses parents, Lionel et Carmen Savoie. Élise sautille autour de tout le monde, heureuse que ce soit la fête. Quelques voisins se sont joints à eux. Un buffet attend sur la table de la salle à manger. Vincent étire un large sourire, saluant tous et chacun. Puis son regard croise celui de Christine. Elle comprend qu'il lui dit merci. Elle lui rend son sourire, avant de pivoter légèrement sur elle-même et de lancer à la ronde :

— À table, tout le monde…

Vincent va de l'un à l'autre, jase un moment avec chacun.

Son père et sa mère lui semblent un petit peu distants, mais Vincent l'accepte. Les derniers mois n'ont pas été faciles pour eux non plus. Il est particulièrement content de revoir Patrick. Patrick, c'est sa vie de policier depuis les tout premiers débuts, à l'Institut, et même avant, quand ils étaient adolescents. Une longue amitié à travers le travail et la vie de famille. Alors, c'est un peu comme si les derniers mois disparaissaient et que Vincent revenait à un certain point de départ. Il aimerait que Patrick lui parle de son travail, des anciens confrères, des enquêtes en cours. Il aimerait tant lui expliquer ses choix et leurs conséquences. Il aimerait pouvoir effacer les derniers mois et revenir en arrière. En se faufilant entre les convives, Vincent arrive à rejoindre son ami qui se tient un peu en retrait, près de la fenêtre du salon, une assiette à la main. Pendant un moment, ils soutiennent chacun le regard de l'autre sans parler. Puis Vincent lui sourit.

— Alors, Patrick, quoi de neuf? Tu te plais toujours à Montréal?

— Ça va...

Patrick semble hésitant. Il regarde Vincent, reporte les yeux sur son assiette, se concentre sur une pointe de sandwich, ramène les yeux sur Vincent. Puis il hausse les épaules.

— Ouais, ça va. Mais pas plus que ça... Je pense que je vais demander un retour à Québec quand l'occasion va se présenter. Les filles s'ennuient et Gisèle aussi... Par contre, côté travail, ça peut aller...

Patrick concentre toute son attention sur son assiette, comme s'il n'arrivait pas à décider ce qu'il allait manger. Puis il regarde Vincent et ajoute:

— Mais laisse-moi te dire que ça va brasser...

À peine quelques mots et l'esprit de Vincent est en alerte. On ne peut faire abstraction de douze ans. Que veut dire Patrick ? Où veut-il en venir ? Il se fait volontairement évasif.

— Brasser ? Comment ça brasser ?

— C'est à cause de l'enquête publique sur l'affaire de Chambly… On a la commission Trudel sur les talons.

Vincent se rembrunit.

— Ouais, j'ai vu ça dans le journal… Ça doit déranger…

— Déranger ? La commission est partout… Te rappelles-tu du Padre ?

— Bien sûr. Il était dans la même escouade que moi à Québec. Pourquoi ?

— Disons que Le Padre n'en mène pas large…

— À cause de Chambly ? Ça doit… J'ai cru comprendre en suivant l'enquête par les journaux qu'il y était allé un peu fort.

— Pas rien que ça.

À nouveau, Patrick revient à son assiette. Il chipote quelques pointes de sandwich, en choisit une, la remet dans l'assiette, en prend une autre.

— La commission Trudel risque de faire d'autres découvertes, confie-t-il enfin après avoir pris une bouchée. Et Le Padre est encore dans le coup. Sur l'enquête des Cherry.

— Le Padre ? L'enquête des Cherry ? Je ne comprends pas…

— Ouais, après ton… ton départ, c'est le Padre qui a pris ta place sur l'enquête… Y s'est pas *backé* le cul… je suis certain que la commission Trudel va reprendre ça et faire d'la misère là où il n'y en a pas.

— Comment ça ? Encore une fois, je ne comprends pas.

— Une histoire de preuves fabriquées… Le Padre a voulu renforcer une preuve. Il a envoyé un connaissement à partir de nos bureaux… Regarde ben ça aller si la commission met le doigt là-dessus. Saillant est pas à prendre avec des pincettes.

C'est lui qui est en arrière de ça... Mais il y a assez de marches entre Saillant et la preuve qu'il ne devrait pas avoir de problèmes... Au pire, les gars vont prendre des retraites payantes...

Patrick reprend un sandwich. Il s'applique à le manger lentement, l'air soucieux. Vincent reste silencieux, conscient que ces révélations sont très importantes. Tout peut servir un jour! Le nom de Saillant lui a fait battre le cœur un peu plus vite. C'est ce même Saillant qui l'avait interrogé à la suite de son arrestation. C'est lui qui était l'enquêteur chargé de son dossier. Il se garde bien d'interrompre Patrick. Plus il va en dire et mieux ce sera...

— ... Je te le dis, Vincent, ça va être du trouble pour tout le monde... C'est à qui va être le plus gros, le plus fort. Les voyous doivent être morts de rire...

Patrick regarde Vincent droit dans les yeux.

— Tu gardes ça pour toi...

Vincent reste encore un moment silencieux, puis il fait un clin d'œil avant de lancer à la blague:

— Moi, Patrick, je vais aller travailler pour la défense. L'avenir est là... De la manière dont tu me parles, c'est la police qui va enquêter sur la police qui a enquêté sur les voyous... Pas fort...

Vincent échappe un rire sarcastique.

— Pendant ce temps-là, les gars de la bande des Cherry vont continuer à rire du monde avec les gars de la réserve pis les motards... C'est *cute*...

Et finalement, il ajoute:

— Ouais, je te le dis, Patrick, j'étais pas du bon bord...

* * *

Les derniers invités viennent de quitter la maison. Élise est couchée et dort déjà à poings fermés. Christine a commencé à ramasser les assiettes et les verres sales éparpillés un peu partout sur les tables. Sans dire un mot, Vincent porte les assiettes à la cuisine, revient au salon, replace la table à café. Il ne cesse de se répéter les paroles de Patrick. La Sécurité risque de passer un mauvais quart d'heure. Sa crédibilité va en prendre un coup. Vincent a vécu plus du tiers de sa vie avec ces gens qui vont se retrouver à la une des journaux. Il est temps que certaines vérités soient dévoilées au grand jour. Il revoit le sourire de Saillant lors de son interrogatoire. Cette façon qu'il a eue de tout contrôler. Et Ducharme, coincé, le soutenait. Il a poussé la comédie jusqu'au bout. Son silence était encore plus accusateur que tous les mots. Plus que jamais, Vincent comprend qu'il a fait le bon choix.

Christine rince la vaisselle. Vincent s'approche d'elle, pose les mains sur ses épaules. Christine sursaute et tourne la tête vers lui.

— Merci Christine... Merci pour la fête.

La jeune femme le regarde un moment, lui sourit avant de revenir face à l'évier:

— Je savais que ça te ferait plaisir... Tout le monde était content de te voir.

Le silence flotte un moment entre eux. Puis, comme si elle se rappelait quelque chose de très important, Christine se retourne, s'appuie les reins contre le comptoir en s'essuyant les mains. Vincent replace les coussins et les fauteuils au salon.

— Dis donc, de quoi parlais-tu avec Patrick ? Vous aviez l'air de deux conspirateurs.

À ces mots, Vincent dessine un demi-sourire.

— Tu trouves ? Pourtant... On parlait de tout et de rien... Ça faisait simplement plaisir de se revoir... Depuis l'temps...

Christine ne répond pas. Elle a l'impression de revenir au temps où Vincent était enquêteur et qu'il prenait ce ton évasif de celui qui ne veut pas parler. Pensive, elle se remet à la tâche en ouvrant la porte du lave-vaisselle pour y mettre tout ce qu'elle vient de rincer. C'est Vincent qui reprend, en apportant les derniers verres sales, enthousiaste.

— Regarde-moi bien aller, Christine... J'ai décidé de vivre... Je vais me trouver un emploi. Tu vas voir. Quelqu'un va pouvoir m'offrir tout ce que j'ai toujours voulu. Tout ce qu'on a toujours voulu. Finalement, je suis certain qu'on a fait le bon choix... Aie confiance...

À nouveau, Christine reste muette. Elle n'a pas envie de répondre. Elle n'a surtout pas envie d'embarquer dans son jeu. Il y a déjà eu trop de promesses sans lendemain. Elle est surtout très fatiguée. De tous ces projets, de ses propres attentes, de ses choix à lui. Elle est fatiguée de leur vie... La maudite police avec ses priorités, ses obligations, l'illusion et la vie qu'elle regarde passer, défiler sous ses yeux... Elle est toujours là, cette vie de faux-fuyants, qui colle à Vincent comme une seconde peau, et qui se glisse insidieusement entre eux. Elle ne saurait dire ni pourquoi ni comment. Ce n'est qu'une intuition. Mais qui bat en elle aussi fort que son cœur. En soupirant, Christine se penche à nouveau sur le lave-vaisselle... Elle aussi, il lui faudra choisir, maintenant que Vincent est vraiment de retour.

* * *

Vincent essaie depuis des semaines de se trouver un emploi. Il n'a reçu que des réponses polies, toujours évasives. L'été est de retour et Christine est en vacances. L'atmosphère semble un peu moins lourde à la maison. Comme une politesse de bon aloi qui enveloppe gestes et paroles. Qui garde l'espoir permis... Vincent est à nouveau inscrit à l'université pour l'automne. Mais ce n'est pas suffisant. Il a besoin d'un emploi et du revenu qui l'accompagne. Un travail pour se sentir utile, pour reprendre sa place, pour agir comme il le voudrait.

La pancarte À VENDRE est toujours devant la maison. Les temps sont plutôt difficiles dans le domaine immobilier. Élise a maintenant cinq ans et plein d'amis. Elle entre et sort de la maison en coup de vent, affairée, heureuse. Christine a planifié deux séjours de camping avec ses amies. C'est l'été... À défaut de mieux, Vincent s'occupe à mille et une choses dans la maison: peinture, papier peint... Comme le dit Christine: ça va aider à vendre la maison. Vincent espère plutôt que ça donnera à sa femme l'envie d'y rester...

Puis un bon matin, alors qu'il s'apprête à reprendre ses pinceaux, il reçoit un appel: sa candidature a été retenue, il est attendu à quatorze heures pour une entrevue.

À peine cinq minutes, le temps de se présenter, de jeter un coup d'œil à son curriculum vitae et c'est dans le sac. Demain matin, à sept heures piles, Vincent Savoie est attendu pour commencer un nouvel emploi.

Dans une entreprise qui lave des tapis à domicile.

Ce n'est pas grand-chose, bien sûr. Mais qu'importe. Après l'entrevue, Vincent affiche un large sourire. Il fait beau, il fait chaud. Et pour la première fois depuis le début de l'été, Vincent a vraiment envie d'en profiter. Avec Élise, avec Christine. Au diable les pinceaux!

Il vient de décrocher un emploi! Avec la promesse d'un chèque de paye dans deux semaines. Rien à voir avec ce qu'il était habitué de recevoir. Mais un chèque quand même. Avec tout ce que cela sous-entend. Petit à petit, Vincent se prépare à prendre sa place. « La gestion du petit pas », pense-t-il en faisant démarrer sa voiture. Comme du temps où il était policier.

En entrant, il chantonne un air d'opéra. Puis apercevant Christine dans la cuisine, il lance :

— Ça y est ! Demain, je commence à travailler…

Chapitre 6

Enlever ses souliers dès qu'il entre dans une maison; déplacer des meubles; s'éreinter dans la vapeur suffocante des machines par des températures torrides; frotter, brosser, détacher, recommencer dans un vacarme assourdissant... Depuis un mois, Vincent serre les dents tous les matins avant de partir travailler. Sans qu'il n'y paraisse. Mais tout au fond de lui, il sait que cela tire à sa fin. Il n'en peut plus. Toute sa vie, par choix ou par plaisir, il a agi comme déclencheur de situations, comme intervenant direct. Et voilà qu'il devrait se contenter d'un rôle somme toute passif? C'est impensable. C'est intenable. Ce n'est surtout pas ce qu'il attend de la vie. Il veut retrouver la vraie liberté. Pas simplement l'absence de barreaux. Celle des gestes et de la pensée. Celle qui ouvre les portes et offre des choix. À nouveau, il veut provoquer les choses. Il veut reprendre le contrôle de sa vie. Il en a souvent discuté avec Pierre Gendron qui lui a conseillé la patience...

Le mois d'août est arrivé et l'été continue à être chaud. Une petite averse, au lieu de rafraîchir l'air, a fait une brume collante de la rue. Les arbres immobiles laissent tomber quelques gouttes d'eau tiède sur la tête des passants. Bientôt midi, le soleil est de retour et il n'y a pas un souffle d'air. En sortant de la maison où il vient de laver trois tapis, Vincent pousse un long soupir d'inconfort. Tant qu'à continuer de s'acharner sur des moquettes sales, aussi bien que ce soit en automne. Ce serait moins pénible. Rapidement, il range son matériel à l'arrière de la camionnette, s'installe derrière le volant et glisse la clé dans le contact. Mais plutôt que de mettre le moteur en marche, il reste sans bouger, en regardant le vide devant lui, comme accablé par la chaleur que la rue exhale. Il a le visage en sueur et les mains moites. Sur le siège du passager attendent les deux derniers contrats de la journée. Un salon à Sainte-Foy et deux pièces à Cap-Rouge… Rien de bien forçant ni de bien long… Pourtant, il n'a plus envie de se dépêcher pour gagner quelques heures afin de les passer en compagnie des siens. Il a envie de penser à lui. Comme un besoin irrépressible d'action, de décision, aussi banales soient-elles. Il hésite un instant. Puis il retire la clé du contact, ouvre la portière et saute sur la chaussée qui commence à sécher par plaques. Il fait toujours aussi chaud, mais Vincent a l'impression que l'air est plus pur. Comme s'il prenait conscience que l'averse a redonné ses vraies couleurs à la nature. Il est midi, c'est l'heure du repas et, sur la rue Cartier, à deux pas d'ici, il y a un nouveau restaurant qu'on lui a recommandé. Le temps est venu de faire bouger les choses. Et c'est exactement ce à quoi il va penser tout en mangeant.

À LA BONNE ADRESSE, grillades, café et communication… Sans hésiter, Vincent pousse la porte vitrée et entre, agréablement surpris par l'atmosphère du restaurant. La salle est fraîche, baignée par un soleil tamisé. Sur les nappes foncées, des fleurs du jour dans de petites coupes en verre. Quelques clients sont attablés, on entend des discussions en sourdine et le bruit de la vaisselle entrechoquée. Ça sent bon la viande grillée et les épices. Accoudé au bar, un homme le regarde un moment pendant que Vincent examine furtivement la pièce pour finalement se diriger vers lui, en souriant, un menu à la main.

— Bonjour… C'est pour dîner ?

Vincent tourne la tête.

— Oui… Je suis seul…

À voir l'aisance de l'homme qui vient de l'aborder, Vincent devine que c'est le propriétaire. Assez grand, costaud, chemise blanche et la tête haute... L'image lui plaît. D'un geste courtois, l'homme tire une chaise pour que Vincent puisse s'asseoir, pose le menu sur la table.

— Bienvenu chez moi, monsieur... Daniel Michaud, pour vous servir à « La Bonne Adresse ». Un apéritif avant de commencer ?

Pendant quelques instants, leurs regards se croisent, se soutiennent. Vincent a l'habitude de regarder les gens droit dans les yeux. Michaud a le regard perçant de qui ne s'en laisse pas imposer. Le port de tête est un peu hautain, à la façon de qui se sent en contrôle. Oui, définitivement, l'image plaît bien à Vincent. Alors il lui rend son sourire.

— Oui, s'il vous plaît... Je vais prendre une Black.

Bien appuyé contre le dossier de sa chaise, Vincent sirote sa bière en détaillant la salle à manger. La pièce est assez vaste, lambrissée de bois sombre, divisée par quelques demi-murs, en îlots, pour protéger les conversations privées. Dans le coin arrière, un peu en retrait, quelques tables munies d'ordinateurs, pour les communications Internet. Contre le mur de l'entrée, un présentoir offre les quotidiens importants de la planète et quelques revues spécialisées. Vincent a vaguement l'impression de se retrouver dans un pub anglais. La décoration illustrant des scènes de chasse et de pêche aide à renforcer l'image. L'ensemble est agréable et donne envie d'y revenir. Par habitude, Vincent se relève et va chercher *Le Soleil*, qu'il n'a pas eu le temps de lire ce matin. Après un regard circulaire autour de lui, tenant sa bière dans une main, il se plonge dans la lecture...

À la une du journal, il y a un article relatant en détail l'explosion d'une Econoline, à Montréal, dans un quartier populaire.

La bombe a causé la mort d'une adolescente. Curieusement, ce papier le ramène en arrière et Vincent revoit clairement Le Métis, une ancienne source, du temps où il patrouillait à Chibougamau. Cet homme, expert en explosif, avait travaillé longtemps dans les mines et il était aussi un proche des motards. Quelques années plus tard, Vincent avait appris par Gilbert Noël que Le Métis habitait dorénavant à Laval. Se pourrait-il que... À cet instant, une voix familière le rejoint dans sa pensée.

— ... Ça vient de monter d'un cran... Ça va brasser tantôt.

Puis un rire retenu que Vincent identifie facilement.

— C'est probablement un dossier qui va finir par se retrouver sur nos bureaux...

Me Bélanger est à quelques tables de lui, Vincent en mettrait sa main au feu. Il relève la tête et jette un regard en direction de la voix. C'est bien lui. L'homme n'a pas changé. Toujours aussi ostentatoire, avec ses bijoux voyants. Combien de fois se sont-ils retrouvés tous les deux en cour, face à face, pour les mêmes dossiers ? Vincent ne saurait le dire... À nouveau, il se revoit au temps de Chibougamau. Ce même avocat venait de gagner une cause contre lui, à la cour de Roberval. Faute de preuve, car Vincent n'avait pu identifier formellement l'un des deux jumeaux qui se tenait devant lui... La seule fois, en fait, où Me André Bélanger a remporté une victoire lorsque Vincent était en charge du dossier. Malgré le temps passé, Vincent se souvient très bien de cette matinée. Me Bélanger lui avait alors dit : « Malgré tout ce qui nous sépare, t'es un bon *cochon*, Savoie. »

Vincent se rappelle tout aussi bien de sa réponse. « Pouvez-vous vraiment dire que justice a été rendue ? »

Puis Vincent s'était éloigné, en pensant malgré tout qu'ils n'étaient pas si distants l'un de l'autre. Chacun à sa manière tergiversait avec la légalité, en utilisant les mêmes forces, les mêmes arguments. Ce midi, il n'y a rien de bien différent entre eux, sinon que la frontière qui les sépare est peut-être encore plus mince.

Aujourd'hui, Vincent étudie en droit.

Une deuxième fois, il porte le regard vers l'îlot voisin à l'instant même où Me Bélanger lève les yeux. Les deux hommes se regardent un court moment, se reconnaissent. Rien n'est dit, tout est dit… Les yeux ont parlé… Vincent revient au texte de la une pour le relire, l'esprit curieusement très calme.

Il y a parfois des moments qui vous offrent exactement ce dont vous avez besoin, au moment où vous en avez besoin…

Quand il quitte finalement le restaurant, Vincent sait qu'il a bien fait de se fier à son intuition. Michaud, le propriétaire, est un homme avenant. Il a jasé quelques instants avec Vincent, lui racontant avec moult détails cocasses son dernier voyage de pêche dans le Nord. La nourriture, quant à elle, est plus que satisfaisante et Vincent a la conviction que Me Bélanger y a déjà ses habitudes. Il n'y avait qu'à voir son attitude familière avec les serveurs, tout comme celle de Me Legrand, son associé. C'est beaucoup. C'est même plus que tout ce qu'il aurait pu souhaiter apprendre en ce midi d'été où l'ennui et la frustration l'ont poussé à se rendre à La Bonne Adresse. Il fait toujours aussi chaud, humide. Le soleil est impitoyable. Mais Vincent s'en rend à peine compte, tout en marchant à bonnes enjambées vers la camionnette.

— Et maintenant, les tapis…

Tout en faisant démarrer le moteur, il ajoute, ragaillardi :

— Avec un peu de chance, je devrais arriver à la maison au moment où Elise revient du terrain de jeux… On va se payer une bonne baignade avant le souper, tous les deux…

* * *

La chaleur n'est pas le propre exclusif de la ville de Québec. À Montréal, c'est encore pire. Ducharme est à sa fenêtre et jette un regard navré sur le pavé qui luit sous le soleil torride. La ville semble écrasée sous la torpeur de l'air. De la rue monte un frémissement de chaleur qui le rejoint à travers l'air climatisé des bureaux de la Sécurité, rue Parthenais. Ducharme soupire profondément. Il regrette déjà d'avoir pris ses vacances en juillet. Même s'il est grandement satisfait du poste qu'il occupe, tout inspecteur chef qu'il soit devenu, il n'arrive pas à s'y faire: Québec lui manque toujours...

— Ducharme!...

Paul-André Ducharme se retourne d'un bloc, en sursautant. Il trace aussitôt un large sourire en se dirigeant vers la porte, la main tendue.

— Gendron! Quelle belle surprise... Qu'est-ce qui t'amène ici?

— Le travail.

— Le travail?

Tout en parlant, les deux hommes se sont assis. Ducharme se retourne et tire sur le cordon du store vénitien pour tamiser le soleil qui entre à flots dans son bureau et poursuit:

— Me semblait que tu avais l'intention de te retirer?

— Trompe-toi pas, je n'ai pas changé d'idée. La police, c'est bien fini pour moi. Je me lance en affaires. Les cellulaires, c'est l'avenir!

Ducharme hausse les sourcils.

— Les cellulaires?

— Tout à fait... une petite entreprise qui va avoir pignon sur rue à Québec dès la semaine prochaine. Comtel, vente, location et services... Rue Maguire à Sillery, s'il vous plaît.

Pendant qu'il parle, Gendron retire une carte de la poche de sa chemise et la tend à Ducharme.

— Je te le dis, Paul-André : l'avenir passe par les cellulaires. Tout le monde va finir par en avoir un.

— Peut-être bien.

Ducharme jette un coup d'œil distrait à la carte, puis il lève les yeux vers Gendron.

— Comtel… Ça sonne bien.

— N'est-ce pas ? Et, crois-moi, ça ne fait que commencer. C'est un nom dont tu vas entendre parler. Si jamais tu as besoin de mes services…

— C'est sûr, ça…

Un coup discret frappé à la porte lui fait lever la tête et se retourner Gendron. Sébastien Veilleux avance d'un pas.

— Salut, Pierre… J'avais cru entendre ta voix…

À ces mots, Pierre Gendron trace un franc sourire en lui tendant la main.

— Salut le jeune… Comment ça va ?

— Pas pire… sauf pour les vagues que la commission Trudel va faire.

Et après un regard en direction de Ducharme, il ajoute :

— Laisse-moi te dire que ça va brasser…

— Ah oui ?

D'un signe de tête, Ducharme a fait signe à Veilleux de se joindre à eux. Gendron et Veilleux ont travaillé ensemble pendant quelques années et ils prennent toujours plaisir à se revoir. Sébastien s'installe à côté de son ancien patron.

— Oui, ça va faire du bruit d'ici peu…

Sans transition, il ajoute :

— As-tu entendu parler du SRQ ?

Gendron fronce les sourcils pendant que Ducharme s'appuie contre le dossier de son fauteuil comme s'il invitait ou autorisait Sébastien Veilleux à poursuivre.

— SRQ ? Qu'est-ce que c'est ?

Sébastien se cale lui aussi dans son fauteuil.

— Services de renseignements du Québec... Un bureau hybride qui va regrouper des gars de chez nous et quelques autres de la PNF. Question d'être plus efficace. Les gars ne sont pas encore nommés, mais ça semble intéressant... Samuel Jacob, ça te dit quelque chose ?

À nouveau, Gendron fronce les sourcils.

— Jacob ? Non, je ne vois pas... Je devrais ?

— Pas nécessairement. C'est juste pour savoir... Tu te rappelles de Gary ? Gary Monaghan, de la PNF ?

À ce nom, Gendron sourit.

— Bien sûr... J'ai souvent eu affaire à lui quand j'étais ici. Pourquoi ?

— Gary est un des deux gars en arrière du SRQ. L'autre n'est connu de personne... C'est assez spécial... Paraît que ce serait un civil... *Anyway*, Gary et ce fameux civil montent le dossier et s'occupent du financement auprès du sous-ministre. Donc, c'est Gary qui m'a parlé de Jacob comme d'un gars efficace, qui donne du *score*. C'est pour ça que je t'ai demandé si tu le connaissais. Question de savoir à qui on a affaire...

— Malheureusement... Mais fie-toi à Gary. Si lui dit que c'est un bon, c'est que c'est vrai. Mais revenons donc au SRQ. Ça m'intéresse. Depuis le temps que je parle de collaboration avec les « chapeaux ». Ça va marcher comment ?

Pendant quelques instants, les trois hommes discutent du projet. Sébastien est heureux de pouvoir en débattre avec Gendron qui est un homme articulé, au jugement sûr et qui pourra certainement l'aider à structurer son opinion et son argumentation. Surtout que Gendron semble ne voir que du bon dans ce projet.

— Enfin ! C'est une initiative intelligente... Reste à choisir les bons gars, lance Gendron en guise de conclusion.

Sébastien se lève.

— Je suis bien d'accord avec toi, Pierre. C'est comme pour tout le reste... Je te demanderais juste d'être discret. Le SRQ n'est pas encore officiellement créé. Personne n'en a entendu parler, ici, à part Ducharme, Saillant et moi. On ne veut surtout pas faire d'erreur. C'est pointu en sacrament : la Sécurité pis la PNF qui travaillent ensemble, c'est du jamais vu... C'est pour ça qu'ils veulent prendre leur temps.

— C'est bien correct comme ça. Compte sur moi...

Alors Sébastien prend congé. Au moment où il arrive devant la porte, il hésite. Il se retourne et fixe Ducharme brièvement. Puis il hausse les épaules en se tournant vers Pierre Gendron.

— Vincent, lui ? Je sais que vous êtes proches tous les deux. Comment vont ses affaires ?

— Savoie ? Ça va. Il a obtenu sa conditionnelle en avril. Il vient juste de se trouver une job et il a l'intention de continuer ses études en septembre. Ça va bien...

Sébastien semble soulagé.

— Content de savoir ça...

Pierre Gendron dessine un demi-sourire. Et plantant l'éclat de son regard dans celui de Sébastien, il ajoute :

— Inquiète-toi pas pour lui. Il va s'en sortir. Savoie, il est comme un chat : il va toujours finir par retomber sur ses pattes.

Chapitre 7

Septembre est là. Vincent a repris ses études et il lave toujours des tapis à temps partiel. Et il y a plus. Il sait que ce n'est plus qu'un pis-aller en attendant le bon moment. Il le sent. Et il continue à s'y préparer.

Régulièrement, il se présente à La Bonne Adresse pour un dîner ou simplement un café, prenant plaisir à découvrir le réseau Internet. Michaud, le propriétaire, l'y accueille comme un habitué. Vincent y a sa table et son repas préféré. À quelques reprises, il a revu Me Bélanger. Chaque fois, les deux hommes se sont salués. D'abord poliment, avec distance, puis d'une fois à l'autre, avec un peu plus de chaleur. C'est suffisant. Homme qui aime prendre les devants et provoquer les situations, Vincent sait que prudence et attente font partie du processus. Il laisse venir et tente de faire comprendre à Christine que ses absences, de plus en plus répétées, il le concède, sont chaque fois un pas supplémentaire dans la bonne direction.

— Je te le dis, Christine: ce n'est plus qu'une question de temps. Fais-moi confiance. Les années difficiles tirent à leur fin.

Christine le laisse dire, ne discute surtout pas car elle sait que ce serait inutile. Elle a repris le rythme qui était le sien quand Vincent était en prison, planifiant sa vie et celle de sa fille sans vraiment tenir compte de lui. Bien sûr, ils se retrouvent régulièrement en famille, avec Élise. Mais ce n'est plus qu'une façade, qu'une apparence qui trompe de moins en moins de gens, surtout pas elle. Cette vie ne correspond pas à ses attentes. Douze années de police, d'enquête, de manipulation et d'illusion resteront toujours gravées dans l'esprit de Vincent, en teintant ses projets et sa façon d'être. Est-elle prête à l'accepter ? Elle se repose souvent cette question et n'arrive toujours pas à y répondre clairement. Pourtant, elle ne dit rien. Comme s'il restait en elle un vieux relent d'amour qu'elle n'arrive pas à extirper. Un petit quelque chose qui la retient chaque fois qu'elle voudrait lui en parler. Elle aussi, à sa façon, elle attend. Que le temps passe, que la vie lui fasse signe. Et peut-être, Christine garde-t-elle un fond tenace d'espoir qui voudrait tant que les choses changent. À moins que ce ne soit la peur. Cette peur qui cache le désir d'être heureuse sans blesser, sans briser...

Vincent s'est procuré un téléphone cellulaire à la nouvelle boutique de Pierre. En promotion, à deux pour un. Avec ce commerce dans la capitale, les deux hommes ont de plus en plus souvent l'occasion de se rencontrer, à la faveur d'un repas ou d'une bière partagée.

Depuis quelques jours le temps est maussade, ce qui contraste vivement avec l'été. Le temps est gris, pluvieux et venteux. D'un pas rapide, Vincent remonte la rue Cartier en direction de La Bonne Adresse. Il profite des cours de natation de sa fille à l'extérieur de la maison, le jeudi soir, pour amadouer le réseau Internet. Le temps d'une consommation ou d'un café, il explore les mille et une avenues que lui offre l'ordinateur. Mais ce soir, peut-être à cause du temps justement, les places sont pour l'instant toutes occupées. Contrarié mais sans envie de retourner chez lui, Vincent repère une table libre dans le premier îlot de la salle et, d'un geste de la main, il fait signe à Michaud qui s'active derrière le comptoir.

— Je peux m'installer ?

— Bien sûr ! Un moment et je suis à vous...

Vincent va s'asseoir à la petite table pour deux contiguë à la porte d'entrée. Habituellement, déformation acquise au cours de ses missions d'infiltration, quand Vincent entre dans un restaurant, il choisit toujours une table dans le fond de la pièce avec une vue d'ensemble sur l'entrée et les gens. En ce moment, il tourne le dos à plus de la moitié des clients attablés et ne voit que la façade du restaurant. Mais tant pis. La pluie s'est remise à tomber comme des clous et vaut mieux une table mal placée que d'être sous l'averse. En déposant son téléphone sur la table, il aperçoit Me Bélanger qui entre à son tour, en secouant son parapluie. Curieusement, ce soir, l'avocat est seul.

Pendant un moment, Me Bélanger semble hésitant, visiblement surpris de voir autant de gens. Il se tourne vers le bar, rend le sourire à Michaud qui vient de lui faire signe et finalement fait un pas de plus vers la salle à manger. En survolant la salle à la recherche d'une place libre, son regard croise celui de Vincent. Bref signe de la tête, sourire poli. Me Bélanger se décide. Se faufilant entre deux clients, l'avocat parvient à la table de Vincent qui ne l'a pas quitté des yeux depuis son arrivée.

— Bonsoir Savoie... On dirait bien qu'on a adopté le même endroit... Ça doit te changer des petits bars du Lac Saint-Jean, non ?

— Dans le temps, ça faisait mon affaire.

Le ton est cordial, même si Vincent laisse couler une note d'ambiguïté dans sa voix. Mais c'est de bonne guerre. Me Bélanger peut le comprendre.

— Les places sont rares, ce soir... Je peux m'asseoir ?

D'un signe de tête Vincent acquiesce :

— Pourquoi pas...

Les deux hommes parlent de tout et de rien avant de passer leur commande à Michaud qui est venu les saluer et leur offrir un apéritif. Puis Michaud se retire. Alors, brisant un court silence, Vincent demande de but en blanc, sans raison apparente :

— Me Taschereau, est-ce que tu le connais bien ?

Bélanger fixe alors Vincent, se demandant où il veut en venir, se doutant que la question est inutile, car Savoie doit en connaître la réponse. Il hausse les épaules.

— Comme tout le monde, fait-il volontairement évasif. On entend parler de lui dans les journaux, à cause de la commission Trudel... C'est lui qui défend la cause des frères Cherry, non ?... Pourquoi est-ce que tu me demandes ça ?

Vincent se concentre sur sa bière, les coudes appuyés sur le bord de la table :

— Comme ça... J'aurais peut-être quelque chose d'intéressant pour lui... Quelque chose, justement, dont les journaux n'ont pas encore parlé. Mais si tu ne le connais pas plus que ça...

À ces mots, le regard de Bélanger s'éclaire d'une lueur d'intérêt et de curiosité. Éclat à la fois bref et vif, vite réprimé. Il s'appuie contre le dossier de sa chaise et, tenant son verre de scotch à deux mains, il s'amuse à faire tourner le liquide ambré tout en précisant :

— Disons que Taschereau, c'est un ancien confrère de classe... On peut toujours se joindre assez facilement...

— Dans ce cas-là... Quelqu'un pourrait lui dire que les gars se sont mis le pied dans la bouche. Il existe un connaissement qui va faire jaser bien du monde. C'était une erreur. Mais les gars ont décidé de continuer quand même. Ils sont échec et mat...

Pendant un moment Bélanger reste silencieux à nouveau fort concentré sur son apéro. Puis il lève les yeux.

— Pourquoi est-ce que tu me dis ça ?

— Parce que c'est Saillant qui est en arrière de ça.

Bélanger fronce les sourcils.

— Saillant ?

— Oui, Saillant, de Montréal...

Me Bélanger soupire, comme avec agacement.

— Alors ? Qu'est-ce que ça change ? Encore une fois, pourquoi me dis-tu ça ?

— Parce que c'est le même Saillant qui m'a traversé... Est-ce que j'ai l'air d'un gars qui va se gêner ? Si Saillant peut tomber, ça ne me fera pas de peine. Le système, moi aussi je peux m'en servir...

Bélanger reste muet pour un instant, visiblement sur la défensive. Quand il reprend, sa voix a un petit quelque chose de surprenant, à la fois intéressé et retenu.

— Et tu me racontes ça comme ça, bien tranquillement, un jeudi soir assis dans un bar. C'est pas mal gros ton histoire. Qu'est-ce qui me dit que c'est vrai ?

En entendant ces mots, Vincent laisse filtrer un vague sourire. Il vient de franchir une grosse étape. Si Bélanger se questionne sur l'authenticité de sa révélation, c'est que ça l'intéresse. À son tour, il se cale contre le dossier de sa chaise.

— Je ne te demande pas de me croire. Je ne te demande même pas de réponse... Fouille. Tu n'as qu'à trouver la copie du transit de douane, le connaissement dont je te parlais. Demande-toi seulement où est-ce que la police l'a trouvée et comment elle l'a envoyée... Pour ma part, juste pour répondre à ta question, je prépare mon avenir. Je n'étudie pas en droit pour rien. Disons qu'on se donne rendez-vous ici, dans deux semaines. Tu me paieras le cognac... Je suis convaincu qu'avec ta toge et mon expérience, on peut faire triompher la justice. Si tu vois ce que je veux dire...

Me Bélanger n'est pas homme à se questionner longuement. Il a ses entrées dans presque tous les milieux de la ville, pour ne pas dire la province, et quand il souhaite obtenir une information, habituellement il l'obtient assez rapidement. Dès le repas terminé, il prend congé de Vincent.

— On va peut-être se revoir...

Il se dirige immédiatement vers son bureau. Les indications de Vincent sont peut-être encore vagues, mais suffisamment importantes pour les vérifier sans tarder.

Le portier de l'immeuble l'a salué gentiment, appelant l'ascenseur pour lui, aucunement surpris de le voir là, malgré l'heure tardive. Bélanger est monté au septième étage, étage complètement réservé à son cabinet depuis maintenant dix ans. La réception est plongée dans l'ombre, mais Bélanger peut s'y mouvoir avec aisance, depuis le temps qu'il vient ici à toutes heures du jour et parfois même de la nuit. Quand on est avocat de la défense, spécialiste en droit criminel, il arrive que certains clients préfèrent les rendez-vous tardifs. Au fil des années, il s'y est fait et il lui arrive même d'y prendre plaisir, y trouvant une espèce de sécurité qui lui convient.

Une fois rendu dans son bureau, il allume une petite lampe de travail en cuivre avec un abat-jour opalescent vert bouteille, posée sur le coin de son lourd pupitre de chêne. À ses pieds, la ville clignote la fin de soirée à travers le rideau d'une pluie qui ne veut pas cesser. Bélanger contourne le bureau tout en sortant un trousseau de clés de la poche de son imperméable qu'il enlève aussitôt d'un geste vif pour le jeter négligemment sur un fauteuil derrière lui. Puis s'assoyant lourdement, il ouvre le dernier tiroir sur sa gauche et y prend le premier dossier, celui des frères Cherry que Me Taschereau, ami de longue date, lui a demandé de regarder, il y a de cela environ une semaine...

Pendant plus d'une heure, Me Bélanger relit la cause, analyse les informations qui y sont contenues. Il a roulé les manches de sa chemise, relâché le nœud de sa cravate et quelques mégots de cigarettes dans le cendrier trahissent sa concentration. Puis il se redresse en grimaçant et se cale dans son fauteuil en se frottant longuement les paupières. Les lumières de la ville sont moins vives, même si l'averse s'est transformée en ondée. Il se fait tard. Mais Bélanger ne ressent pas la fatigue. Si Vincent a dit vrai, les frères Cherry sont dorénavant, et sans trop de difficultés, des hommes libres, blanchis de toute accusation... Pendant quelques minutes, il reste immobile, les yeux fermés, reprenant mentalement les informations révélées par Savoie et il les recoupe avec le dossier. Ça vaut la peine d'essayer...

Sans se préoccuper de l'heure tardive, il prend le cellullaire dans une poche de son imper et signale le numéro de son associé principal, Me Legrand. Si lui, Me Bélanger ne peut se charger de faire toute la clarté sur cette affaire dès demain matin car il va à la cour, Legrand peut très bien s'en occuper. Il connaît le dossier et Taschereau tout aussi bien que lui...

Chapitre 8

Le temps maussade a duré une bonne dizaine de jours puis un bon matin, il a changé d'avis, nostalgique, ramenant des douceurs d'été. Les arbres ont sorti leurs teintures de couleurs vives et le soleil joue à cache-cache derrière le feuillage mordoré. Quelques feuilles sont déjà tombées et tapissent l'orée des boisés qui séparent les verts du terrain de golf. Mi-septembre, c'est aujourd'hui qu'a lieu le dernier tournoi de la Sécurité, réunissant des policiers venus d'un peu partout dans la province.

La journée est belle et les gars, à l'image des filles d'ailleurs, sont dangereusement en forme, comme souvent quand ils se retrouvent. Au troisième trou, il y a un cellulaire à gagner, offert par Comtel, à qui frappera sa balle le plus loin et les paris se sont rapidement ouverts à travers les rires et les moqueries. Gendron s'est joint au groupe, invité par Saillant, et il est heureux de trouver réunis tous ses anciens coéquipiers, jeunes et moins jeunes. Sa retraite de la Sécurité est encore trop récente pour qu'on le tienne à l'écart. Bolduc, un des derniers patrons de Vincent, est là, lui aussi. Il a finalement obtenu son grade de capitaine et, conforme à ce qu'il a toujours été, il attend la retraite en essayant de faire le moins de vagues possibles autour de lui. Pour le tournoi, il forme équipe avec Ducharme, entre autres. Malgré la distance, Ducharme étant à l'escouade de Montréal et Bolduc toujours à celle de Québec, les deux hommes n'en restent pas moins de bons amis et tentent de se rencontrer le plus souvent possible. Victor, l'ancien partenaire de Vincent, toujours affecté à l'escouade antidrogue de la capitale, vient d'obtenir son grade de sergent depuis peu. Il s'amuse à taquiner Sébastien Veilleux qui, lui, doit se présenter au prochain examen afin de devenir sergent à son tour. Ensemble, ils forment équipe avec Patrick, l'ami d'enfance de Vincent et David Fugère, une jeune recrue qui sort tout juste de l'IPQ.

La journée se déroule dans les rires, sous un beau soleil d'automne, au club de golf de Cap-Rouge, en banlieue de Québec. C'est spontanément que les groupes se forment après la partie. On retrouve toujours avec plaisir d'anciens partenaires, d'anciens coéquipiers perdus de vue, parfois dans le tourbillon des transferts et des promotions.

Victor et Sébastien sont sur la vaste galerie qui domine le parcours de golf, accoudés sur la rampe, une bière à la main. Le soleil baisse lentement sur l'horizon mais l'air reste doux.

— Une autre année qui recommence, lance Victor avec une pointe de nostalgie.

— Une autre année ? Pourtant, je ne vois pas de neige, fait-il en faisant mine de chercher autour de lui.

Victor se met à rire. De ce rire retenu, sans éclat, qui est le sien.

— Oui, une autre année...

Redevenant sérieux.

— Ça doit me venir de mon enfance... Chaque fois que revient le mois de septembre, j'ai l'impression de tourner une nouvelle page. Comme lorsque j'allais à l'école... Et depuis quelques années, on dirait que cette impression est encore plus vive.

Sébastien lève un sourcil curieux et moqueur.

— Pourquoi depuis quelques années ? Est-ce que tu serais déjà en train de retomber en enfance ?

— Non... C'est juste que c'est à ce temps-ci de l'année que j'ai perdu le meilleur partenaire que j'ai eu l'occasion d'avoir. Chaque fois que l'automne réapparaît, c'est la même chose: je sens la colère qui se remet à bouillir.

Sébastien a ravalé son sourire. Il sait très bien de qui Victor parle. À lui aussi, même s'il est de Montréal, la présence de Vincent manque. Souvent, ils étaient sur les mêmes dossiers, travaillaient de concert malgré la distance. Alors il ajoute, pour lui comme pour son ami:

— C'est la vie qui a voulu ça, Vic. Rien de plus.

Comme si ces quelques mots avaient le pouvoir de réconforter Victor. « On n'y peut rien, alors vaut mieux oublier. » Foutaises! Victor ne l'entend pas du tout de la même oreille. Il s'emporte.

— La vie qui a voulu ça? Non, ça ne se peut pas. Et veux-tu que je te dise pourquoi? C'est parce que ce n'est pas juste... Sacrament, Sébas... Slinky ne méritait pas ça plus que moi. Pis tu le sais...

Quelques mots qui ne disent rien. Qui signifient tout. C'est la première fois que Victor fait la moindre allusion à cette façon un peu particulière qu'ils avaient de mener leurs enquêtes, Vincent et lui. Sébastien est peut-être la seule personne avec qui il peut se permettre d'en parler. Même s'il le fait à mots couverts. L'enquêteur de Montréal connaissait leur manière d'agir. Bien qu'il l'ait trouvée parfois discutable, Sébastien n'en admettait pas moins qu'elle était efficace. Cette façon qu'ils avaient, Vincent et lui, de se servir d'un informateur et d'utiliser son argent pour se créer une crédibilité dans le milieu criminel avait fait ses preuves. Ils appelaient ça avoir un commanditaire. Mais c'était dangereux. Vincent en avait finalement payé le prix. Et voilà que Victor a osé lever le voile, endossant lui aussi cette façon de faire. Mais il n'ira pas plus loin. Car le silence s'est imposé au moment de l'arrestation de Vincent. Parler ouvertement, ce serait trahir Vincent. Si un jour la vérité éclate, c'est que son ancien partenaire l'aura décidé.

— Oui, c'est injuste, reprend-il alors sourdement. Mais tu as raison, Sébas, à bien y penser, probablement que c'est la vie qui a voulu ça...

— Exactement... Faut savoir accepter les conséquences de ses gestes...

Surpris, Victor et Sébastien tournent la tête ensemble. À quelques pas, accoudé comme eux sur la rampe de la terrasse, Patrick a suivi leur conversation. Il fait quelques pas dans leur direction tout en parlant.

— Je peux comprendre ce que tu ressens, Vic. Mais faudrait pas non plus en mettre plus que le client en demande. Vincent s'est mis le pied dans la bouche, ça tu ne peux pas le nier. S'il a plaidé coupable, c'est qu'effectivement il était coupable. Une source, c'est d'abord un crosseur. C'est la tare de la police. Il l'a oublié. On n'a pas le droit d'offrir des stupéfiants. La loi est la même pour tout le monde.

À ces mots, Victor se cabre.

— Là, c'est toi qui...

Patrick s'approche encore, les rejoint.

— Non, Vic. Je ne me trompe pas. Il y a des gestes qui ne mentent pas. Pis c'est un ami de Vincent qui te parle... Savoie prenait des risques. Il virait à cent à l'heure. Il savait que ça pouvait se retourner contre...

— Minute, toi là, interrompt Victor. Peut-être bien que, oui, Vincent prenait des risques, mais ça donnait du résultat en sacrament, par exemple.Tu ne peux pas le nier.

— Peut-être. Mais quand on joue avec le feu, on finit

toujours par se brûler. Tout le monde sait ça. Pis, de toute façon, tu vois, moi j'ai des doutes...

— Des doutes ? Quelles sortes de doutes ? Sur ce que Vincent a fait ?

Le ton monte même si les voix restent sourdes, chargées d'émotion.

— Pourquoi parler au passé, Victor ? reprend Patrick. On n'a pas nécessairement besoin de regarder en arrière. Il y a le présent aussi... Un présent qui parfois se porte garant du passé.

À son tour, Sébastien se tourne vers lui, se rappelant les mots de Pierre Gendron dans le bureau de Ducharme.

— Qu'est-ce que tu veux dire par là ? Faudrait pas tout mélanger, Pat... Mettons qu'il était coupable. Pis je dis bien : mettons... Qu'est-ce que ça change ? Vincent a fait son temps, non ? Comme on dit : il a payé sa dette à la société. Pis en plus, il a eu le cœur de reprendre ses études... Pis il s'est trouvé une job...

— Parle-moi d'une job ! Vincent a été vu en compagnie de Bélanger, l'interrompt Patrick, d'une voix glaciale comme si cette révélation avait force de loi et justifiait tout ce qu'il vient de dire.

À ces mots, Sébastien lève vivement la tête.

— Bélanger ?

— Oui, Me André Bélanger.

Pendant que Sébastien semble désagréablement surpris, Victor, lui, ouvre de grands yeux, ne comprenant pas où Patrick veut en venir.

— Pis ? Qu'est-ce que ça change au fait que...

— Ça change bien des choses... Et je ne suis pas le seul à penser de même.

Patrick se rappelle les quelques mots que Vincent avait prononcés, le soir de sa fête. « J'étais pas du bon bord... » Pour lui, depuis ce soir-là, tout est devenu limpide. Alors, il poursuit sur le même ton.

— Vincent est en train de se brûler auprès de plusieurs gars de la shop. Si vraiment il n'avait rien à se reprocher, il ne se frotterait pas à Bélanger. Pas après des années d'enquête... C'est l'avocat des motards, des criminels. C'est le gars à battre quand on va en cour...

— Et c'est probablement le seul avocat en ville qui peut aider Vincent à s'en sortir vraiment...

Pendant qu'ils discutaient, Pierre Gendron s'est approché des trois hommes et a interrompu Patrick.

— Faudrait pas oublier que Vincent termine son cours en droit... Pat, oublie surtout pas qu'il y en a comme ça des avocats de la Couronne qui traversent à la Défense, argumente-t-il en ouvrant les mains. Et ça n'empêche pas la terre de tourner.

— Pis ?

— Pis ? Ça explique pourquoi il cherche à se tenir avec des avocats. Ça me semble assez évident, non ?

— Ben justement... Il n'y a pas juste un bureau d'avocats à Québec. Si Savoie est *clean*...

À nouveau, Gendron l'interrompt, l'air sévère, impatient, comme un prof devant un élève qui fait la mauvaise tête.

— Voyons allume ! Où est-ce que Vincent peut aller avec un dossier criminel ? Pas sûr, moi, qu'il serait le bienvenu partout... Puis revenons à ce que tu as dit avant... Vincent n'a jamais dit qu'il n'était pas coupable... J'ai l'impression qu'on est en train de tout mêler pis que ça fait l'affaire de bien du monde. Dans le fond, Patrick, quand on y pense bien comme il faut, Bélanger, ça permet peut-être de se donner bonne bouche, non ? J'ai l'impression que ça va régler plusieurs problèmes de conscience pour bien du monde. C'est facile de se dire qu'on avait raison. Ça permet de mieux dormir le soir... Surtout que tout le monde sait que Vincent a offert des stupéfiants. Lui le premier. Ça n'a jamais été remis en cause par personne...

— Ben justement, tu viens de le dire... Moi, ça me fatigue qu'il ait plaidé coupable aussi vite, aussi facilement. Il aurait dû se battre. Je n'aime pas ça. Surtout quand j'apprends que Bélanger apparaît dans le décor...

Tout en parlant, son regard croise celui de Victor qui le fixe avec attention, le regard sombre. Alors Patrick s'interrompt et hausse les épaules en soupirant.

— On a assez parlé de tout ça... On pourrait peut-être passer à autre chose, non ?

Puis il s'éloigne en direction d'un autre groupe, là où on entend des rires, Ducharme en tête faisant rigoler la galerie. Gendron le regarde un instant, se retourne face à Victor.

— Le problème de Pat, analyse-t-il alors, c'est qu'il voudrait aider Vincent. Mais il sait très bien que Slinky a fait ses choix. La job chez Bélanger, ça fait un moment qu'il l'a dans la tête.

— Je le sais bien...

Au bout d'un court silence d'hésitation, Sébastien qui revient à la charge.

— Bélanger ? C'est vrai ?

— Paraît...

Gendron laisse couler un sourire moqueur.

— Les rumeurs, tu sais ce que c'est...

Personne ne répond. Sébastien semble mal à l'aise. Il ne sait que penser. Il n'a pas connu Vincent aussi bien que Pierre et Victor et les propos de Patrick l'ont visiblement ébranlé. Pendant un moment, il fixe sa bouteille vide comme s'il y cherchait l'inspiration d'une répartie. Puis il lève la tête vers Gendron.

— Vous allez m'excuser... Je vais me chercher une autre bière...

Et à son tour il s'éloigne. Alors Victor revient face au terrain de golf. Le soleil flirte avec l'horizon. Les ombres sont longues, dessinant une dentelle noire sur le vert de la pelouse. Victor reste un instant silencieux. C'est la première fois qu'il se retrouve seul en compagnie de Pierre Gendron depuis le jour où Vincent a plaidé coupable. Et brusquement, il lui semble qu'il reste encore certaines choses qui n'ont pas été dites entre eux. C'est pourtant Pierre qui brise enfin le silence.

— Et toi, Vic ? Ça va ?

— Ça va... La routine, quoi... Pis toi, la retraite ?

— Pas pire... J'ai mon commerce de cellulaires... Ça m'occupe.

— Ouais... J'en ai entendu parler. Ça marche comme tu veux ?

— Oui... Oui, c'est même mieux que tout ce que j'avais prévu.

À nouveau, un court silence enveloppe les deux hommes. C'est Victor, cette fois-ci, qui se décide à parler, regardant fixement devant lui.

— Est-ce que je peux te parler franchement ? J'aurais aimé ça que Vincent soit ici, comme si rien n'était arrivé... J'ai encore de la misère à accepter tout ce qui s'est passé. On a beau dire que c'est la vie... Sacrament, Pierre, la vie n'avait pas le droit de lui faire ça...

Gendron hausse les épaules. Le soleil n'est plus qu'un demi-cercle au-delà de la ligne sombre des arbres, au fond du terrain.

— Faut pas, Vic... Faut pas penser comme ça. Parfois, il y a certaines choses qu'on comprend juste après... Si tu as de l'estime pour Vincent, tu vas lui faire confiance... Il a le droit de refaire sa vie comme il l'entend. Je sais que tu n'as pas revu Vincent, il me l'a dit. Pourquoi ?

Victor reste immobile un moment puis soupire, toujours sans regarder Pierre. Le soleil vient de plonger dans un autre univers et soudainement, il fait plus frais. Victor retient un frisson.

— Je ne suis pas capable. Je me dis que s'il a envie de me voir, il sait où me rejoindre... Pour moi, ça brasse encore trop d'émotion, cette histoire-là. J'ai beau la revirer dans tous les sens, j'arrive toujours à la même conclusion : il y en a qui n'ont pas fait leurs devoirs parce qu'ils avaient peur pour leurs fesses. À la veille de la retraite, je pense qu'il y en a qui se sont dits que ça ferait mal de tomber sur le cul... Pis il y a aussi Noël... Le gros Gilbert...

Pendant un moment, Victor revoit très clairement cette ancienne source codifiée. Un petit homme aux lourdes lunettes noires, tellement rond qu'il semble toujours un peu engoncé dans ses vêtements. Il revoit aussi cette façon que Gilbert avait de marcher, de parler, de sourire à propos de tout et de rien qui lui donnait un petit air naïf qui ne l'a jamais berné. Non, Victor n'a jamais aimé Gilbert Noël. Il le savait dangereux même si, à le voir, on lui aurait donné le bon Dieu sans confession. Alors il reprend, d'un ton qui ne laisse aucun doute sur ses sentiments à son égard.

— Le gros Gilbert, c'en est un autre qui a eu peur pour ses couilles pis qui s'est servi du système pour se blanchir. Tant pis pour Savoie... Tant que lui s'en sortait avec les honneurs de la guerre face à tout le monde, il était prêt à tout. Pas fou, l'animal... Il savait qu'il avait tout à gagner, face aux flics parce qu'il permettait d'arrêter un ripou et face au milieu parce qu'il faisait arrêter un ripou. La même maudite salade pour tout le monde. Sacrament... Tout a reposé sur sa parole, sur la parole d'un criminel qui vend de la dope au *ki*... Pis dire qu'en plus, ce sale-là a fait des milliers de dollars sur le bras de la shop...

— C'est évident que ce gars-là a fait une grosse différence... Et il y a aussi le fait que c'était Vincent surtout qui le rencontrait, souvent... trop souvent... Qu'est-ce qu'il devient ?

— Gilbert Noël ? Je ne sais pas... La compagnie l'a flushé pas longtemps après que Vincent eut... J'ai entendu dire qu'il travaillait pour les chapeaux, maintenant. Mais les rumeurs, tu sais ce que c'est...

À ces mots, Gendron dessine un demi-sourire avant de faire la grimace.

— Comme ça, la Sécurité l'a remercié de ses services... Je n'aime pas ça... Noël, c'est d'abord et avant tout un profiteur. Et je sais de quoi je parle. C'est le genre de gars qui peut revenir n'importe quand dans le portrait si ça peut lui servir. Et là, on ne pourra plus le contrôler. C'est pas bon pour personne, ça, de l'avoir rayé de la carte... Pour personne...

Pendant quelques instants, les deux hommes se regardent fixement, sans parler. Puis se sourient. Il y a parfois de ces silences qui sont encore plus éloquents que les mots. Il commence à faire sombre. Les ombres se confondent à la nuit naissante et on vient d'allumer les lumières de la terrasse. Alors, avec ensemble, Gendron et Vic se retournent et reviennent vers l'intérieur du chalet. Le souper ne devrait plus tarder...

* * *

Vincent a passé la journée à s'activer sur le terrain afin de préparer la venue de l'automne. Des beaux samedis comme celui-ci, il y en a peu dans une saison et on doit savoir les utiliser. Christine en a profité pour quitter la maison très tôt le matin afin de se joindre à un groupe d'amis, partis en excursion dans le parc de la Jacques-Cartier pour la journée. Rafting d'automne. Elle a promis d'être de retour avant le souper.

— Je crois qu'il serait temps de se parler, toi et moi. J'apporte des steaks en revenant.

Et elle était souriante en disant cela. Alors Vincent a cru qu'elle avait peut-être changé d'idée concernant la vente de la maison et la journée, déjà pleine de soleil, lui a paru encore plus belle. C'est vrai qu'avec de la couleur et du papier peint dans les pièces, leur maison a maintenant fière allure.

Pendant toute la journée, Élise a fait son va-et-vient habituel entre sa maison et celles de ses amis, affairée à mille et une choses, toutes plus importantes les unes que les autres. Et déjà l'après-midi tire à sa fin. Satisfait de l'ouvrage abattu, Vincent vient de sortir une bière du frigo et il a bien l'intention de la boire sur la terrasse, face à la piscine qui se vide tranquillement. Il entend Élise qui s'amuse bruyamment dans la cour du voisin. Un air d'opéra qu'il aime particulièrement se glisse par la porte patio entrouverte et Vincent se surprend à soupirer de contentement. Des journées comme celle-ci, il en prendrait treize à la douzaine…

Comme convenu, Christine est arrivée au moment même où Vincent appelait Élise pour qu'elle vienne mettre un chandail, le soleil baissant sur l'horizon et le temps fraîchissant légèrement.

— On fait manger Élise, on lui donne son bain et on soupera après, tranquilles, quand elle sera couchée.

Vincent est tout à fait d'accord. La perspective d'une soirée à deux, comme avant, lui fait battre drôlement le cœur.

— Excellente idée... As-tu pensé à acheter du vin ?

— Oh ! Non... C'est bête...

— Pas de problème, madame, j'y vais...

Vincent attrape son manteau et se dirige vers la porte. Au moment d'en franchir le seuil, il se ravise et revient sur ses pas. Christine est à la cuisine, tenant la porte du réfrigérateur grande ouverte, cherchant ce qu'elle pourrait préparer pour le souper de sa fille. Vincent la trouve belle et s'aperçoit un peu surpris qu'elle n'a pas vraiment changé au fil du temps. Sauf peut-être la couleur de ses cheveux qu'elle a pâlie récemment. Il s'approche d'elle et l'embrasse dans le cou. Christine se raidit légèrement avant de se retourner.

— Mais qu'est-ce que... Vite, dépêche-toi, la SAQ ne restera pas ouverte toute la soirée pour toi...

— C'est vrai... à tout de suite... En revenant, je vais faire un feu...

Élise est enfin au lit. Il est près de vingt heures. Vincent a mis la table et vient d'allumer le BBQ pour faire griller les steaks. Christine a préparé une entrée et une salade. La cuisine sent bon les pommes de terre mises à cuire dans le four, enrobées de papier d'aluminium. Tout au long de la journée, le corps en rafting avec des amis mais l'esprit à des lieux de là, Christine a essayé de se préparer, de répéter tout ce qu'elle avait envie de dire à Vincent. C'était peut-être la première fois qu'elle s'en sentait vraiment capable. Elle allait enfin lui confier ce qu'elle attendait de la vie. De sa vie. Tout ce qu'elle avait découvert pendant son absence et qu'elle ne voulait plus perdre. Elle allait parler de ses attentes souvent déçues, de ses espoirs sans lendemain. Elle allait aussi lui expliquer enfin ce qu'elle espérait de l'avenir. De son avenir à elle.

Puis elle est revenue à la maison, bien décidée à mettre leur vie à nue. Vincent, pour une fois, allait prendre le temps de l'écouter. Le sujet était trop grave.

C'était sans compter avec la chaleur d'une bonne flambée et les odeurs familières qui ont aussitôt ramené les indécisions. Ce matin, elle a dit à Vincent qu'ils avaient à parler en pensant que c'était à elle surtout de le faire. Elle en était convaincue. L'attente avait suffisamment duré et ses choix lui semblaient on ne peut plus clairs.

Mais voilà qu'elle ne sait plus.

Elle regarde Vincent qui remet une bûche dans le foyer et elle hésite. Les mots qu'elle avait soigneusement pesés lui semblent moins évidents et se refusent même par moments. Christine a peur. Elle a mal du mal qu'elle va causer autour d'elle. Il y a Élise, il y a leur famille, il y a cette maison qu'ils ont tant voulue. Et puis, peut-être n'a-t-elle pas laissé le temps compléter son œuvre. Oui, c'est cela, il faut encore laisser passer un peu de temps. Vincent ne fait plus partie de la police mais en lui, la nostalgie est toujours bien présente. Elle ne doit pas l'oublier. Lui aussi doit s'adapter à cette nouvelle vie. Et ce n'est sûrement pas facile. Probablement, que petit à petit, il va changer. N'est-ce pas qu'il va changer ? Uniquement parce qu'elle va le lui demander. Et que Vincent va comprendre. Pour elle, pour Élise, pour tout ce qu'ils ont tenté de bâtir ensemble même maladroitement, même imparfaitement... Oui, Vincent va comprendre ses envies et ses besoins. Sur une impulsion, Christine se retourne et vient chercher une bougie qu'elle place sur la table, dans un beau chandelier, avant de l'allumer... Il lui semble qu'il y a encore tant de choses entre eux...

Puis le cellulaire de Vincent se met à sonner, brisant l'espèce d'envoûtement qu'elle ressentait. Elle jette un coup d'œil à Vincent qui s'est retourné, cherchant l'appareil du regard.

— On ne répond pas, souffle-t-elle, un peu surprise de ses propres paroles.

Mais Vincent ne l'écoute pas. Il a déjà pesé sur le bouton pour prendre la communication.

— Oui, bonsoir...

Vincent tourne le dos à Christine, continuant de brasser les cendres d'une main.

— Pardon ? La communication est mauvaise. Un cognac ? Peut-être, mais je n'ai pas encore sou... Pardon ? À La Bonne Adresse ?... Pourquoi pas... Je suis là dans une demi-heure.

Puis il se tourne vers Christine, souriant. Me Bélanger vient d'appeler. Pour l'instant, rien d'autre ne peut avoir autant d'importance. Les choses commencent à bouger. Christine n'a pas envie de croiser son regard. Tous les mots qui semblaient vouloir s'échapper lui sont revenus très clairs, portés par la sonnerie d'un téléphone. Elle entend Vincent qui referme la grille du foyer.

— C'était Me Bélanger... Tu comprends, n'est-ce pas ? Tu comprends tout ce que ça implique pour nous... Fini les tapis ! Je ne pouvais pas refuser son invitation... On mangera les steaks demain, d'accord ? La voix de Vincent vibre d'impatience. Ça y est, Christine, on est reparti. C'est le coup de pouce que j'attendais... Commence à rêver, je rentre de bonne heure.

Christine ne répond pas même si elle sent une attente dans la voix de son mari. Elle commence à retirer le couvert de Vincent. Alors il s'approche d'elle et l'oblige à déposer les ustensiles sur la table et à le regarder.

— Je... Je regrette Christine, j'aurais aimé passer la soirée ici, avec toi. Moi aussi je suis déçu... Mais c'est trop important pour nous tous. Je dois y aller...

Christine le fixe intensément pendant quelques instants, puis elle hausse imperceptiblement les épaules en se dégageant.

Combien de fois a-t-elle entendu ces mots? Alors, par habitude, elle répète exactement ce qu'elle a toujours dit.

— Bien sûr, je comprends, Vincent. Va... On en reparlera plus tard.

Il n'y aura plus jamais d'autre fois. Plus jamais elle ne redira ces mots. Plus jamais elle ne l'attendra, seule. Sa décision de le quitter est la bonne, la vie vient de lui donner la réponse qu'elle attendait. Vincent Savoie ne changera jamais. Ni pour elle ni pour qui que ce soit d'autre...

* * *

Bélanger et Vincent en sont à leur deuxième cognac. Des informations obtenues de Vincent, Bélanger n'a rien dit, sinon quelques mots vagues.

— ... tu liras les journaux mardi matin...

Vincent a compris que Me Taschereau y a trouvé son compte et que la commission Trudel aura un nouveau dossier sur sa table très bientôt. Et Bélanger, par le fait même, a sûrement compris que Vincent était sérieux. Le but visé est atteint. L'engrenage commence à tourner et plus rien ne l'arrêtera. Vincent est en train de reprendre la direction de sa vie. Il ne veut pas en savoir plus. Et probablement que Bélanger non plus, à sa manière, ne veut rien savoir d'autre pour l'instant.

— La justice suivra son cours...

Bélanger a parlé de son bureau d'avocats. De ses débuts, des difficultés rencontrées, des embûches qui guettent les criminalistes comme lui, des satisfactions connues quand un client gagne sa cause. Vincent l'écoute en se disant que le mot justice peut avoir toutes sortes de signification. Surtout celle qu'on veut bien lui donner. Tout dépend du côté de la clôture où l'on se tient. Mais qu'importe... Bélanger vient de le dire: la justice suit toujours son cours...

Un troisième cognac vient remplacer les verres vides. Michaud s'est attardé pour leur parler d'un voyage de chasse qu'il veut organiser à son chalet dans le Nord.

— Si je peux faire assez d'argent ici, je vais faire agrandir le chalet et organiser des voyages pour les touristes... Faudrait que je vous parle du lac Poilu. Vous devriez voir ça: un vrai coin de paradis...

Ensuite un client l'a appelé et Michaud les a quittés en s'excusant. Bélanger reprend donc là où il avait laissé. Il parle des recherches qu'ils doivent faire, des renseignements parfois difficiles à obtenir mais qui sont essentiels dans le genre de causes qu'il défend.

— ... il serait peut-être temps que je pense à engager un nouveau recherchiste, fait-il songeur. On a de plus en plus de causes qui sont de plus en plus complexes... Ça me prendrait quelqu'un qui a de l'expérience, une formation en droit et de bons contacts. Penses-tu que ça peut exister un gars comme ça? Et si oui, penses-tu qu'il commencerait à 40 000 $ plus les bonus? demande-t-il finalement en étirant un large sourire.

Vincent soutient le regard de Bélanger un moment. Puis il laisse tomber, évasif:

— Oui, probablement que ça existe un gars comme ça...

Alors Bélanger, rassuré, glisse une main dans la poche de sa chemise. Il en retire une enveloppe pliée.

— Tiens, c'est pour toi. Mon collègue de Montréal m'a chargé de te remettre ça...

* * *

Quand Vincent revient enfin chez lui, il ne reste que quelques heures à la nuit. Mais il n'est pas fatigué, l'adrénaline de la satisfaction le gardant bien éveillé. Il a quitté Bélanger sur une poignée de main, il y a à peine quelques minutes, au moment où Vincent lui a remis un cellulaire.

— Avec la communication que j'ai eue tout à l'heure, je pense qu'il est temps pour toi de changer, a-t-il précisé se moquant légèrement. C'est à peine si j'entendais le son de ta voix à travers les parasites.

— Tu as raison. Ça fait un bon moment que j'y pense, tu sais ce que c'est: une chose n'attend pas l'autre... Ça vient d'où ce téléphone-là ?

— Une nouvelle compagnie... Comtel. Ils sont sur la rue Maguire, à Sillery. Le service est bon... C'est le modèle Complicité... Il y avait une promotion à deux pour un...

Bélanger est reparti vers sa voiture sur une promesse de le rappeler très bientôt, dans le courant de la semaine, son nouveau téléphone à la main, encore dans son emballage.

Vincent entre chez lui, sans faire de bruit. La maison est plongée dans la noirceur. Et c'est probablement à cause de cette obscurité opaque qu'il peut deviner la silhouette de Christine dans le faible rougeoiement de la flambée mourante. Elle est recroquevillée sur le divan.

— Christine ? Tu ne dors pas ?

Christine ne répond pas. Elle ne lève même pas la tête. Vincent va jusqu'à la cuisine et fait un peu de clarté. Sur la table, les deux couverts sont toujours mis comme dans l'attente d'un repas qui aurait dû avoir lieu et qu'on espère peut-être encore. Il va s'asseoir près de sa femme. Il a tellement de choses à raconter...

— C'est gentil d'avoir attendu, fait-il en passant un bras autour de ses épaules.

Christine se raidit avant de glisser jusqu'à l'autre bout du divan, toujours sans un mot. Sur la table à café, la chandelle s'est entièrement consumée. Il ne reste qu'une longue traînée de cire noircie qui pend du chandelier

— Qu'est-ce qui se passe, Christine ?

La jeune femme tourne la tête vers lui, soutient le scintillement de son regard dans la demi-clarté qui baigne le salon.

— Tu veux vraiment le savoir ? Tout de suite ?

— Bien sûr... Qu'est-ce que tu penses ? J'arrive aux petites heures du matin et je te trouve encore éveillée. C'est sûr que je veux savoir ce qui se passe. J'ai plein de choses à te dire, mais toi d'abord.

Alors Christine reporte les yeux sur la flamme de plus en plus faible et d'une voix sourde et calme, elle annonce :

— Je veux me séparer, Vincent. C'est ça qui se passe. Cette nuit est la dernière que j'ai passée, seule, à attendre que tu veuilles bien rentrer.

— Voyons donc, Christine. Qu'est-ce que c'est que cette idée ? C'est le souper raté qui te...

Christine lève une main impatiente pour l'interrompre et revient face à lui.

— C'est tous les soupers et tous les déjeuners ratés de ma vie qui sont de trop. J'ai fini d'attendre, Vincent. Fini d'attendre que tu reviennes, que tu changes, que tu remplisses tes promesses.

— Mais je les remplis mes promesses... Je t'avais dit que les années difficiles allaient finir. On y est, Christine. C'est un peu ce qui s'est réglé ce soir. C'est à ça que je travaillais depuis quelque temps. Avec Bélanger, on va enfin pouvoir vivre. Se payer ce qu'on veut, voyager... Regarde !

D'un geste de conquérant, il dépose sur le divan l'enveloppe qu'il vient de recevoir.

— Ça c'est les résultats de mon premier mandat, 2 500 $, lance-t-il croyant voir refleurir le sourire de sa femme.

Mais c'est à peine si elle y jette un regard indifférent.

— Non, Vincent... Avec Bélanger, c'est la vie de police qui va reprendre. Et ne dis pas le contraire. Depuis quelque temps, je te regarde aller et plus ça change, plus c'est pareil. T'es bien là-dedans, Vincent. Ça te plaît quand ça bouge, quand tu dois décider, quand tu contrôles les scénarios. Et c'est ton droit. Pour moi, c'est fini. J'ai choisi de vivre à ma façon. J'en ai assez de simplement regarder passer la vie en attendant quelque chose qui ne viendra jamais.

Vincent a l'impression d'avoir reçu un coup à la tête. Exactement comme au matin où il s'est fait arrêter. Machinalement, il se frotte la nuque.

— Élise, dans tout ça ? As-tu seulement pensé à notre petite...

— Je ne fais que ça, depuis quelque temps. Et je sais que j'ai raison. Élise n'a pas besoin d'une vie d'apparences. Viendra bien assez vite le jour où elle comprendra que c'est juste une image. Je n'ai pas envie de la blesser par des silences, des fausses explications, des jeux. L'amour ne se nourrit pas de mensonges. De ces peut-être qui blessent et qui usent...

Vincent reste un moment silencieux, abasourdi. Il a la sensation que quelque chose lui échappe. Quelque chose d'important qu'il n'arrive pas à saisir.

— Tu penses pas que c'est un peu gros ce que tu viens de dire là ? demande-t-il d'une voix sourde. Je ne mens pas face à Élise... Je l'aime...

Un vague sourire ému traverse le visage de Christine. Elle revoit la naissance de sa fille et Vincent qui paradait fier comme un paon. Élise, c'est le plus beau cadeau que la vie ait pu faire à Vincent. C'est d'une voix douce qu'elle reprend.

— Je le sais, Vincent. Je n'ai jamais eu de doute là-dessus. Et moi aussi, je l'aime. C'est pour ça que nous allons regarder la réalité en face, pour une fois. Nous ne sommes plus un couple, Vincent. Et à peine une famille. Ça sert à rien de dire le contraire, personne n'y croirait. Et Élise non plus, n'y croira plus bientôt.

— J'ai besoin d'elle, Christine. De sa présence, de ses rires...

— Ça aussi, je le sais. Et Élise a besoin de toi. Elle a le droit d'avoir ses deux parents. De façon différente, c'est bien certain. Nous serons toujours ses parents. En ce sens, nous sommes unis pour la vie. Mais pour le reste...

Vincent ne répond pas immédiatement. En même temps qu'il aurait envie de se battre pour tout garder, il sait que cela ne servirait à rien. En fait, il savait depuis longtemps qu'un moment comme celui-là allait venir, mais il ne voulait pas y croire. La réalité vient de le rejoindre.

— Qu'est-ce que tu veux que je te dise, Christine ? Sinon d'essayer peut-être d'y penser encore un peu avant d'annoncer ça à Élise. Il me semble que...

— Ça ne servirait à rien Vincent. Sauf peut-être rendre les choses encore plus difficiles. Pour tout le monde. Parce que, dis-toi bien que ce n'est pas plus facile pour moi... On arrive de loin, Vincent. Tous les deux. On ne s'est pas retrouvés. La vie nous a brisés... C'est elle qui a décidé.

À nouveau, Vincent reste silencieux. Lentement, il regarde autour de lui. Cette maison qu'il a aidé à bâtir, il a toujours cru qu'il y tenait farouchement. Ce n'était pas vraiment cela. À ses yeux, cette demeure était le symbole d'une vie heureuse, d'une famille. Et pour cela, oui, il se serait battu. Aujourd'hui, le symbole est en train d'éclater. Alors...

— Et la maison ? demande-t-il comme pour lui-même, poursuivant sa pensée.

— La maison ? Il n'y a rien de changé. Elle est à vendre et on va attendre qu'elle se vende. C'est tout. Par contre, va falloir choisir qui y reste et qui part.

Vincent se tourne encore une fois face à Christine et la regarde longuement dans les yeux. Il lui semble impossible d'en être arrivé là. Il aurait envie de la prendre tout contre lui. Il sait que ce serait vu comme une provocation. Parce qu'en ce moment, tout ce que lui renvoient les yeux de sa femme, c'est une détermination farouche. Malgré cela, il voudrait pouvoir repousser l'échéance. Qu'elle lui donne au moins le temps de faire ses preuves.

— Tu ne crois pas que c'est un peu prématuré, tout ça ? On n'est pas obligés de décider dans les jours à…

— Pour moi, c'est loin d'être prématuré, interrompt Christine. Je dirais même que ça fait des années que j'y pense. Peut-être pas aussi précisément que ces derniers temps. Mais qu'importe… Je ne reviendrai pas sur ma décision. Je te l'ai dit, Vincent : cette nuit est la dernière que j'ai passée à attendre.

Puis Christine pousse un profond soupir. Brusquement, elle se sent terriblement fatiguée, de toute la fatigue d'une décennie d'attente.

— Je vais me coucher, fait-elle en se relevant. Je… Nous reparlerons de tout ça demain… en mangeant les steaks. Il va y avoir plusieurs décisions à prendre.

Vincent ne répond pas. Il entend sa femme qui se dirige vers la salle de bains et se prend un verre d'eau. Puis le silence revient, s'installe, lourd et froid. Vincent se lève et vient secouer les cendres du foyer pour attiser les braises avant de remettre une bûche. Il passe à la cuisine, éteint la petite lampe au-dessus de l'évier et revient s'asseoir au salon. Le feu a repris et lance des éclats sur les murs qu'il vient de repeindre en vert forêt. Il a un drôle de goût dans la bouche. Probablement les nombreux cognacs. Il repense à Bélanger, hausse les épaules, trouvant subitement leur rencontre beaucoup moins importante. Il ne sait plus... Parfois les priorités changent de perspective et nous laissent amer. Il se sent comme le soir avant sa comparution. Une partie de sa vie lui échappe et il se retrouve face à un inconnu qu'il n'a pas choisi, qu'il n'a surtout pas voulu. Bien sûr, il admet qu'il aime bouger, qu'il a besoin d'être en contrôle. Peu importe les titres, il préfère être du côté des décideurs... Et après ? Ça ne l'empêche pas d'aimer Christine et Élise... Un spasme lui serre l'estomac, des milliers de pensées lui tourbillonnent dans l'esprit. Souvenirs, questions et évidences confondus...

C'est au moment où l'horizon commence à pâlir vers l'est qu'il se relève. Le feu est bel et bien mort maintenant et Vincent a un frisson. Probablement la fatigue. Pourtant, il n'a pas envie de se coucher. Il reste un moment debout, en s'étirant. Il regarde autour de lui. Les tableaux, les bibelots, les décorations... Chaque objet lui rappelle un épisode de sa vie. Alors, venues de nulle part, les larmes embrument sa vision et sa réflexion. Finalement, leur amour ne survivra pas aux tourments de la vie. Essuyant son visage du revers de la main, Vincent contourne le divan et passe dans le couloir qui mène aux chambres. Sans faire de bruit, il se glisse dans l'univers d'Élise. La petite dort encore profondément. Il entend son souffle régulier, paisible. Tout doucement, il s'approche du lit, se penche vers elle, se revoyant faire ce même geste un soir de janvier, à la veille de sa comparution. Il n'y a qu'Élise qui puisse vraiment redonner un sens à tout ça. Il l'aime tellement… Il n’y a que pour elle qu’il va continuer à se battre. Jusqu’au bout. Pour que malgré tout, elle continue à être heureuse. Coûte que coûte et quoi qu’il arrive.

PARTIE III

La revanche

Octobre 1995 – avril 1996

« Il y a de ces silences qui écorchent les souvenirs… »

Chapitre 9

Un mois. À peine un mois et plus rien ne ressemble à rien. Sa vie vient à nouveau de basculer, imprévisible, dérangeante, douloureuse comme au matin où il a plaidé coupable et qu'il a pris le chemin du pénitencier.

Vincent Savoie vient d'emménager dans un quatre et demi, en demi sous-sol.

Finalement, Christine et lui ont convenu qu'il serait mieux que ce soit Vincent qui parte. Christine a l'habitude de vivre seule à la maison et pour elle, la transition sera plus facile. Pour Élise aussi. Vincent a fini par l'admettre. Il aura Élise avec lui une semaine sur deux et pour cette raison, il a choisi un appartement dans le même quartier, afin que sa fille puisse conserver ses amis et qu'elle soit moins dépaysée quand elle viendra chez lui.

Un mois infernal. Comme un tourbillon fou laissant à peine le temps de penser, de respirer. Laissant tout juste quelques instants pour les regrets qui pourtant restent latents en permanence au cœur de Vincent. Le compte à rebours menant au déménagement est impitoyable, avalant le temps trop vite. Dix jours, une semaine, demain… Chaque geste, chaque pensée deviennent des adieux, des non-retours déchirants.

Ils se sont partagé les meubles, la vaisselle et la literie comme on tire un prix à la loterie. Christine gardera la voiture et Vincent s'est trouvé un vieux modèle à peu de frais. Après dix-huit mois sans travail vraiment lucratif, les économies ont fondu comme neige au soleil…

Peu à peu, les caisses se sont empilées dans l'entrée, malgré les questions d'Élise qui ne comprend pas et accepte encore moins. Mais ses larmes n'ont rien changé. Sinon, qu'à tour de rôle, Vincent et Christine lui ont parlé et l'ont consolée. Chacun à leur façon. Désormais, Élise aura droit soit à un père, soit à une mère. Pour elle également, la vie vient de prendre un tournant imprévu et elle devra s'y faire. Les images bougent, les valeurs aussi. Vincent en est malheureux mais il n'y peut plus rien. Depuis l'autre nuit, Christine avance en conquérante. Avec parfois le regard mouillé, bien sûr, mais sans jamais perdre cet éclat décidé au fond des yeux. Sa vie lui donne le droit d'être heureuse autrement. Comme si elle sauvait sa peau, elle décide, elle choisit et Vincent accepte de trier les souvenirs. Pour le reste, ce ne sont que des accessoires, que des chiffons.

Puis un bon matin, pendant qu'Élise et Christine sont parties faire des courses, un camion arrive et emporte tout vers un ailleurs inconnu, froid, impersonnel. Comme du temps où il faisait de l'infiltration, Vincent doit maintenant se créer un milieu de vie différent. Il n'a pas le choix de s'y sentir à l'aise très vite. Car, à peine le temps de s'installer, et Élise viendra le rejoindre la semaine prochaine afin de commencer cette nouvelle vie qui sera désormais la leur.

Vincent est assis au salon, sur le vieux divan qu'il y avait à la cave. Il a les traits tirés, le teint pâle. Des boîtes de toutes sortes et de différentes grosseurs attendent d'être vidées, éparpillées un peu partout dans l'appartement. Les meubles ont été déposés à la va-vite dans chacune des pièces et le quatre et demi ressemble à un endroit sinistré. À travers le lavage des tapis qu'il n'a pas encore abandonné, certaines rencontres déjà prévues afin de voir comment il pourrait encore améliorer son sort et quelques visites qu'il aimerait quand même faire à La Bonne Adresse pour naviguer sur Internet, Vincent a une semaine pour donner une apparence confortable à tout cela. Il tient à ce qu'Élise soit heureuse de venir chez lui. Et regardant d'un œil fatigué le désordre qui règne en maître autour de lui, Vincent comprend qu'il a plusieurs heures d'ouvrage devant lui.

Pourtant, il n'a pas le cœur de se mettre tout-de-suite à la tâche.

Ce matin, il y a un petit quelque chose d'irrévocable qu'il n'a jamais ressenti avant.

Maintenant, il regarde devant et la vie lui semble rapiécée avec des morceaux disparates, un peu délavés. Les tapis, Bélanger, Élise uniquement une semaine sur deux... Tout lui semble un peu pêle-mêle. Et quand il jette un œil derrière lui, cherchant peut-être des points de repère, ce qu'il voit, c'est une grande déchirure. En quelques mois à peine, il a perdu un emploi qu'il aimait, il a fait de la prison, il a interrompu ses études par manque de temps, il a quitté sa femme, il a abandonné sa maison et il n'est plus qu'un père à temps partagé. Comme lorsqu'il commençait une nouvelle mission d'infiltration et qu'il faisait face à un nouveau rôle, dans un tout autre décor, avec des partenaires inconnus, Vincent n'a pas le droit de se tromper. Ce n'est qu'un pas en arrière. Un pas en arrière qu'il a accepté de faire pour mieux prendre son élan et foncer plus haut. Encore plus haut. Et personne ne l'arrêtera.

Se levant d'un bond, Vincent attrape la première boîte qui lui tombe sous la main. Des ustensiles... D'un pas décidé il se dirige vers la cuisine. Dans quelques jours, quand Élise viendra le rejoindre, l'appartement de son père sera accueillant. Pour elle, juste pour elle. À l'image de ce qu'il ressent pour sa fille. Se frottant la nuque, il dépose la boîte sur le comptoir et regarde tout autour de lui pour se familiariser avec la pièce. Puis il ouvre le premier tiroir venu…

Ce sous-sol n'est qu'une étape. L'avenir lui appartient.

Il sait qu'il réussira d'une manière ou d'une autre…

* * *

Curieux comme la nature humaine a un grand pouvoir d'adaptation. À peine quelques jours, et Vincent a déjà pris l'habitude de tourner à deux rues de son ancienne adresse. Il le fait déjà machinalement, sans trop y penser. Tant mieux… En entrant chez lui, il vient déposer le courrier sur la table de la cuisine et va directement au débarras afin de terminer les derniers rangements. Ce n'est que plus tard en soirée qu'il repense à son courrier. Quelques comptes qui l'ont immanquablement suivi jusqu'ici, un peu de publicité incontournable et une enveloppe de papier brun, assez grande, où il reconnaît l'écriture de Pierre Gendron. Sans attendre, il déchire la bande collante. Quelques photos tombent sur la table ainsi qu'une feuille blanche, pliée en deux. Pierre lui annonce qu'il est à Montréal pour la semaine, en tournée de promotion pour son entreprise, comme il l'écrit. « J'ai tenté de te rejoindre avant de partir mais il n'y avait personne chez toi et le répondeur n'était pas branché ! !… Si tu as du temps de libre, ne te gêne surtout pas, viens me voir. On pourrait prendre un bon souper ensemble, comme dans le temps. La compagnie prend de l'expansion et ça serait bien d'en discuter devant une bonne bouteille de vin. Et aussi de Patrick. Il n'aime pas les choix que tu fais avec Bélanger… » Suivent les coordonnées pour le retrouver à Montréal… Pierre a joint quelques photos du dernier tournoi de golf. « Comme tu le vois, ça n'a pas vraiment changé. Les gars étaient en super forme. C'est un peu pour cette raison que je n'ai pas attendu mon retour pour te les donner. J'avais hâte que tu les voies. »

Pensif, Vincent se lève et va au frigo pour se prendre une bière. Puis jetant la capsule dans l'évier, il attrape les photos d'une main leste et passe au salon. Machinalement, il allume le poste de télé qu'il met en sourdine avant de s'installer sur le divan. Lentement, il se met à détailler les quelques instantanés que Pierre lui a fait parvenir. Il y a Victor, Sébastien, Patrick et un jeune nouveau posant fièrement avec la plaque des gagnants. Et aussi Bolduc, exhibant le cellulaire qu'il a gagné au troisième trou. Puis une vue d'ensemble de la salle pendant le repas, où Vincent reconnaît Saillant prenant la parole devant l'assemblée. En demi-ton, dans le coin à droite, il devine la silhouette de Ducharme et auprès de lui une ombre qui pourrait très bien appartenir à Luc Dufour, le procureur de la Couronne, le procureur de la police...

Ils sont tous là. Ceux qu'il a connus et côtoyés pendant de si nombreuses années se retrouvent figés dans le temps sur trois bouts de carton. Les photos auraient pu être prises il y a quatre ans, elles auraient été les mêmes. Sauf que peut-être qu'on y aurait vu Vincent. Sûrement qu'on y aurait vu Vincent. Ces hommes étaient ses amis, ses patrons. Vincent leur faisait confiance et pensait sincèrement qu'ils avaient confiance en lui. Aujourd'hui que reste-t-il de tout cela ? Où sont passés les liens qui l'unissaient à ces hommes ?

La rumeur, les images et le doute ont finalement sapé l'amitié et la confiance. Le choix des carrières a fait le reste.

Vincent pousse un profond soupir, prend une longue gorgée de bière, baisse encore un peu plus le volume du téléviseur.

Que veut dire le mot amitié quand le temps fait son œuvre et que les intérêts de chacun font le reste ? Il revoit son arrestation, l'interrogatoire de Saillant et Ducharme qui se taisait, et Bolduc qui n'est jamais intervenu, pas plus que cet ami procureur à qui il avait écrit, Luc Dufour... Qui d'entre eux a-t-il revus depuis sa libération conditionnelle ? Même Patrick se fait discret depuis le soir de sa fête. Et en plus, il doute.

Malgré cela, Vincent ne ressent aucune rancœur. Il est toujours vivant. La prison ne l'a pas tué. Et cette solitude envahissante qui l'emporte depuis quelque temps ressemble étrangement à celle qui existait quand il était en mission d'infiltration. Là aussi, il vivait loin des siens et de son quotidien. Il changeait de nom et d'apparence. Il a porté les cheveux longs, la barbe puis la moustache. Il modulait son langage sur celui de ceux sur qui il avait à enquêter. Il a été tour à tour vendeur itinérant, commis dans une boutique, employé d'Hydro-Québec... Et il jouait bien ses rôles. Jusqu'à berner tous ceux qu'il côtoyait. Jusqu'à se prendre lui-même à son propre personnage parfois. Il était seul, ami de tous et de personne. Il vivait dans une zone grise, froide, incontournable.

Il a toujours cette impression de vivre dans une zone grise.

Rien ne l'avait prédisposé à laver des tapis, pourtant il lave des tapis. Il croyait qu'il allait finir sa vie aux côtés de sa femme, élevant une adorable petite fille et peut-être même un fils, il est aujourd'hui séparé. Il se faisait un point d'honneur de battre Me Bélanger sur son propre terrain, la vie s'est chargée de les réunir... Le besoin d'honorer ses factures a fait le reste...

Vincent porte la bière à ses lèvres puis ferme les yeux.

Toute sa vie n'était en somme qu'apparence et illusion. Il a bâti sa force sur les images, sur une discrète mais farouche manipulation qui prenait la forme qu'il avait choisie. Ce n'était qu'un jeu de séduction. Un chassé-croisé qu'il maîtrisait à la perfection. Tel le miroir qui réfléchit l'exact contraire. Cela, il ne l'a pas perdu. Petit à petit, les choses se placent là où il les veut. Il a perdu sa femme et sa maison et aujourd'hui, sa famille est éclatée. Il n'y peut rien changer. Peu à peu, il apprendra à composer avec cette nouvelle réalité. Il s'adaptera comme il l'a toujours fait. Ne reste que la solitude, l'isolement. Pourtant, quand il y pense bien, la solitude non plus ne lui fait pas vraiment peur. Même à l'orphelinat, quand il était tout petit, il a réussi à être heureux. Et le jour où il est devenu policier, Vincent a connu l'école de la rue pour apprendre, sur le tas, sans préparation ni encadrement, passant même par la prison pour se perfectionner.

Vincent ouvre des yeux nostalgiques. Sur le divan à côté de lui, il y a trois photos. Trois images qui ont fait resurgir tout son passé. Mais qui, en même temps aussi, l'ont projeté dans l'avenir. Un avenir qu'il reprend en main petit à petit…

Il se relève et va chercher la lettre de Pierre Gendron, restée sur la table de la cuisine. Tout en repérant le numéro que son ami y a inscrit, il se dirige vers le téléphone.

— Pierre ? Salut, c'est Vincent… Je viens de recevoir ta lettre… Qu'est-ce que tu dirais de demain pour le souper ?… J'ai besoin de sortir avec du vrai monde…

Chapitre 10

Tranquillement, le SRQ a pris forme. Service de renseignements du Québec. Un grand nom, mais ce n'est et ce ne sera, de toute évidence, qu'une cellule anonyme, ne faisant référence qu'à quelques personnes. On mise sur la discrétion pour assurer l'efficacité. Saillant de la Sécurité provinciale et Gary de la Police nationale fédérale sont les seuls intermédiaires autorisés à entrer en contact avec Réal Langlois, sous-ministre à la Sécurité publique et grand instigateur du projet, en collaboration avec un civil dont on ne sait rien. Sinon que cet homme est l'éminence grise de l'entreprise et le grand décideur. Et c'est voulu. L'anonymat entourant cet homme le protège de toute pression éventuelle. Le mandat est trop important pour prendre le moindre risque. Ce n'est pas d'hier que Langlois pense à une organisation de cette envergure. Il en avait déjà tracé le plan, il y a de cela quelques années. Il avait même contacté Gary, une connaissance de longue date, dès 1993. Ce dernier, à son tour, en avait parlé à Ducharme, à la suite d'une opération menée conjointement. Après quelques tentatives infructueuses, le projet s'est retrouvé sur les tablettes, faute de ressources efficaces et après un changement de gouvernement. Cette fois-ci, il semble bien que ce soit la bonne. Langlois a enfin déniché la personne idéale. Celle dont il avait besoin. Peu à peu, le dossier s'est étoffé jusqu'à voir le jour de façon concrète au printemps. À la Sécurité provinciale, Ducharme et Veilleux ont été choisis comme les seuls intervenants directs. L'un pour sa grande expérience à titre d'enquêteur aux stupéfiants et l'autre pour l'ensemble d'une carrière qui l'a amené à toucher un peu à tout. Tous les deux sont reconnus pour leur efficacité et leur discrétion et ils connaissent Gary depuis de nombreuses années. Quant à Saillant, son titre d'inspecteur à la Sécurité provinciale en faisait une personne ressource toute désignée. De plus, il connaît le sous-ministre Langlois depuis fort longtemps et leurs relations sont excellentes.

— Et maintenant que tous les éléments sont en place, on va pouvoir agir, lance Saillant en regardant Ducharme et Veilleux à tour de rôle. Gary doit venir nous rejoindre dans quelques instants et vous donnera certains détails concernant le rôle de la PNF dans le dossier. En attendant, je peux vous dire que notre mandat est en même temps large et précis.

Les trois hommes sont dans le bureau de Saillant, au poste de la Sécurité, rue Parthenais. Ils se sont déjà réunis à deux ou trois reprises. Ils ont étudié le projet, analysé les implications d'une telle collaboration et apporté des commentaires qui ont été transmis au sous-ministre. Tout a été évalué, soupesé, décortiqué. Ce matin, Saillant veut faire part des conclusions retenues et des objectifs précis du SRQ à Ducharme et Veilleux. Ses cent vingt kilos bien calés dans son fauteuil, une jambe croisée sur l'autre genou, il énumère les cibles en comptant sur ses doigts courts et boudinés. Pour un peu, on pourrait dire qu'il ressemble à Raymond Devos, la bonhomie en moins.

— On vise les professionnels: avocats, notaires, entreprises… En fait, on vise les cravates de soie…

— Et la meilleure façon de rejoindre tout ce beau monde-là, c'est un bureau de change…

Gary vient d'entrer dans le bureau de Saillant, après avoir frappé sommairement à la porte. Trois têtes se tournent vers lui. Ducharme et son regard impersonnel, Veilleux, les sourcils froncés en interrogation et Saillant avec un sourire. Gary, ayant saisi les dernières bribes du discours de Saillant, n'a pu s'empêcher de compléter la pensée du directeur de la Sécurité. Il referme la porte derrière lui et négligeant la place réservée, il reste debout, en appuyant les deux mains sur le dossier de la chaise, geste qui lui confère un leadership et une forme d'autorité indiscutable, en plus de son mètre quatre-vingts et de ses épaules de footballeur.

— C'est là que mes gars interviennent, explique-t-il, les yeux pétillants sous une arcade sourcilière proéminente coiffée de sourcils broussailleux, du blond rougeoyant de ceux qui peuvent revendiquer appartenance à la verte Irlande. On surveille un nouveau Bureau de Change rue Sainte-Catherine. Tout ce qu'il y a d'officiel. J'ai deux hommes qui s'en occupent vingt-quatre heures sur vingt-quatre. En plus du technique: caméra, écoute...

Sébastien Veilleux se redresse sur sa chaise.

— Et nous, là-dedans ?

— Surveillance sur demande, filature. Et les docks...

À ces mots, les sourcils de Veilleux remontent en accent circonflexe.

— Les docks ?

Puis il revient face à Saillant pendant que Gary contourne la chaise et vient s'asseoir. Saillant a redressé sa corpulence sur son siège et se tient les coudes appuyés sur son bureau, les mains croisées.

— Oui, on sait qu'il y a un consortium, explique-t-il. Ça fait des années que ça dure. Rappelle-toi la réunion que Ducharme avait convoquée dans un hôtel du centre-ville. Pettigrew nous avait alors montré un diagramme qu'il avait longuement élaboré après de nombreuses enquêtes.

À ces mots, le visage de Veilleux s'éclaire.

— Oui, je m'en souviens... Victor et Vincent devaient être sur le coup et...

— Exactement, l'interrompt Saillant en haussant le ton.

Subitement, sa couperose habituelle est en train de virer au mauve ce qui transforme le vague sourire de Veilleux en indifférence calculée. Il sait par expérience qu'il est préférable d'avoir à l'occasion certaines absences volontaires. Le nom de Vincent a jeté une douche froide dans le bureau de Saillant. Même Ducharme, qui réserve ses mouvements, s'est tourné vivement vers lui. Et les grosses joues de Saillant tremblent d'impatience.

— Ta mémoire est fidèle, Veilleux, admet-il enfin. Mais n'oublie pas que si certains joueurs ont changé, l'analyse de Pettigrew est toujours valable, conclut-il habilement, ramenant de ce fait les propos dans leur juste perspective. Et cette analyse s'est même bonifiée avec le temps... On parle aujourd'hui des motards, de certains professionnels, de quelques entreprises dont on aimerait en savoir un peu plus et toujours des frères Cherry... Et les docks, c'est justement leur domaine.

L'explication semble suffire à Sébastien Veilleux qui approuve d'un signe de tête et Saillant se détend légèrement. On est ici pour parler du SRQ pas d'autre chose. C'est sans compter sur Ducharme qui lui ne l'entend pas de la même oreille. Glissant jusqu'au bord de sa chaise, il frappe d'un petit coup sec le bureau de Saillant. Une fois n'est pas coutume, sa réserve habituelle ne lui serait présentement d'aucun secours pour exprimer sa frustration.

— Parlons-en des frères Cherry, s'emporte-t-il donc, lui habituellement impassible en tout, obligeant Saillant à une gymnastique de l'esprit périlleuse, sautant de Vincent Savoie à la commission Trudel sur une pirouette, revenant sur la défensive. Maintenant ils sont libres comme l'air, les frères Cherry...

Et tout ça pourquoi? Pour un imbécile qui n'a pas su se backer... Pis c'est pas la première fois que Le Padre se met dans le trouble: rappelle-toi Chambly... Tout ce que cette maudite histoire-là a fait, c'est que la commission Trudel est encore un peu plus visible dans le portrait. Comme le nez au beau milieu de la face...

Les yeux trop pâles de Ducharme lancent des éclairs. Les deux hommes se fixent intensément pendant quelques instants.

— On fait quoi avec la commission Trudel qui fourre son nez un peu partout dans nos affaires? demande alors Ducharme d'une voix sourde.

Saillant reste un moment silencieux, puis il hausse les épaules tout en relâchant le nœud de sa cravate. La conversation, depuis quelques instants, prend des détours qui l'indisposent. À lui de ramener tout ce beau monde-là dans l'avenue principale.

— On continue... Le SRQ n'existe pas, alors on a le droit de continuer... Et j'ai la confiance du sous-ministre, fait-il avec un détachement étudié, en se frottant le nez qu'il a particulièrement visible.

Puis sa voix remonte d'un cran, légitimant du même coup le courroux qu'il doit éprouver à juste titre.

— Ce qu'il faudrait savoir, par contre, c'est d'où vient la fuite...

L'index de Saillant martèle maintenant son bureau à petits coups secs et précis.

— Savoir comment Taschereau, l'avocat des Cherry, a réussi à apprendre que le connaissement venait d'ici... Ça peut être très important, même essentiel. Pour le reste, je viens de te le dire: j'ai la confiance du sous-ministre. Il faut laisser la commission faire son travail et les avocats le leur.

Sur ce, Saillant se cale à nouveau dans son fauteuil, les bras croisés sur sa panse, laissant entendre ainsi que le sujet est désormais clos. Il ajoute, formel :

Ce n'est pas parce qu'il y a eu confusion dans un dossier que les frères Cherry sont moins coupables. On s'entend là-dessus ? On laisse la commission faire son enquête et nous, on fait de la police.

À nouveau, les deux hommes se regardent intensément comme s'ils étaient seuls dans la pièce, pendant que peu à peu Ducharme reprend son allure habituelle, froide et indifférente.

— C'est beau, on s'entend là-dessus... J'ai pas de misère avec ça...

Alors Saillant se redresse, jette un coup d'œil à Gary puis se tourne vers Sébastien Veilleux.

— C'est exactement pour cela que je te dis qu'on continue, reprend-il comme si l'intervention de Ducharme n'avait jamais eu lieu. Je veux tout savoir sur ces gars-là. Qui ils voient, avec qui ils mangent, où ils dorment, qui ils appellent. Je veux même savoir l'heure où ils vont pisser... Ça c'est ton mandat, Veilleux. À partir de tout de suite, t'es comme qui dirait leur ombre.

— Moi ?

— Oui, toi... Ta job, c'est d'enquêter sur les frères Cherry et tous ceux qui les approchent. Je veux tout savoir. Tu te fonds au décor, tu deviens invisible pis tu les suis à la semelle.

— Et toi, Ducharme, enchaîne Gary, demeuré jusque-là silencieux, tu restes en contact avec les gars du Bureau de Change. Ils vont entrer en communication avec toi très bientôt. Et si ça se confirme, tu devrais voir Bélanger apparaître dans le décor. Lui et ses amis les frères Cherry, mais aussi un certain Karruda.

— Karruda ? Karruda marbre et granit de Sherbrooke ?

— En personne. C'est un très bon ami de Bélanger.

Un petit sourire effleure le visage de Ducharme. Depuis le temps qu'il veut le coincer cet avocat, ce prestidigitateur des mots, ce professionnel des lois et de leurs sens cachés, parfois même tordus. La perspective de le voir apparaître dans le décor lui donne un petit frisson d'excitation. Alors, pour être bien certain, il ajoute :

— Bélanger ? On parle bien de l'avocat ?

— Exactement... Me André Bélanger. Si je ne me trompe pas, c'est lui la pierre angulaire, soutenu par les frères Cherry. Il connaît tout le monde et tout le monde le connaît. Et en attendant le jour béni où Bélanger va se pointer ici, tu notes ceux qui passent au Bureau de Change et tu trouves qui ils sont, avec qui ils frayent.

Pendant quelques secondes, Ducharme et Sébastien échangent un long regard. Puis Ducharme se tourne vers Saillant.

— Ça me plaît... Mais si on parle de Bélanger, pourquoi ne pas mettre quelqu'un sur le dossier à partir de Québec ?

— Québec ?

Gary s'interpose, en haussant le ton.

— Écoutez-moi bien, vous deux... Le SRQ ce n'est rien pour l'instant. C'est juste du vent... On s'est bien compris ? Si on veut que ça donne du résultat, moins on en sait et mieux ça vaut. Chacun s'occupe de ses business pis oublie les autres. Ici, à la Sécurité, c'est Saillant qui est votre point de repère. Les commandes vont venir de lui et les résultats, c'est à lui que vous les donnez. En une seule copie... Je ne veux rien qui traîne. Moi, vous ne me reverrez plus dans les parages. Je réintègre mes bureaux de la PNF et c'est tout. La vie continue pour tout le monde. Vous êtes des enquêteurs, alors vous allez enquêter. Personne ne doit se douter de quoi que ce soit. Qui fait quoi, ça n'a pas d'importance.

* * *

Le temps s'est rafraîchi. Novembre est bien entamé et le fond de l'air a de subtiles senteurs de neige. Pourtant Vincent aime bien ce temps de l'année. Cette froidure venteuse le stimule. L'après-midi est tout brillant d'un soleil radieux, malgré son manque de chaleur, et Vincent en éprouve un plaisir évident.

Marchant à bonnes enjambées vers le Palais de justice, il espère que la rencontre avec son agent de probation ne sera pas trop longue. Il lui reste encore deux rendez-vous pour laver des tapis et comme il n'a pas Élise avec lui cette semaine, il aimerait bien se rendre à La Bonne Adresse pour y souper, précédé d'un bon moment devant l'ordinateur. Il commence à prendre goût aux infinies possibilités d'Internet et il s'est bien promis d'avoir son propre ordinateur le plus rapidement possible.

— Savoie ! Minute...

Vincent se retourne vivement. Quelques pas derrière, Bélanger se dirige vers lui. Alors il étire un sourire.

— Bélanger ! Bonjour... Ça va ?

L'avocat arrive à sa hauteur.

— Ça va... Il me semble que ça fait un moment que tu n'es pas venu à La Bonne Adresse. Je me trompe ?

Vincent revoit le mois d'enfer qu'il vient de vivre. Sa séparation, son déménagement...

— Non, mais tu sais ce que c'est... Mille et une choses... Dont un voyage éclair à Montréal... Faudrait se parler pour Tom.

Un éclat de satisfaction traverse le regard de Me Bélanger qui accélère le pas pour se maintenir au même niveau que Vincent. Tom, c'est Thomas Gariépy, le chef reconnu des Devil's Choice et c'est aussi un client de longue date de Me Bélanger.

— Tom ? Quand tu veux. Tout de suite, si possible. Je t'offre le café. J'ai un peu de temps devant...

— Non, pas ici, interrompt Vincent, tout en gravissant deux à deux les quelques marches qui mènent à la bâtisse de verre, cherchant visiblement à mettre une certaine distance entre lui et l'avocat. De toute façon, on m'attend. Mais surveille ton ordinateur, cet après-midi... On en reparlera...

— Comme tu veux, concède l'avocat en haletant... À la prochaine.

Vincent ne répond pas. Sur un signe de tête, il s'engouffre dans le Palais de justice, suivi de près par Bélanger.

Quiconque les verrait passer croirait qu'il s'agit de purs étrangers. C'est exactement ce que Vincent recherche. Sur une impulsion, se voyant devant le Palais de justice avec celui à qui il s'était tant de fois mesuré, Vincent n'a pu retenir le geste. Il n'avait pas envie d'être vu en sa compagnie. Pas ici... Comme un vieux réflexe pas tout à fait mort...

La rencontre avec l'agent de probation s'est bien déroulée. Comme toujours. Malgré cela, c'est en serrant les poings que Vincent regagne sa vieille auto, sa voiture de collection, comme il l'appelle. Il n'arrive pas à s'y faire : cette obligation de se rapporter régulièrement aux deux semaines est comme un couteau qu'on s'amuserait à tourner dans une plaie. Un fardeau qui prolonge l'humiliation ressentie au moment où les portes de Sainte-Anne-des-Plaines se refermaient derrière son dos. Quatre mois de pénitencier et un an de prison auraient pu suffire, non ?

Finalement, il arrive à se libérer de toutes ses obligations pour seize heures.

Satisfait, il entre enfin à La Bonne Adresse. C'est le moment idéal car il n'y a jamais beaucoup de gens à cette heure-là devant les ordinateurs. Dès que Michaud l'aperçoit, il se dirige vers lui, souriant.

— Monsieur Savoie ! Ça fait longtemps.

Vincent lui rend son sourire, se sentant un peu moqueur. Son absence a été remarquée ici aussi !

— C'est vrai. Mais je suis débordé, ces temps-ci, fait-il évasif pour aussitôt reprendre, un peu débonnaire : tout le monde veut faire laver son tapis avant Noël. Par contre, ce soir, ça m'appartient... Il y a un ordinateur de libre ?

Michaud regarde vers le fond de la salle.

— Sûrement. À cette heure-ci, ils sont habituellement tous libres... Je vous apporte une bière ?

Vincent hésite à peine un instant.

— Oui, bonne idée, la journée a été longue.

Michaud repart vers le bar.

— Une Black, comme d'habitude ?

À ces mots, Vincent se retourne en riant vers Michaud.

— Là-dessus, j'ai pas changé... Oui, une Black comme toujours.

Vincent parcourt différentes avenues sur Internet depuis plus d'une heure. Il a fait une visite guidée de la ville de Québec, s'est amusé à élaborer quelques nouveautés touristiques qui pourraient être intéressantes et s'est offert un survol de Paris. Peu à peu, le restaurant s'est rempli. C'est au moment où il entend un rire particulièrement bruyant qu'il jette un regard sur sa montre, surpris que le temps ait passé si vite. Dix-sept heures quarante-cinq. Probablement le bon moment pour envoyer un message à Bélanger, par le biais de son courrier électronique. Un autre outil qui fascine Vincent... Après, il va s'offrir un bon steak-frites... Levant la main, il fait signe à Michaud qu'il aimerait avoir une autre bière. Puis aussitôt après, il se penche sur le clavier et inscrit l'adresse électronique de Me Bélanger.

« ... *Curieusement, lors de mon passage à Montréal, j'ai entendu dire que l'enquête reliée à l'histoire de la bombe dans une Econoline n'avançait pas comme prévu. Manque de preuves. D'anciens amis ont parlé d'un délateur sans corroboration des faits. On s'attend à ce que la mère de l'adolescente qui a été tuée mette de la pression dans les médias, auprès du ministre. Je sais que tu connais la liste de tes clients par cœur. Peut-être bien qu'il y a quelqu'un à qui le casque pourrait faire. À Montréal, le mot moto semble revenir souvent dans les conversations. Curieux... Imagine-toi que je viens de te faire une demande d'emploi à titre de consultant judiciaire... Ne sois pas surpris si je ne signe pas...* »

Le temps d'envoyer le message, de vérifier qu'il est bien rendu et Vincent jette le message. Il s'étire et se relève. Du regard il cherche une place libre dans le restaurant et sourit : sa table habituelle est vacante. Finalement, la journée a été bonne. Alors, prenant sa bière, il s'avance vers la petite table prévue pour deux et qui donne sur l'ensemble du restaurant.

Puis il se commande un repas copieux, question de fêter sa décision...

* * *

Vincent a vite repris ses habitudes du printemps. Il sait par expérience que c'est en créant de nouvelles habitudes et en s'y tenant que la vie nous semble à nouveau normale, même si elle est différente. Alors, chaque jeudi, qu'Élise soit avec lui ou pas, il profite de ce que sa fille s'entraîne à la natation pour aller à La Bonne Adresse. Routine qui lui convient parfaitement.

D'autant plus que ce soir, il doit y rencontrer Bélanger qui l'a appelé la veille.

— Je crois bien qu'on te doit un autre cognac...

À peine quelques mots. Suffisants pour que Vincent comprenne que les renseignements fournis, il y a quelque temps, avaient été utiles. Bélanger avait donc trouvé la tête à qui le casque faisait. Et comme par hasard, il s'appelle Tom. Alors tout va pour le mieux, tout se recoupe et vient à point. Tranquillement, d'une fois à l'autre, Vincent taille sa place. Il l'avait dit à Christine : c'est par Bélanger que l'avenir passerait. Et plus ça va, plus il sait qu'il ne s'était pas trompé. Dommage que Christine n'ait pas voulu attendre.

Il fait un temps à ne pas mettre un chien dehors. Malgré cela, le restaurant est bondé. Michaud va d'un groupe à l'autre, l'œil vif, précédant les désirs de ses clients. Vincent est légèrement en avance et s'amuse à détailler les gens en attendant Bélanger. C'est le genre d'endroit à la mode, fréquenté par des jeunes gens d'affaires et des fonctionnaires. Tous taillés, lui semble-t-il, dans le même bois. Une jeune femme, assez jolie, seule elle aussi, le regarde en souriant et Vincent lui rend son sourire. Mais à la vue de Bélanger accompagné d'un homme qu'il ne connaît pas, il fronce les sourcils un bref instant, oubliant aussi vite la jeune femme et son sourire engageant. Rapidement, il redessine un sourire de convenance en se levant à demi pour accueillir l'avocat et l'inconnu.

— Vincent ! Content de te revoir... Laisse-moi te présenter...

Luc Dion. Un homme plutôt petit, nerveux, avec un regard acéré, sans âge précis, sa chevelure mi-longue étant encore noire comme l'aile du corbeau à qui il ressemble d'ailleurs. Sa poignée de main est sèche, fuyante. Bélanger fait signe au serveur.

— Trois cognacs... Le meilleur... C'est ma tournée...

De fil en aiguille, d'un cognac à l'autre, Vincent apprend que Luc Dion est un client de Me Bélanger. Une sombre cause de vidéo-poker où il est le bouc émissaire du gouvernement. Enfin, c'est ce que Bélanger en dit. Par contre, depuis sa mise en accusation, Dion a tout de même changé d'orientation et s'est recyclé dans la légalité, comme il l'explique froidement. Il est devenu prêteur sur gages, son commerce ayant pignon sur rue dans Limoilou. Il cherche preneur pour un lot de bijoux qu'il vient de reprendre.

— Et pas du toc ! Juste de belles choses. De l'or, quelques colliers, des montres.

Vincent se dit intéressé. Il a croisé des hommes comme Luc Dion à maintes reprises au cours de ses années d'enquête. Il sait qu'il y a peut-être là de l'argent facile à faire. Il questionne, se renseigne, prend même rendez-vous avec le prêteur.

— Ainsi donc, tu t'intéresses aux bijoux ?

Me Bélanger trouve cela drôle, lui qui est porté sur les breloques voyantes, qu'il exhibe de façon tapageuse, alors que Vincent est plutôt sobre dans sa façon de se vêtir. Sa répartie semble avoir piqué Vincent.

— Des bijoux, des ordinateurs, des tableaux... Tout ce qui finit par faire de l'argent...

Alors l'avocat éclate de rire. Plus il apprend à connaître Vincent et plus il apprécie sa présence, sa vivacité. Il pressent qu'ensemble, ils peuvent faire beaucoup. Un homme comme Vincent est un plus dans une carrière comme la sienne. Finalement, c'est infiniment mieux pour tout le monde de se retrouver dans le même wagon. Avant, il y a de cela quelques années, faire face à Savoie comme témoin de la Couronne l'agaçait. Le jeune policier avait les dents longues et avait tout prévu. Les moindres allusions, les moindres reparties, les moindres questions trouvaient toujours réponse. Mais les temps changent…

Aujourd'hui, Bélanger se voit fort bien en train de préparer une cause avec l'ancien policier. À deux, plus rien ne va pouvoir leur échapper. Et si en plus, il est prêt à revendre des bijoux… Cet aspect de Vincent lui était inconnu mais lui plaît bien. Il n'a pas peur des risques et il aime l'argent… Oui, maintenant il n'a plus de doutes, son intuition était la bonne. Il y a place reconnue et permanente pour un gars comme Vincent dans son cabinet. C'est exactement ce dont il a besoin : un bon recherchiste qui a des contacts, une formation et les yeux clairs… Et dans la perspective d'une forme d'association entre eux, son dossier criminel prend presque des allures d'atout.

Vincent semble avoir un peu trop bu. Il a les yeux brillants et le verbe facile. Prenant conscience que le verre qu'il porte à ses lèvres est vide, il lève le bras et fait signe à Michaud.

— Une autre tournée… Mais cette fois-ci, c'est pour moi. Tu mettras ça sur ma note, fait Vincent quand Michaud vient vers eux avec les cognacs demandés. Je… Je vais repasser demain… Casse pas ta tête, je vais payer mes factures. Ce sera ma façon de t'aider à voir aux rénovations de ton chalet au milieu de nulle part…

Puis au bout d'un court silence, il ajoute :

— Est-ce qu'on va pouvoir aller voir ça, ce château-là ? Où encore ? Au lac Poilu ?

Et sur ces mots, Vincent se cale contre le dossier de sa chaise, le regard encore plus brillant, fixant brièvement Michaud, Dion et Bélanger avant de tourner la tête à la recherche du sourire de la femme dont il a croisé le regard. Mais elle est déjà partie. Un court silence s'ensuit. Michaud dessine un vague sourire, à la fois poli et invitant, comme il le fait souvent quand un client a un peu trop bu. Il retire les verres vides, les place sur son plateau et pivote pour retourner vers le bar. Vincent reprend, en se tournant carrément vers Dion :

— Votre affaire, ça m'intéresse, mais votre business aussi... faudrait peut-être que vous pensiez à l'expansion de votre entreprise.

Puis se tournant vers Me Bélanger.

— N'est-ce pas Maître ?

Et revenant vers Dion.

— L'avenir est dans la visibilité, monsieur Dion ! Je suis votre homme. Je me trouve un partenaire et je me pars une shop comme la vôtre... La belle vie, quoi. Un beau p'tit commerce bien straight.

Me Bélanger éclate de rire à nouveau. Décidément, ce Savoie lui plaît bien. Et de plus en plus.

Chapitre 11

André Bélanger est fatigué. Devant lui, dans le halo de lumière de sa table de travail, des feuilles couvertes de texte s'amoncellent un peu pêle-mêle. Le dossier d'un motard du Lac Saint-Jean, un certain Chicoine, accusé de recel, de possession d'armes et de possession de drogue en vue d'en faire le trafic. Un dossier comme il en a tant et tant défendu au cours de sa carrière. Banal... C'est pour cela qu'il est fatigué. Il va finir par découvrir la faille, le point de loi obscur qui permettra à son client de s'en tirer, coupable ou non. Ce n'est plus qu'une sorte de gymnastique intellectuelle, un bras de fer cérébral de moins en moins satisfaisant, qui a depuis fort longtemps dépassé la griserie des premières victoires. Il remet les feuilles en ordre, ajoute quelques notes à l'intention du jeune avocat qui va se taper toute la recherche demain, puis il referme le dossier d'un geste nerveux et le pose sur le coin de son bureau avant de prendre un second dossier qui était camouflé par les feuilles éparpillées. Il le soupèse quelques instants, sans l'ouvrir, le laisse tomber sur sa table de travail. En touchant le bois du pupitre, le lourd document fait un petit bruit sec, agaçant, comme un soupir d'ennui.

Bâillant bruyamment, Bélanger repousse son fauteuil et le fait pivoter. Derrière lui, sur le mur, une large photo encadrée les montre lui et sa femme lors d'un voyage dans le Sud. Ils sont sur un bateau de quarante pieds, loué à un ami... Il fait beau, il fait chaud. Une journée comme Bélanger les aime. À l'extérieur, il tombe une neige lourde qui bouche complètement l'horizon. Il s'attarde un moment, s'étire en soupirant et se dirige vers la porte. Il a grand besoin d'un café noir s'il veut finir la soirée. Un bon café corsé, arrosé d'une généreuse lampée de rhum, comme dans le Sud. Voilà ce qu'il lui faut pour tenir la barre encore un moment.

Dans deux heures, il devrait avoir terminé sa plaidoirie et pourra enfin rentrer chez lui...

Encore quelques mois, ou quelques années au pire, deux cent mille dollars d'honoraires supplémentaires, des placements à long terme dans de bonnes entreprises et Me André Bélanger sera en mesure de prendre une retraite bien méritée... Sur son bateau, avec des amis qu'il pourra continuer à aider...

* * *

À travers le lavage des tapis, les semaines où Élise est avec lui, des mandats de plus en plus fréquents pour Me Bélanger, la revente des bijoux, la période des Fêtes qui vient de se terminer et l'installation de Normand Vaillancourt, son copain de Rimouski qui vient d'ouvrir un comptoir de prêt sur gages à Portneuf, en association avec lui et Dion, Vincent n'a pas vu le temps passer. Par chance, grâce à une dérogation au ministère de l'Éducation, Élise est en première année. Cela permet d'alléger la routine. L'hiver est assez doux, plutôt neigeux et, à l'occasion, il s'est offert une journée de ski en compagnie d'Élise. Le seul loisir finalement qu'il s'accorde, les journées étant de plus en plus remplies. Pour être heureux, Vincent a besoin de deux choses : la présence de sa fille et se tenir occupé. Alors, peu à peu, la vie reprend tout son sens. Une vie différente, certes, mais à laquelle Vincent commence à s'identifier.

Si tout va bien, au printemps, il pourra changer d'auto, oublier le lavage des tapis et se trouver enfin l'appartement dont il a toujours rêvé, près de l'avenue Cartier, avec de hauts plafonds et plein de charme...

Tranquillement, Vincent Savoie, ancien policier à la Sécurité provinciale, est en train de devenir le bras droit de Me André Bélanger, criminaliste de renom et principal avoué de tout le gratin du milieu criminel au Québec...

Avec la vente des bijoux et de deux tableaux de Lecor, Vincent a fait un petit magot. Près de quinze mille dollars. Il en a investi une partie dans le nouveau comptoir de prêt et gardé la balance pour un usage ultérieur. Il entend bien le faire fructifier d'une façon ou d'une autre. Mais là comme ailleurs, la prudence reste encore la meilleure conseillère. Michaud, quant à lui, en vendant certains bijoux que Vincent lui a refilés et plus récemment un tableau de Rousseau, va pouvoir investir dans son chalet du lac Poilu dès le printemps.

— Tu vas voir, Savoie, je te le dis : c'est un coin de paradis... À l'été, je t'invite.

Les deux hommes en sont venus à se tutoyer depuis le temps que Vincent vient au restaurant de façon régulière. Une sorte d'amitié est même née.

Ce qui n'empêche pas Vincent de rester lui-même.

— Tu sais, moi, la pêche...

— Fais-moi confiance.

— On verra...

Policier, de Rimouski à Québec, en passant par Chibougamau, jamais il n'est allé à la pêche. Il a toujours dit que le temps lui avait manqué, mais dans le fond... Alors il répète :

— On verra...

Mais c'est déjà tout vu d'avance : il déteste ces petites mouches noires qui s'acharnent à lui dévorer la peau. Tout autant qu'il ne peut concevoir que l'on prenne plaisir à rester immobile pendant des heures au fond d'une chaloupe humide, sous un soleil brûlant, sentant l'huile à mouches... Et pour couronner le tout, le poisson n'est vraiment pas son repas préféré... Mais comme l'été est encore relativement loin, Vincent n'a pas insisté et Michaud n'est jamais revenu sur le sujet.

Dehors, le temps se prépare à la tempête. Le vent s'en prend à coups de butoir à sa porte patio et gémit au coin de l'édifice. Vincent est seul, Élise passant la semaine avec sa mère. Contrairement à ce qu'il avait prévu, il décide finalement de rester chez lui. La soirée est toute jeune, à peine dix-neuf heures, et Vincent a envie de penser à lui. Bain chaud, repas léger, télévision.

« Une soirée de vieux garçon », pense-t-il amusé en se dirigeant vers la salle de bains.

Au même instant, le téléphone sonne. Il hésite, hausse les épaules, entre dans la salle de bains, cherche le bouchon du renvoi d'eau, le place au fond de la baignoire, ouvre les robinets, ajuste la température de l'eau. Le téléphone sonne toujours. Vincent continue à faire la sourde oreille. Ce soir, il n'y a rien ni personne pour venir le déranger. La soirée lui appartient. Il aime être seul. Il verse donc quelques gouttes d'huile dans l'eau chaude, se prend une grande serviette de ratine rouge, enlève son chandail, referme les robinets à l'instant où le téléphone consent enfin à se taire. À peine le temps de pousser mentalement un soupir de soulagement que c'est son cellulaire qui se met à sonner, insistant lui semble-t-il dans le silence de l'appartement.

Alors, oubliant ses bonnes intentions, Vincent se précipite vers le salon.

Bélanger est au bout du fil.

— Savoie... Je commençais à désespérer...

— Bonjour... Que me vaut l'honneur ?

— Invitation... Je suis à Montréal avec quelques amis. Qu'est-ce que tu dirais de venir nous rejoindre au Casino ?

— Ce soir ?

— Oui, oui, maintenant...

— Je ne sais pas trop... Avec le temps qu'il fait...

— C'est juste du vent... On parle d'une tempête mais même ici il ne neige pas. C'est le vent, je te dis... Alors, qu'est-ce que tu en penses ?

— Je me répète : je ne sais pas...

— C'est pas toi qui me disais avoir un peu d'argent à placer ? C'est le temps... Rien de mieux que le Casino pour...

— D'accord, j'arrive, interrompt Vincent, ne sachant trop ce qui le pousse à accepter. Le temps de me changer et je pars... Rendez-vous à vingt-trois heures dans le hall d'entrée.

— Vingt-trois heures ? J'y serai... Veux-tu que je te réserve une chambre ?

Bélanger raccroche. Legrand, son principal associé est avec lui. Ils sont au Méridien et doivent rencontrer quelques amis à la salle à manger pour le repas. Comprenant que Vincent a accepté la proposition d'André, Legrand fait la grimace.

— Si je comprends bien, Savoie nous rejoint ?

— Parfaitement.

Legrand reste silencieux un moment, songeur. Savoie, c'est un ancien flic. Et il ne sait pas s'il a envie de lui faire confiance.

— Savoie ? Ici ? insiste-t-il.

Bélanger se contente d'un regard éloquent dans le miroir. Legrand croise son regard, s'y attache un instant. Bélanger, c'est son associé depuis des années, il ne l'a jamais trompé. Alors Legrand se lève et s'étire avant de dessiner un petit sourire, haussant les épaules, tout en revenant sur Bélanger qui ajuste sa cravate en étirant le cou et en la faisant tourner pour la mettre bien en place sous le collet. Legrand laisse tomber, avec un certain détachement :

— À partir du moment où tu te sens à l'aise avec lui, moi ça me va...

Bélanger lui rend son sourire avant une dernière vérification dans la glace, faisant machinalement tourner sa lourde chevalière sertie d'un gros diamant.

— Alors on y va ? J'ai faim...

* * *

Bélanger avait raison. Vincent a voyagé sans encombre jusqu'à Longueuil. Il est plus de vingt-deux heures et la neige commence tout juste à tomber. Quelques flocons, la chaussée à peine humide... Vincent prend la bretelle à sa droite, se glisse entre deux autos pendant que sa voiture suit le parcours en épingle qui prolonge l'autoroute en direction des ponts. Puis il remonte vers le pont Jacques-Cartier. Jeudi soir, il y a beaucoup de circulation et Vincent commence à être fatigué. Il a surtout très faim. Il prend son cellulaire et compose le numéro de Bélanger.

— ... Parfait. Le temps d'avaler une bouchée et je te rejoins au deuxième, près des tables de Black Jack...

Comme chaque soir à cette heure-là, il y a foule au Casino. Le bruit des machines à sous est assourdissant et il faut un bon moment à Vincent pour s'y faire. Machinalement, il porte la main à sa ceinture pour vérifier si sa pagette est là, tout en se dirigeant vers l'escalier roulant. Il repère facilement André Bélanger et son principal associé, Me Legrand, dès qu'il atteint le second plancher et qu'il se dirige vers les tables de jeux placées à l'autre bout de la pièce. Alors que Legrand est assis à une table, tout à fait concentré à son jeu, Bélanger, lui, se tient en retrait et semble plongé dans une discussion animée avec trois hommes que Vincent ne pense pas connaître. L'apercevant, Bélanger lui fait signe de le rejoindre.

— Vincent… viens que je te présente…

Vincent remarque qu'une des personnes présentes n'est autre que Georges Taschereau, l'avocat au dossier des frères Cherry. Bélanger ne lui avait-il pas dit que Taschereau n'était qu'une vague connaissance ? Vincent retient un sourire moqueur, sachant très bien et depuis fort longtemps que les deux hommes se connaissaient depuis l'université et qu'ils se fréquentent même régulièrement. Taschereau aussi est identifié comme l'un des meilleurs criminalistes au Québec. À quelques reprises, Vincent et lui se sont retrouvés devant le juge, les questions de l'un se confrontant aux preuves de l'autre. Grand, mince, à la chevelure fournie, frisée et grisonnante, Me Taschereau reconnaît aussitôt Vincent. Il esquisse un demi-sourire.

— Savoie… André me disait à l'instant que tu agis à titre d'analyste pour son cabinet ? Il nous a même présenté une facture en ce sens, il y a quelque temps.

Vincent lui tend la main.

— Oui, Me Bélanger m'a remis l'enveloppe, fait-il, se demandant si l'avocat est sarcastique ou simplement amical.

Taschereau soutient son regard un moment, ce qui provoque un recul de la part de Vincent. La réserve froide et habituelle du bouillant plaideur ne s'échauffe qu'en temps de procès et présentement, à cause de ce petit sourire au coin des lèvres, Vincent ne saurait dire exactement ce que pense Me Taschereau. Politesse, intérêt, curiosité ? Bélanger lui présente les deux autres hommes.

— Joseph Karruda, dont tu as sûrement déjà entendu parler et Jean-Denis Gauvin, son pilote…

Karruda est un homme entre deux âges, pas très grand, aux caractéristiques méditerranéennes évidentes : tignasse sombre, mi-longue, moustache bien taillée, noire jais, regard vif et intelligent, sourire engageant de bon commerçant. Ce qui contraste fortement avec son pilote qui lui accuse la jeune trentaine et se donne volontairement le look à la mode : cheveux *bleachés*, très courts, vêtements décontractés, de bonne coupe, nonchalant… Le genre sportif habitué au Nautilus… Vincent les salue. À peine le temps d'échanger une poignée de main avec eux que déjà Bélanger s'excuse.

— Je reviens…

Se tournant vers Vincent il ajoute :

— Va rejoindre Legrand, à la table là-bas… C'est ce soir que tu fais fortune…

Bélanger s'éloigne en compagnie de Me Taschereau, prenant la direction des machines à sous.

Les deux hommes s'approchent des fenêtres où deux fauteuils sont libres. Il neige de plus en plus, comme en plein mois de décembre.

— Maudit temps ! Vivement que je prenne ma retraite et foute le camp dans le Sud.

Taschereau se concentre à son tour sur les flocons qui tombent. Il secoue ses boucles poivrées en se retournant vers son ami.

— J'aime bien la neige, moi. Surtout qu'en mars, on sait qu'il n'y en a plus pour très longtemps… Je ne sais pas si la venue du printemps va ramener un peu plus d'activité sur les docks ? Laisse-moi te dire que l'histoire des frères Cherry a mis de la chaleur sur les quais.

Bélanger lève la tête vers son confrère, l'esprit déjà à des lieues de la neige qui perdure. Qu'il le veuille ou non, Me André Bélanger pense en avocat, partout, tout le temps. La cause des frères Cherry le passionne, surtout que, finalement, il y a été mêlé grâce à Vincent Savoie.

— Oui, je te crois. Et en plus, avec la commission Trudel qui enquête sur la Sécurité, il va y avoir de la pression dans le coin.

— MacKewen me disait exactement la même chose.

À la mention du nom de cet avocat de l'ouest de la métropole, Bélanger grimace de dédain.

— L'Anglais...

Taschereau rit.

— Sacré André... Mais qu'est-ce que tu as contre lui ? C'est un bon avocat, un bon gars...

— C'est physique... J'arrive pas à le sentir... Probablement son allure de dandy... Puis cette manie de toujours porter un nœud papillon... Non, ça sert à rien : je ne m'y ferai jamais...

— Et si je te parlais d'une grosse affaire ? Justement amenée par MacKewen...

— J'hésiterais...

— Tu peux toujours écouter, non ?

— Oui, ça je peux le faire...

Tout en parlant, les deux hommes se sont installés face à face, une petite table ronde entre eux. Bélanger dépose son cellulaire sur la table.

— Alors ?

— C'est simple. Avec la chaleur sur les docks, les livraisons se font rares. Les prix montent et la demande est forte. MacKewen parle d'une commande majeure. Il est prêt à investir 800 000 $ et nous propose une association. J'en ai parlé à certains associés. On serait prêts à aller jusqu'au million d'ici trois mois. Dans le fond, poursuit Taschereau, penché vers son ami, un coude appuyé sur la table basse, ma question est simple. Est-ce que le groupe que tu représentes serait prêt à placer de l'argent avec nous autres ? C'est un *one shot deal.*

Bélanger reste silencieux. Il reprend, hésitant :

— C'est gros...

— Oui, c'est gros. Mais pratiquement sans risques.

— Tu veux une réponse quand ?

— D'ici deux semaines. On a un représentant qui doit se rendre à Paris au Salon des Communications internationales. Le contrôleur du groupe de Cali y sera.

À nouveau, Bélanger reste silencieux un moment. La retraite est peut-être plus proche que prévu. Pourquoi pas ?

— Deux semaines, hein ? fait-il prudent malgré tout.

— Oui.

— T'auras ma réponse.

Alors Taschereau se recule sur son siège, l'air détendu.

— En parlant de réponse... Il y a du monde de Montréal et des États qui voudrait bien savoir quand est-ce que Tom et sa gang vont s'occuper de régler le cas du nouveau groupe de motards qui rôdent par ici depuis quelque temps ? Ces gars-là nuisent aux affaires. Tout le monde s'enfarge dans la police à propos de tout et de rien. C'est mauvais pour la business quand les douaniers sont trop vigilants. Je dirais que ça indispose des gros joueurs.

Pendant que Taschereau parlait, la ride qui marquait le front de Bélanger s'est estompée.

— C'est drôle que tu me parles de ça... Tom m'a justement recommandé d'investir dans les fleurs... Paraîtrait qu'il va y avoir des funérailles... Pas mal de funérailles... Sa gang veut s'occuper de faire sauter la compétition...

Taschereau étire un sourire.

— Merci pour le tuyau...

Puis redevenant subitement sérieux.

— Dernière affaire... Savoie... MacKewen veut savoir si...

— MacKewen est au courant ? interroge Bélanger, interrompant Taschereau.

— Le Québec, c'est un bien petit village, André. Tout se sait. Et MacKewen veut savoir si tu te portes garant de Savoie. J'ai la très nette impression que le petit avocat anglais ne le porte pas dans ses prières.

— Inquiète-toi pas pour Savoie. Et transmets le message à Mackewen. Un jour, il me remerciera... Savoie a encore des amis aux bonnes places et il aime l'argent. Je n'ai aucune difficulté à le présenter comme consultant. Disons que Savoie a une expertise particulière et qu'il est dur à battre.

— D'accord, je me fie à toi.

— C'est beau... Pour le reste, surveille les journaux. Tom a parlé d'un exemple bientôt. Pour ton offre de partenariat, ce n'est pas une décison que je peux prendre seul. Je vais consulter et je t'en reparle. Par contre, je sais que Tom a perdu 400 000 $ dans le hasch qui flottait au large de Sept-Îles. Selon Savoie, c'est la police américaine qui avait placé un transmetteur GPS dans un des barils. La job était déjà brûlée à partir des States. Les Américains savaient depuis le début où était la drogue. Jamais la cargaison n'aurait pu se retrouver sur le marché. Alors, peut-être bien que Tom serait intéressé à faire un achat de groupe. Je lui en parle et je te dis combien et quand.

— Parfait. Dis seulement à ton associé que la commande doit entrer pour la semaine avant l'ouverture de la chasse.

Et sur ces mots, Bélanger se relève.

— Alors, lance-t-il en s'étirant discrètement, on rejoint les autres ?

— Non... Tu m'excuseras, mais j'ai une cause demain... Je rentre.

Pendant ce temps, Vincent avait écouté la recommandation de Bélanger et était allé rejoindre Legrand à la table de jeu. Legrand le salue, revient à ses cartes, fait la grimace quand il comprend qu'il vient encore de perdre...

— Tiens, Savoie, prends ma place, fait-il dans un soupir de fatigue, en repoussant son tabouret. J'en ai assez pour l'instant... Je reprendrai ça plus tard. Je vais aller rejoindre monsieur Karruda.

Deux heures plus tard, c'est au tour de Vincent de répéter le même geste : en expirant bruyamment, il repousse son tabouret et se lève.

— Lavé, soupire-t-il à Bélanger qui se tenait derrière lui. Plus une token...

Bélanger semble prendre la nouvelle avec un grain de sel.

— Veux-tu encore tenter ta chance ? demande-t-il posant sa question bien plus sur le ton de l'affirmation que de l'interrogation.

Vincent a senti l'ambivalence dans la voix de Bélanger. C'est pourquoi il fait la moue en reprenant.

— Ma chance ? Quelle chance ? On dirait bien que c'est pas pour ce soir. De toute façon, je n'ai plus de...

— Si ce n'est que ça, fait distraitement Bélanger en regardant autour de lui... Attends-moi un instant...

Vincent avait raison : ce soir n'est pas un soir de chance pour lui. Une heure plus tard, il a perdu les quatre mille dollars que Gauvin avait consenti à lui prêter. En plus des huit mille qu'il avait déjà vus lui glisser des doigts pour venir gonfler la cagnotte d'un Asiatique qu'il ne connaît pas et qu'il n'a pas vraiment envie de connaître. La banque, quant à elle, s'est enrichie indiscutablement à ses dépens. Plusieurs milliers de dollars ont voyagé entre Vincent et le croupier. Il en a assez...

Et dire qu'il avait nonchalamment lancé à Gauvin au moment où ce dernier lui donnait quatre coupures de mille dollars:

— Je te remets ça tantôt...

Et que Karruda avait alors approuvé, même s'il se tenait à quelques pas d'eux et qu'il ne semblait pas vraiment s'adresser à lui:

— Me Bélanger m'a dit que tu étais de bon conseil... Ça nous suffit.

Vincent se retire, remplacé aussitôt par une jeune femme qui n'attendait que cela. Non seulement Vincent ne pourra-t-il pas remettre l'argent à Gauvin, mais la réserve qu'il gardait soigneusement pour changer d'auto et s'offrir un nouvel appartement a disparu elle aussi. Amer, il glisse à Bélanger qu'il veut partir et lui demande s'il a fait une réservation. Le bruit des machines à sous lui monte à la tête et il n'aspire maintenant qu'à quelques heures de sommeil avant de reprendre la route pour retourner chez lui. Demain, il a quelques tapis à laver et en fin d'après-midi, Élise doit venir le rejoindre pour passer la semaine avec lui.

C'est sur la joie ressentie en sachant que sa fille sera avec lui le lendemain que Vincent s'endort enfin. Tant pis pour l'argent. Même s'il connaît une certaine frustration à la pensée de ses pertes de ce soir, philosophe, Vincent se dit qu'avec le comptoir de prêts sur gages il devrait se renflouer assez vite....

À ce même instant, pendant que Vincent sombre enfin dans un sommeil profond, installé dans la salle de surveillance du Casino, Sébastien Veilleux visionne pour la deuxième fois la bande vidéo qui a capté les va-et-vient du deuxième plancher.

Motivé par le fait que les frères Cherry et Me Taschereau venaient de se joindre à l'avocat de Québec pour le souper, Veilleux ne voulait plus quitter Bélanger. Comme ça, la chance pourrait peut-être lui sourire. Il s'est fait discret, les a suivis à la trace dès leur départ de l'hôtel, lui qui s'était promis une soirée de repos auprès des siens. En arrivant au Casino, il s'est rapidement présenté au responsable de la sécurité, demandant à se réfugier dans une salle de surveillance pour ne pas être repéré, obtenant même que l'on garde une caméra en permanence sur le groupe. Et voilà que maintenant, il regarde le film qui déroule ses images devant lui et il fait la grimace, constatant pour la seconde fois que Vincent Savoie se joint à Bélanger, Taschereau et Karruda. Les poignées de main s'échangent, les hommes se sourient. Et plus loin sur la bande, quand il voit le grand blond, identifié comme étant le pilote personnel de Karruda, remettre de l'argent à Vincent, il se passe une main dans les cheveux, en soupirant bruyamment...

Détachant le premier bouton de sa chemise, Veilleux pousse machinalement la touche qui ramène la bande à ses débuts. Puis aussitôt le déclic entendu, il la remet en marche.

Si le policier est satisfait de la soirée qu'il vient de vivre, plusieurs personnages d'intérêt se regroupant sur un même bout de film, l'ami, lui, est déçu, amèrement déçu.

— Sacrament, murmure-t-il. Qu'est-ce que t'es en train de faire là, Slinky ? Pourquoi ? demande-t-il toujours à voix basse quand il aperçoit Vincent, de profil, en train de prendre l'argent que Gauvin lui tend. Pourquoi tu fais ça ?

À quelques reprises, il reprend ce petit bout d'enregistrement vidéo. Et peu à peu, la déception engendre la colère... Il a l'impression d'être trahi. Il ne comprend pas mais a-t-il vraiment à comprendre ? Les images sont éloquentes, non ? Vincent est à l'aise avec ces hommes sur qui Sébastien enquête. Cette nonchalance dans le geste, ce sourire désinvolte quand il empoche l'argent de Gauvin ne permettent pas le doute... Vincent Savoie a ses habitudes avec Bélanger et ses amis. Même s'il n'est pas illégal de recevoir de l'argent dans un casino, le geste condamne la morale... Vincent s'isole...

Petit à petit, l'ami se confond au policier. Sébastien Veilleux doit oublier qu'un jour, il partageait des enquêtes avec Vincent. Il doit faire abstraction de ce temps de complicité entre eux. Il a une mission à remplir. Il doit le faire jusqu'au bout. Peu importe les gens qu'il aura à croiser. Peu importe les réticences qu'il ressent.

La bande vient d'arrêter encore une fois dans un petit déclic sonore. Sébastien la retire de l'appareil. Il n'a plus envie de la revoir même s'il va en faire une copie pour Saillant. Les images sont gravées dans sa mémoire et elles y resteront longtemps. Peut-être bien, finalement, que la condamnation de Vincent était justifiée... Le temps, les événements viennent donner raison à Ducharme et à Saillant...

Il signale un numéro, attend en se frottant les paupières. Il est très fatigué. Puis il se redresse brusquement.

— Saillant ? C'est Veilleux... Je suis au Casino... Tu croiras pas ça...

* * *

La surveillance demandée par Gary pour le SRQ occupe Sébastien Veilleux et Paul-André Ducharme à temps plein. Tranquillement les choses se placent, les intervenants sont identifiés et l'enquête progresse. Quand Sébastien a remis la bande vidéo à Saillant, ce dernier s'est frotté les mains de plaisir.

— Comme ça, Savoie était au Casino ?

Saillant a pris la cassette que Sébastien lui tendait et la tient à deux mains, devant lui, la soupesant les coudes appuyés sur son énorme ventre. Il la tourne et la retourne entre ses doigts boudinés comme s'il pouvait déjà voir le film à travers elle.

— Je le savais... Je le savais donc, déclare-t-il alors, une pointe évidente de délectation dans la voix. Te rends-tu compte ? articule-t-il en regardant Sébastien. C'est gros en sacrament...

Saillant a déposé la cassette sur son bureau.

— Qui d'autre encore sur la bande ?

Le jeune policier hausse les épaules.

— Ceux que je m'attendais à voir, comme je te l'ai dit hier... Bélanger, Legrand, son associé et aussi Karruda, le magnat du marbre et granit, accompagné d'un jeune fauve, Jean-Denis Gauvin, le pilote de son avion privé... Sans oublier Taschereau, l'avocat des frères Cherry... Même que Bélanger, Taschereau et Legrand ont soupé avec les frères Cherry. J'ai pu les voir sortir tous ensemble de l'hôtel...

— Plus Savoie au Casino, complète Saillant sans laisser Veilleux terminer sa phrase. C'est pas encore de la preuve directe mais ça commence à y ressembler... Avec ce que Ducharme va apprendre au Bureau de Change...

Saillant reste un moment songeur, frottant du bout du doigt sa moustache qu'il porte courte et taillée drue, ridicule petite brosse sous son nez bourbon.

— Tout le gratin est là, murmure-t-il... Les cravates de soie qu'on visait... Et même plus.

Il s'ébroue, refait un sourire qui se perd dans les plis de son double menton, en se frottant à nouveau les mains de plaisir anticipé.

— J'pense qu'il est temps de faire rapport au sous-ministre, Veilleux... C'est du beau travail. J'appelle Gary. Ça va prendre une autre équipe... Une équipe juste pour lui...

— Pour lui ? Pour Bélanger ?

— Qu'est-ce tu penses ? Bélanger, ça fait un bout qu'on l'a dans la mire... Non, c'est de Savoie dont je parle. De Vincent Savoie... Il a fini de faire le *smat*.

Chapitre 12

Le printemps tarde à se manifester. Fin mars, l'hiver est toujours bien présent, la neige encombrant encore les rues et les parterres. Depuis plus d'une quinzaine de jours, on se lève chaque matin avec une petite neige mouillante qui tombe obstinément, sans relâche. Le ciel reste sombre, jour après jour. Mais Vincent n'est pas désolé pour autant. C'est à peine s'il remarque le temps. Il vient de remettre sa démission au propriétaire de l'entreprise de lavage de tapis et sa notice au concierge de son appartement. Encore une semaine dans la vapeur bruyante et l'odeur âcre des savons forts et il pourra tourner cette page-là. C'est une bonne affaire. Une très bonne affaire. Les revenus générés par son travail avec Bélanger et ceux, tout aussi substantiels, fournis par le comptoir de prêts sur gages à Portneuf lui permettent d'envisager le quotidien sous un tout autre angle. Vincent a commencé à visiter des logements dans le secteur Montcalm, près de la rue Cartier. Depuis le temps qu'il rêve d'y habiter...

Ce matin, enfin, le soleil daigne se présenter, éclatant, presque chaud après ces longues journées de grisaille. Quelques rayons se glissent entre les persiennes et réchauffent les couvertures au pied du lit de Vincent. Celui-ci s'étire en soupirant de contentement : il fait beau, il a rendez-vous pour visiter un appartement que l'annonce dans le journal décrit comme étant le plus chaleureux du secteur et il dîne avec Bélanger qui a, paraîtrait-il, un mandat à lui confier. Vincent a pris arrangement avec les deux dames dont il doit laver les tapis et qui ne l'attendent qu'en après-midi. Sans délai, il saute du lit, l'humeur au beau fixe et vient frapper à la porte d'Élise, fermée sur une chambre encore silencieuse.

— Élise ? C'est l'heure...

Entrouvrant la porte, il sourit, ému, devant sa fille qui se frotte les paupières en bâillant et en s'étirant sous les couvertures, les cheveux ébouriffés.

— Allô ! Debout paresseuse, il fait un temps superbe... Tu veux des crêpes pour déjeuner ?

L'appartement qu'il doit visiter porte un numéro civique sur Grande-Allée mais en fait, est situé sur une petite avenue bordée d'arbres, à quelques pas à peine des Plaines et de la rue Cartier. Comme une petite enclave isolée, avec des allures d'un autre siècle. Les toits dégoulinent joyeusement et des rigoles se forment sous le passage des roues. Le printemps est finalement de retour et le sourire des gens croisés dénote l'impatience enfin récompensée. L'air est comme plus léger, les manteaux ne sont plus boutonnés, les moineaux piaillent à qui mieux mieux dans les arbres encore dénudés... Vincent est attendu au 410, appartement 3.

Exactement le quartier où il a toujours rêvé d'habiter. La maison a une petite prestance victorienne, avec des fenêtres en saillie et un bel escalier de pierre en façade. Au bout de l'avenue, on aperçoit l'église Saint-Dominique et, à quelques pas vers la droite, un accès donne sur les Plaines. Des arbres centenaires ornent les parterres clôturés de fer forgé noir que l'on devine aux pics qui pointent hors de la neige et Vincent est vite conquis par l'ambiance du coin. Pour un peu, on s'attendrait à voir sortir quelque belle du temps passé, à ombrelle et robe aux chevilles, s'apprêtant à faire sa promenade quotidienne. En quelques enjambées, il gagne le perron du 410 et sonne. Pourvu que l'intérieur du logement soit à la hauteur de ses promesses et ne soit pas décrépi et vieillot comme les quelques appartements qu'il a déjà visités...

C'est encore mieux que dans ses spéculations les plus extravagantes. Un long escalier de bois mène au second plancher et l'appartement se présente sur deux niveaux. Plafonds hauts, somptueuses boiseries, foyer dans un salon assez vaste pour mettre en évidence un beau piano, dans le coin. « Piano qui est à vendre », précise l'agent chargé de faire visiter l'appartement. Les chambres sont à l'étage, grandes, ensoleillées avec de bons rangements et la cuisine n'a rien à envier aux demeures plus récentes. Nouvellement rénovée, elle est moderne et fonctionnelle. Une confortable salle à manger avec buffet intégré au lambris sombre des murs complète le tout. À l'arrière, un petit parc permet l'évasion par jours de canicule.

Immédiatement, Vincent a le coup de foudre pour cette vieille maison pleine de charme. Sans hésiter, contrairement à ses habituelles réserves, et sans s'accorder le moindre temps de réflexion, Vincent signe un bail de deux ans... Et le piano restera où il est !

Puis il se dirige vers la rue Cartier pour fêter l'événement. Onze heures trente, il a le temps de s'offrir un apéritif à La Bonne Adresse avant que Bélanger vienne le rejoindre.

Rapidement, le restaurant se remplit de l'habituelle foule du midi. Vincent est à sa table, étirant la bière qu'il a commandée, la dégustant à petites gorgées gourmandes, revoyant mentalement l'appartement où il va bientôt emménager. Il y met de la couleur, essaie d'y ajuster ses meubles... Il dessine un petit sourire. C'est Élise qui va être heureuse. Depuis le temps qu'elle rêve d'avoir un piano bien à elle. Dans le coin arrière du salon, entre le foyer et la vaste fenêtre à battants, il a belle prestance.

En plus, il est laqué noir, exactement comme celui qu'ils ont admiré à Noël... Désormais sa fille pourra faire ses gammes sur son propre instrument. Fini les heures d'exercice chez le professeur de musique pour compléter les cours. Et surtout, fini les demi sous-sols et les pièces sombres. Quand il disait à Christine que les temps difficiles tiraient à leur fin, il n'avait pas tort. Pourquoi, pourquoi n'a-t-elle pas voulu lui faire confiance ? Lui a-t-il déjà menti ? A-t-elle déjà manqué de quoi que ce soit avec lui ? Même quand il était en prison, l'argent de ses réserves avait suffi à la garder hors du besoin. Jamais Vincent n'a fait défaut à sa promesse : Élise et Christine n'ont jamais manqué d'argent. Et maintenant, Vincent est en train de retrouver son rythme de vie... Comme il l'avait promis. Il sourit à nouveau, l'esprit s'amusant à faire des sauts imprévus. Maintenant, quand il pense à sa vie, il répète souvent le mot avant... Avant janvier 1994, avant la prison... Songeur, il regarde distraitement les bulles qui montent dans son verre et éclatent à la surface du liquide doré. Oui, dans sa vie, il y a eu un avant... Différent, comme contraire à l'image qu'il projette aujourd'hui... Comme le négatif d'une photo... Pour une troisième fois en quelques instants, Vincent étire un vague sourire. Sa vie n'a-t-elle pas toujours été bâtie sur une perception de lui-même malléable, mouvante, différente selon les besoins...

À quelques places de lui, en biais, une jeune femme parle avec animation, répliquant joyeusement à sa copine. Jolie, les cheveux mi-longs, rousse avec des mèches plus foncées, vêtue d'un tailleur classique marine aux boutons de nacre. Son rire monte dans l'air, cristallin, tirant Vincent de sa rêverie. Il sursaute, se retourne, la regarde. À quelques reprises, leurs regards se croisent, doublés petit à petit de sourires légèrement moqueurs. Puis Bélanger arrive.

— Salut Vincent... Excuse le retard, mais j'ai une plaidoirie à finir pour demain... Je n'ai pas vu le temps passer... T'as commandé ?

— Je t'attendais... Soupe aux légumes et bœuf bourguignon comme menu du jour...

Le temps de passer la commande et Bélanger lève les yeux vers Vincent afin de l'entretenir de la cause qu'il aimerait lui confier. Mais il n'a pas le temps d'ouvrir la bouche que le serveur apporte une corbeille de pain, puis c'est la jeune femme de la table voisine qui les rejoint.

— Me Bélanger... Le hasard fait bien les choses. Je voulais justement vous parler...

— Anne... Laisse-moi te présenter : Vincent Savoie, analyste judiciaire...

Se tournant vers Vincent :

— Anne Trépanier, droit commercial et municipal. Alors, lance Me Bélanger en reportant les yeux sur Anne, tu voulais me parler ?

— Oui... c'est à propos des deux dossiers que vous connaissez... C'est pas évident. Avec les nouvelles lois 125 et 95, le local que vos clients ont en vue risque fort de tomber sous la juridiction du droit municipal. Les policiers vont probablement avoir le droit de le saisir. Quant au dossier de Rimouski, j'ai un peu de difficulté avec les terres agricoles... À Rimouski, ce n'est pas vraiment à la porte... Est-ce que vous repassez au bureau cet après-midi ?

— Oui, mais je n'aurai pas le temps... Mais laisse-moi faire... J'ai une idée. On s'en reparle bientôt...

Sur ces mots et sur un dernier sourire à Vincent, la jeune femme le remercie et s'éloigne, attrapant son manteau qu'elle avait laissé sur le dossier de sa chaise. Sa compagne est déjà à la porte. Vincent la suit du regard. Anne est assez petite, élégante... Vincent se tourne vers Bélanger, au moment où elles passent finalement le seuil du restaurant, devisant toujours joyeusement.

— C'est qui ça ?

— Anne ? Une stagiaire au cabinet... Délurée, intelligente, vive... Merci, fait-il en levant la tête vers le serveur qui dépose un bol de soupe devant lui.

Puis le serveur s'éloigne. Alors, tout en remuant doucement le liquide fumant, Bélanger ajoute :

— Tu vas l'aider.

Vincent lève la tête, laissant sa cuillère en suspens au-dessus de son bol.

— Moi ?

— Oui... Tu viens de Rimouski, non ?

— Je connais la place, concède Vincent. C'est certain. Mais comment...

Bélanger se dépêche d'avaler une bouchée, fait la grimace parce que c'est chaud.

— C'est pas compliqué, déclare-t-il entre deux bouchées. Patrick Martin, tu connais ?

— Bien sûr...

À la mention de ce nom, Vincent revoit une très belle matinée de juin, Grande-Allée. Il pensait faire le meilleur coup de sa jeune carrière à Québec. Il allait mettre la main sur Patrick Martin, propriétaire de quelques bars et restaurants dans la Capitale et sur son bras droit, Chouinard. Il avait toutes les preuves de leur implication dans un trafic de drogue régulier et de grande envergure. Tout le monde était en place, tout avait été prévu. Oui, tout avait vraiment été prévu. Sauf qu'à la dernière minute, le patron allait couper le courant, qu'il allait opposer son veto. « Trop de monde, Savoie... C'est dangereux une intervention à travers la foule. Black out... » Oui, Vincent se rappelle fort bien de Patrick Martin et du sentiment de frustration qu'il avait alors ressenti et celui encore plus grand quand il avait compris, quelques mois plus tard, que la PNF était derrière toute cette mise en scène... C'est pourquoi il répète, un vague sourire au coin des lèvres, gardant les yeux sur son assiette :

— Bien sûr... J'ai déjà entendu parler de monsieur Martin.

Occupé à manger sa soupe, Bélanger n'a pas remarqué la brève absence de Vincent. Il reprend donc entre deux bouchées de pain et une de potage.

— Martin veut construire un terrain de golf près de Rimouski... C'est un investissement intéressant pour la région. De l'emploi sûr. Reste juste à faire dézoner les terres qu'il veut acheter... Rien de bien compliqué pour quelqu'un qui connaît la région. Et toi, justement, tu connais le coin. Tu peux sûrement aider Anne. Passe au bureau, cet après-midi, et regarde le dossier avec elle.

Vincent se concentre un moment sur sa soupe.

— En fin d'après-midi, alors, fait-il, relevant les yeux. Je ne peux pas avant...

Bélanger repousse son bol vide, reprend un petit pain dans la corbeille.

— Pas de problème. Anne est un vrai bourreau de travail, explique-t-il en coupant son pain en deux. Elle ne quitte jamais avant six ou sept heures... De toute façon, je vais dire à ma secrétaire de la prévenir. Profites-en donc : invite-la à prendre un verre. Elle est seule, elle va sûrement apprécier... On ne peut pas laisser passer une occasion comme celle-là sans au moins tenter sa chance...

Bélanger gobe une autre bouchée. Puis, tout en beurrant ce qui lui reste de pain dans son assiette, il ajoute :

— J'ai peut-être pas le droit de dire ça, mais... As-tu vu ses jambes ? Juste comme je les aime : à la fois fines et légèrement musclées...

* * *

Depuis qu'il a travaillé avec Anne, Vincent se présente de plus en plus souvent aux bureaux de Bélanger, Legrand et associés... Bélanger lui a même fourni une petite pièce qui lui sert de port d'attache : pupitre, fauteuil à haut dossier, classeur, étagère et... une vue imprenable sur l'ouest de la ville et le quartier où il va bientôt emménager. Le bureau d'Anne est à quelques portes de la sienne et souvent, sur le coup de dix-huit heures, les semaines où Élise est avec sa mère, Vincent et Anne en profitent pour prendre un verre ensemble ou parfois, à l'occasion, partager un souper au restaurant. Le temps des tapis est désormais révolu et Vincent ne s'en plaint pas. Dorénavant, il divise son temps entre son commerce de Portneuf, les bureaux de Bélanger et La Bonne Adresse... Sans oublier Élise, une semaine sur deux, ce qui lui permet de donner un sens à tout ce qu'il fait. L'argent commence à entrer de façon régulière et abondante. Il entend bien en mettre de côté pour l'avenir de sa fille. Il sourit en pensant que sa réhabilitation est un succès...

Satisfait, Vincent fait pivoter son fauteuil et s'amuse un moment à essayer de repérer la rue où il va habiter. Ici, en ville, il n'y a presque plus de neige, sinon en bandes sales sur les Plaines que l'on devine à demi, derrière les lourdes maisons de la Grande-Allée. Vincent soupire de contentement.

Dans deux mois il déménage et il vient de commander une auto de l'année, une Prelude bleu nuit, qu'il devrait recevoir la semaine prochaine. Il s'est bien promis d'aller la chercher avec Élise...

Encore un moment à contempler la ville qui brille sous le soleil d'avril puis Vincent se relève. Il est temps de mettre le cap vers Portneuf. Il a promis à Normand de passer au commerce. Ils viennent de recevoir un lot de bijoux et quelques tableaux signés... En plus d'ordinateurs qui sont entrés en début de semaine, de trois systèmes de son, de quelques outils et des CD en quantité industrielle, apportés par un gars de Baie-Comeau... Dion le lui avait dit: il y a souvent du bon matériel qui vient du nord.

Mais alors qu'il passe rapidement devant le bureau de Bélanger, celui-ci l'interpelle.

— Vincent... Justement... Viens un moment.

Bélanger n'est pas seul. Un homme corpulent, aux épaules massives à demi cachées par une chevelure poivre et sel, lui tourne le dos. Vincent fait un pas dans la pièce au moment où l'homme se retourne vers lui. Immédiatement Vincent reconnaît Tom, le chef reconnu d'une bande de motards, les Devil's Choice. L'homme le dévisage un instant, le reconnaissant sûrement, lui aussi. Vincent s'approche, tend la main sans attendre que Bélanger fasse les présentations.

— Vincent Savoie...

Tom trace un rictus qui, à la rigueur, peut passer pour un sourire, sans répondre. Sa poignée de main est dure, presque brutale. Puis il se décide, son regard toujours planté dans celui de Vincent.

— Savoie. Je sais.

Il se tourne face à Bélanger, qui vient d'intervenir.

— Viens, Vincent… Assieds-toi…

Et Bélanger ajoute, en fixant Tom :

— Raconte-lui l'affaire… Demande-lui ce qu'il en pense…

Tom s'est calé dans le fauteuil, une jambe croisée haut sur le genou. Il porte un pantalon de cuir, un blouson en jeans et un foulard rouge autour du cou. À le voir, on serait porté à croire qu'il est décontracté. Mais il n'en est rien. Ses sourcils sont froncés sur un regard d'aigle, perçant. Savoie c'est le flic qu'il a déjà eu dans les pattes à quelques reprises. Et en même temps, il vient d'apprendre par Bélanger que c'est un gars de confiance, associé à Dion dans un commerce de prêt sur gages. Alors il ne sait pas. Tom reste sur la défensive.

— On a offert 200 000 $ à la mère, articule-t-il de façon impersonnelle, faisant référence à la mère de l'adolescente tuée dans l'explosion d'une Econoline à Montréal, sachant par Bélanger qu'il n'a pas besoin d'en dire plus, Savoie étant au courant de tout le dossier et même plus…

Vincent se tourne vers lui.

— Pis ?

— … no way, a' veut rien savoir, constate alors Tom en haussant les épaules.

— Elle a même été interviewiée par les gens de Radio-Canada, intervient Bélanger. Tout ce qu'elle a réussi à dire c'est que même un million de dollars ne ramèneront pas sa fille. Elle a ajouté que rien au monde ne lui fera oublier le jour où elle a vu partir sa petite fille sans savoir qu'elle ne la reverrait jamais. Tout ce qu'elle souhaite maintenant, c'est que l'on retrouve les tueurs et qu'ils soient punis.

Puis sur un tout autre ton, comme s'il présentait des condoléances en même temps qu'il énoncerait une évidence :

— Comme si ça allait changer quelque chose…

Un bref silence encombre la pièce. Tom soupire et reprend, mordant dans chacun des mots qu'il prononce.

— La p'tite était pas supposée y passer... Crisse, j'peux toujours ben pas y dire que la pagette a sonné tout seul pis que l'autobus a passé en même temps... Le gars que je voulais avoir c'est Dancause qui marche avec les Despérandidos... Mes gars ont rien vu. Ça a sauté.

— Laisse-nous aller avec ça, Tom. Les enquêteurs n'ont rien... Pis n'essayez plus rien auprès de la mère...

Bélanger se fait rassurant, sa voix grave ramenant la discussion sur un ton normal, presque banal.

— Vincent m'a confirmé que la Sécurité n'a rien... Sinon un délateur qui est tout seul. Ils sont dans le large. Avec Vincent, on va tout savoir avant. L'expérience s'avère souvent rentable.

À nouveau, le motard hausse les épaules.

— Ouais... La mère gagnera un prix à un moment donné...

Puis il se tourne vers Vincent, les sourcils froncés sur une tout autre question.

— André m'a dit que t'avais un comptoir de prêts, annonce-t-il comme si c'était là le but premier de cette rencontre fortuite... Un de mes chums va aller te voir. Va falloir qu'y t'aide dans ton nouveau commerce avec Dion... Surtout que lui, y'est à veille de se retirer des affaires, laisse-t-il savoir, dédaigneux, sans plus d'explication...

Puis il se relève, en revenant face à Bélanger.

— J'attends ton *call*, André. C'est Chicoine qui va être content de ce que tu m'as dit...

Et sans saluer, il se dirige vers la porte. Mais avant de passer le seuil, il s'arrête un instant, hésite puis revient d'un pas.

— Écoute-moi ben, Savoie... Si jamais on a à se revoir, ça va être ici... T'es chanceux de travailler dans le même bureau que

Bélanger… À part de ça, j'te connais pas… C'est mieux pour tout l'monde… N'est-ce pas Maître ? ajoute-t-il, ironique, en levant les yeux vers André Bélanger.

Sur ce, il quitte le bureau de Me Bélanger, heureux de se soustraire à la présence de l'ancien policier. Viscéralement, Tom sait qu'ils ne sont pas du même monde, même s'ils peuvent parler le même langage à l'occasion. À son tour, Vincent se lève, mais Bélanger le retient d'un geste de la main.

— Minute… Il faut qu'on se parle.

Vincent se rassoit pendant que Bélanger va la refermer. Au même instant, le cellulaire de Vincent sonne en même temps que sa pagette

— Oui… Oui, salut, Normand… Arrête de m'appeler partout. Quoi ? Non, non, j'arrive.

— Normand ? Ton associé de Portneuf ? demande Bélanger en regagnant sa place.

— Exactement… Je lui ai promis que je passerais…

— Deux minutes et tu pourras y aller… Mais avant…

Sans en dire plus, Bélanger fait pivoter son fauteuil et regarde par la fenêtre un instant. Il fait un soleil d'été… Puis il revient aussitôt face à Vincent.

— C'est juste que Jean-Denis Gauvin, le *bleaché* de Karruda aimerait bien ravoir son argent…

Vincent soupire.

— Pis quand est-ce qu'y veut avoir ça ?

— C'était pour hier.

Vincent respire encore bruyamment, se ramenant sur le bout de sa chaise, les coudes appuyés sur le bureau devant lui.

— Maudit ciarge… Y'est bien pressé… J'ai pas ça comme ça, moi, quatre mille piastres…

Bélanger lève la main comme pour tempérer le ton bouillant

de Vincent. Puis il ajoute, sans vraiment le regarder, s'occupant machinalement à replacer quelques papiers sur son bureau.

— Il aimerait aussi avoir un portatif... Avec une imprimante laser... Peut-être qu'à ton comptoir de prêts...

Il lève enfin la tête, cherchant peut-être une réponse dans la physionomie de Vincent. Celui-ci s'est reculé sur sa chaise et soutient son regard, un petit sourire au coin des lèvres, l'air nettement plus calme.

— Pas de trouble, réplique-t-il en haussant les épaules. J'vais voir ce que je peux faire pour l'ordi...

À cette réponse, somme toute positive, Bélanger dessine un petit sourire à son tour.

— Et moi je vais voir pour la dette, fait-il évasif. Reviens me voir lundi... Je devrais avoir une solution.

Vincent se relève, s'apprêtant à partir. Bélanger le retient encore un moment, une moue intéressée au coin des lèvres.

— À propos... Si jamais tu vois passer un autre Lecor ou un Rousseau... Ça m'intéresse. Le condo en Floride a encore besoin d'un peu de décoration.

Chapitre 13

En plein milieu de l'après-midi, la route entre Québec et Portneuf se fait sans encombre, l'heure de pointe n'étant pas arrivée. En banlieue, il reste encore pas mal de neige, surtout avec le mois de mars qu'on a connu, neigeux et frileux, mais l'ardeur d'un soleil d'avril plus que généreux devrait suffire à la reléguer au domaine des souvenirs jusqu'en décembre prochain. L'air est léger, les sourires sincères. Et Vincent se sent au diapason de cette belle journée de printemps. Ses affaires marchent rondement et les buts qu'il s'était donnés, en avril dernier quand il a obtenu sa libération conditionnelle, prennent forme encore plus facilement qu'il ne l'aurait espéré. Le comptoir de prêts sur gages fait d'excellentes affaires, Bélanger compte sur lui de façon de plus en plus assidue, avec le salaire qui va sûrement s'en suivre et la garde partagée d'Élise est moins pénible qu'il ne l'aurait cru. Présentement, tout en roulant vers Portneuf, il se réjouit à la pensée qu'il va voir Élise dans la soirée. Il lui a promis d'assister à son entraînement de natation, à la piscine Wilbrod-Bhérer, dans une école de la ville. C'est là un moyen qu'il a trouvé pour que les semaines où il n'est pas avec elle lui semblent moins longues. Alors, que peut-il vouloir de plus, en ce moment ? Vincent fait descendre la vitre et glisse une cassette dans le lecteur. Puis il se met à chanter pour accompagner Pavarotti…

Son associé l'attendait avec impatience. Pas très grand, assez costaud, le front dégarni, le coin des yeux plissé de rides d'expression, Normand Vaillancourt accueille Vincent avec un franc sourire. C'est un boute-en-train, Normand, un bon vivant qui a su s'adapter à son veuvage quand sa femme est décédée, il y a quelques années, victime du cancer. Ses enfants sont grands, maintenant, tous mariés et Normand tente de profiter au mieux de la relative liberté que la vie lui avait réservée.

— Salut Savoie... Content de te voir...

— Salut, Norm... Comme ça, il y a du nouveau stock ?

— Du nouveau stock, tu dis ? Ça fournit pus... Viens voir...

Effectivement, en l'espace d'une semaine, le Cash-In de Portneuf a garni généreusement ses tablettes. Il y a un peu de tout : des ordinateurs, des systèmes de son, des disques compact en quantité astronomique, des bijoux, des tableaux de maître, des sacs de golf, des outils...

— Ça roule en criffe, constate Normand, en ouvrant les livres. Regarde-moi ça, Vincent. Je trouve qu'on commence à prendre pas mal de place... Dans le coin, ici, c'est toujours les trois mêmes gars qui viennent placer du matériel, explique-t-il. Mais en plus, depuis une semaine, ça s'est mis à rentrer de partout : Baie-Comeau, Lévis, Trois-Rivières... Je te le dis : je trouve qu'on commence à être pas mal visible... J'ai l'impression que Dion est plus connu qu'on pourrait le croire à première vue. Mais une fois le contact établi... J'sais pas s'il va aimer ça qu'on prenne de la place comme ça...

Pendant un moment, Vincent reste silencieux, se contentant de vérifier les livres, penché sur le bureau qui occupe une petite pièce à l'arrière du commerce. Puis il se redresse.

— C'est un peu ce qu'on espérait, non ? analyse-t-il en haussant les épaules.

Il referme le cahier des clients, regarde autour de lui. Dans un coin de la pièce, une grosse caisse contient des centaines de CD. Tout à côté, il y a quelques ordinateurs, encore dans leur boîte d'origine.

— Laisse faire Dion... Il touche sa part ici, il n'a pas à se plaindre. Pis nous deux, on se donne deux ans, Normand, reprend Vincent en revenant vers la pièce principale du commerce. Maximum... Pendant ce temps-là, on fait le plus de transactions payantes qu'on peut...

— C'est pas ça qui manque, les transactions payantes, l'interrompt Normand en refermant la porte derrière lui... Quand tu reçois un Rousseau ou un Paquet, c'est sûr qu'en quelque part, ça va être payant... Mais...

Pendant un moment, Normand retient sa phrase. Vincent insiste.

— Mais ? Mais quoi ?

Normand hésite encore un peu. Puis il se décide.

— Mais quant à savoir d'où ça vient, tout ce stock-là, fait-il visiblement dérangé...

À son tour, Vincent reste silencieux un instant. Autour de lui, dans une vitrine et sur des tablettes, il y a un amoncellement d'objets. De toutes sortes et de toutes provenances, selon les dires de Normand. Vincent regarde autour de lui. Que des belles choses, encore propres, presque neuves... Et après ?

— Est-ce qu'on a besoin de le savoir, Norm, d'où ça vient ? demande Vincent en se tournant vers son associé... Quand tu veux pas de menteries, tu poses pas de questions. C'est bien connu... Moi, je fais ce que j'ai à faire. Si c'est pas nous autres, ça en sera d'autres.

Normand fait la moue, à demi convaincu.

— Tant qu'à ça, approuve-t-il tout de même...

Vincent, lui, semble enthousiaste.

— Alors aussi bien que ce soit nous autres, tu penses pas ? C'est en plein le genre de commerce qu'on voulait avoir. Toi, t'aimes ça rencontrer du monde. Tu te rappelles ? Dans le temps, à Rimouski, tu me disais que tu faisais ta job justement parce que ça te donnait l'occasion de voir des gens. Des tas de gens. Ici, c'est pareil. Pis on voulait faire de l'argent... Qu'est-ce que tu veux de plus ? On pourrait même en ouvrir d'autres, des Cash-In... Tiens, Cap-Rouge, ce serait une bonne place pour le prochain.

Normand fait la grimace, encore un peu sceptique, même si Vincent n'a pas tort.

— Peut-être... On verra... Mais en attendant, j'ai en masse de quoi m'occuper ici...

— C'est quoi travailler pendant deux ans ? C'est rien... J'vais venir plus souvent pour te donner un coup de main. C'est vrai qu'avec 8 500 $ de marchandises qui rentre chaque semaine, t'as de quoi t'amuser... Mais t'as peut-être raison. Être trop visible, c'est pas nécessairement une bonne affaire. Pour personne. À commencer par toi pis moi... Pis Dion... Qu'est-ce que tu dirais d'ouvrir un autre compte ? Un compte conjoint dans une autre banque pour mettre nos profits à l'abri ? Comme ça, plus tard, on aura tout le cash pour voir venir. Si tu penses qu'on prend trop de place, aussi bien se montrer discret.

— C'est une idée...

Le sourire habituel de Normand revient, comme s'il était soulagé.

— Ouais, c'est une bonne idée... Une excellente idée... Mais qu'est-ce qu'on va faire si le monde se met à nous offrir des armes, des cigarettes ?

— On fera comme pour le reste : on le placera... Pour que ça rapporte au maximum. Je te le dis, Norm : c'est en plein ce dont on avait besoin. Encore deux ans, pis on ferme. Comme ça, on n'aura pas de trouble avec personne.

En entendant ces mots, le visage de Normand se rembrunit,

le ramenant à ses inquiétudes premières qui sont, avouons-le, bien au-delà des questions de morale. Justement, lui, des troubles, il commence à croire qu'il risque d'y en avoir de partout...

— En parlant de trouble... Connais-tu ça un certain Danny ?

Vincent se retourne vivement, le regard curieux.

— Danny ? Non... Pourquoi ?

— Il a appelé tantôt. Juste un peu avant que t'arrives.

— Il vient d'où, lui ?

— Sais pas... Tout ce qu'il m'a dit c'est que tu attendais son appel. Il prétend être un ami de Me Bélanger et il a dit qu'il a des affaires à faire avec toi. Il doit rappeler...

À ces mots, le visage de Vincent s'éclaire subtilement. « Rapide le gros Tom », pense-t-il avant de répondre. Il se doute de ce que Danny a à lui dire. C'est classique avec un commerce comme le leur. Mais il n'a pas envie d'en parler à son associé tout de suite.

— Qu'il rappelle, fait-il volontairement évasif, justement à cause de l'inquiétude que dégage Normand... Ici. Pas question de lui donner mon numéro de cellulaire. On va laisser venir...

Alors Normand lui fait un clin d'œil, sa nature un peu débonnaire reprenant ses aises. Il est tout à fait d'accord avec le principe de laisser venir... Dans le fond, Vincent a sûrement raison. Il s'en fait pour rien. Et Vincent a de l'expérience dans le domaine. N'a-t-il pas frayé avec toutes sortes de milieux pendant des années ? Quand on a fait de l'infiltration comme Vincent en a fait, on doit obligatoirement développer un sixième sens. Sinon, on ne survivrait pas. Alors, rassuré, Normand prend une profonde inspiration avant de lancer :

— Qu'est-ce que tu dirais d'une bonne bière froide avant de

repartir vers Québec ? Avec une grosse pizza garnie ? Comme dans le temps, à Rimouski ! C'est l'heure de fermer et il y a un petit restaurant pas loin qui fait la meilleure pizza que je connaisse...

* * *

Au bureau de la Sécurité à Montréal, Sébastien Veilleux et Paul-André Ducharme ne chôment pas. Surveiller les frères Cherry et leurs proches n'est pas une sinécure. D'autant plus que ces gars-là connaissent à peu près autant de monde qu'il y a de grains de sable sur une plage. À part les habitués comme Antoine Leclerc, le bras droit des frères Cherry et grand manitou des docks, et MacKewen, un avocat reconnu comme étant l'homme de relations entre les différents clans de la ville, déjà connus depuis longtemps des policiers, plusieurs hommes de loi, entrepreneurs, hommes d'affaires gravitent plus ou moins régulièrement autour des frères Cherry. Même Gino Falcone, le chef du clan sicilien ne semble pas nécessairement en mauvais termes avec eux. Sébastien les a vus manger ensemble à deux reprises.

— Ce qui m'agace, lance-t-il à brûle-pourpoint, c'est de pas savoir à quoi ça rime tout ça. J'sais bien qu'on vise les têtes mais jusqu'où ça va aller ?

Ducharme et lui sont dans le bureau de Ducharme. Comme il leur arrive à l'occasion, ils font le point sur leurs enquêtes respectives, recoupant les informations obtenues. Ne pas en parler autour d'eux est une chose. Ne pas en parler entre eux est une tout autre chose. Alors, chaque semaine, les deux hommes se retrouvent soit à la faveur d'une rencontre comme celle-ci ou d'une bière partagée dans un bar. Ça leur permet peut-être d'y trouver une sorte de motivation. Travailler seul, sans contact ni résultat est vite harassant. Même pour des enquêteurs aguerris comme eux.

— Je peux pas te répondre, Veilleux, constate placidement Ducharme. J'en sais pas plus que toi. Ça fait partie de la job. On exécute sans poser de questions. Mais j'avoue que moi aussi j'aimerais savoir. Savoir jusqu'où ça va aller. Savoir ce qu'on attend au juste. J'ai vu des tas de gars entrer et sortir du Bureau de Change de la rue Sainte-Catherine. Tout le monde sait que le blanchiment d'argent passe par là. Mais encore ? Qu'est-ce qu'on va faire avec les informations qu'on a ?

— Si tu veux mon avis, ça va finir par péter de partout, prédit Sébastien en accord avec ce que Ducharme vient de dire. À Québec, ici, ailleurs... Je suis sûr qu'on est pas mal de monde là-dessus, malgré le silence de Saillant pis de Gary. Pis si je dis ça, c'est justement à cause de leur silence.

— T'as peut-être raison. La seule chose dont je suis sûr, c'est que ça commence à être gros en sacrament. Quand Falcone mange avec les Cherry... T'es sûr que c'est pas petit. Pis il y a Bélanger, dans le portrait de famille. Faudrait pas l'oublier.

— Oui, Bélanger, Taschereau, Karruda, son pilote, Le Bleaché... Pis Savoie...

À la mention de ce nom, le regard habituellement impassible de Ducharme s'éclaire d'une lueur indéfinissable. Quelque chose se situant entre la colère, la satisfaction et la rage.

— Parlons-en de Savoie... Veux-tu que je te dise une chose, Veilleux ? J'ai jamais tant regretté de pas être resté à Québec. C'est moi qui devrais le surveiller. Même si je sais que c'est impossible parce qu'on se connaît trop... N'empêche que ça me ferait plaisir en sacrament de le voir tomber... Pour de bon...

— Pourquoi ? On dirait que c'est personnel...

Ducharme dessine un rictus d'indécision, la bouche tordue dans une moue de dédain.

— Non... Oui... J'sais pas... C'est instinctif. J'savais pas qu'on le verrait apparaître dans le décor quand j'ai accepté le mandat du SRQ. Mais finalement, je suis pas surpris de le voir là. Ça y ressemble d'être là. C'est un manipulateur, Savoie. Un profiteur... Je serais même pas surpris d'apprendre que c'est un dopé.

Pendant un instant, Sébastien se tait. Pour lui, Vincent était d'abord et avant tout un ami. Quelqu'un avec qui il a partagé le travail. Un enquêteur hors du commun. Et voilà que maintenant, il fait partie des suspects. Il doit dorénavant le voir comme un indésirable. Il repense à la bande vidéo enregistrée au Casino et il retient une grimace. Sébastien pousse un soupir en se calant encore plus profondément dans le fauteuil qu'il occupe.

— Ça m'écœure de le voir là, si tu veux savoir. J'pensais jamais.

— Pis moi, ça me surprend pas...

Pendant un bref moment, Ducharme laisse volontairement planer le silence, comme s'il était assez éloquent par lui-même. Puis il se penche sur son bureau, les coudes bien appuyés devant lui, son regard trop bleu s'attachant à celui de Sébastien.

— Pis j'vas te dire pourquoi...

Pendant quelques instants, il revoit les derniers mois où Savoie avait travaillé pour lui. Pour lui et pour Bolduc à l'escouade des stupéfiants de Québec. Oui, c'était un bon enquêteur, qui donnait du score, comme on dit dans le métier. Mais il avait poussé sa chance trop loin, avait négocié les derniers virages trop serrés se croyant peut-être invincible. Ses méthodes d'enquête chevauchaient, malheureusement, trop souvent les frontières de la légalité et aucun patron ne pouvait l'endosser officiellement. Parce que personne, finalement, n'aurait pu dire où se terminait le travail et où commençait les profits personnels. Si profits personnels il y avait eu. De cela non plus, personne n'aurait pu se porter garant. La vie de Savoie était trop ambiguë pour qu'on puisse y prêter foi sans équivoque. Mais, comme Ducharme l'avait dit à l'époque, cela faisait partie des risques du métier. Et Vincent Savoie le savait fort bien. Les patrons de la Sécurité provinciale n'avaient donc pas eu le choix: vaut mieux sacrifier un soldat que toute une armée. Surtout que la PNF était sur le coup... Savoie avait joué avec le feu et il avait fini par se brûler. Tant pis pour lui. Par la suite, on avait fait en sorte que l'exemple soit éloquent et serve de témoin à quiconque aurait envie de s'y frotter. Puis, quelques mois plus tard, la réponse que Vincent lui avait fait parvenir par l'intermédiaire de Gendron, du temps qu'il était à Sainte-Anne-des-Plaines, avait à elle seule confirmé ce que Ducharme avait toujours suspecté: Vincent Savoie se servait du système. Au-delà de son travail, au demeurant efficace, Savoie avait ses raisons de ne pas répondre à la demande de son ancien patron. Et voilà qu'aujourd'hui, aux yeux de Ducharme, tout s'explique, tout se vérifie et vient prouver que les allégations de l'ancienne source, le gros Noël, avaient un fondement certain. De toute façon, ça faisait l'affaire de bien du monde...

— Tu sais l'idée du SRQ, c'est pas vraiment nouveau, commence-t-il, essayant de clarifier sa pensée au profit de Sébastien. Déjà en 93, Gary m'en avait parlé. Même à l'époque, Langlois, le sous-ministre, y pensait sérieusement. Gary avait élaboré une espèce de formule qui utilisait l'infiltration comme moyen ultime d'enquête auprès des personnes visées, explique-t-il. C'est là que Gary m'a demandé ce que je pensais de Savoie comme personne-ressource. Sur le coup, justement à cause de tout ce qui se disait autour de Savoie, j'ai vu cela comme une excellente idée, même si j'avais certaines réserves. Pouvait-on lui faire confiance ? Puis l'évidence avait fini par l'emporter : qui pourrait se méfier de Savoie, une fois qu'il serait sorti de prison ? On y verrait une espèce de vengeance personnelle à la suite de son arrestation et de sa condamnation. Une espèce de vendetta, quoi. Parce qu'il faut que je te précise que c'est à peu près à cette même époque que Vincent a plaidé coupable. Gary pensait qu'on devrait profiter de la situation et j'ai finalement emboîté le pas. Dès la comparution terminée, avant même que Savoie prenne le chemin du pénitencier, Gary et moi, on l'a rencontré et on lui a présenté le projet. Mais contre toute attente, Vincent a refusé ce qu'on lui proposait. Pourtant, ça avait toutes les chances de réussir. Mais il a refusé... Je me suis longtemps demandé pourquoi. S'il n'était pas coupable comme il l'a si longtemps proclamé, pourquoi refuser ? Oui, je me suis longtemps posé la question. Aujourd'hui, devant la tournure des événements, je comprends pourquoi. Vincent Savoie était trop proche du milieu criminel pour s'embarquer là-dedans. Peut-être bien qu'il allait regagner ses galons à nos yeux mais en même temps, c'est sa propre vie qui devenait son enjeu. Agir au nom du SRQ, équivalait pour Savoie à une condamnation à mort, le jour où tout cela aurait été rendu public. C'est clair comme de l'eau de roche. Téméraire, le gars, mais pas fou. Alors, quand je regarde tout ça avec le recul des années, j'aime mieux le savoir là où il est. Savoie est plus facile à contrôler comme ça, à distance. Parce que dis-toi bien que ce gars-là est capable de berner tout le monde.

Un long silence complète le monologue de Ducharme. Autant pour lui que pour Sébastien, il vient de faire le point sur toutes les émotions qui ont pu marquer sa vie depuis l'arrestation de Vincent. Il sait qu'il a bien fait d'agir comme il l'a fait. Il n'y avait rien d'autre à faire. Et même si la condamnation de Savoie ne l'a jamais vraiment empêché de dormir, sa carrière et sa réputation restant à l'abri de toutes insinuations dangereuses, il est heureux d'avoir enfin pu se justifier face à autrui. Et avec le temps, même Bolduc, le dernier patron immédiat de Vincent, en est venu à être ébranlé. Alors, devant le silence persistant de Sébastien, il ajoute, froidement, à sa manière habituelle.

— Dans la vie, Sébas, il y a toutes sortes de vérités. Celles qu'on peut vérifier et les autres... Aujourd'hui, sans me tromper, je peux dire que la vie de Vincent Savoie fait partie de celles que j'ai pu vérifier... Pour moi, le dossier est clos. Savoie est en train de se tisser tout seul une belle toile...

PARTIE IV

L'escalade

Avril – septembre 1996

« Personne ne peut se permettre d'avoir deux visages trop longtemps sans se demander lequel est le vrai… »

Chapitre 14

Tel qu'il l'avait promis, dès le surlendemain, Vincent se présente au commerce de Portneuf afin de donner un coup de main à Normand. Il est vrai que la marchandise est variée et abondante et qu'ils doivent y faire un certain tri. Et il est vrai pareillement que pour un homme seul, la tâche est monotone. À deux, c'est nettement plus motivant... C'est au moment où Vincent décide de s'attaquer aux nombreux CD pour en faire l'inventaire et les classer par ordre alphabétique que le téléphone sonne. Vincent et Normand échangent un regard, puisqu'ils viennent tout juste de parler de Danny et qu'ils suspectent que c'est probablement lui au bout du fil. Ils ont raison. Normand tend l'acoustique à Vincent avec un sourire convenu. Vincent prend donc l'appareil, haussant les épaules. Danny semble du genre expéditif, de ceux qui ont de la suite dans les idées. De ce fait, la communication sera brève et sans discussion possible. Pour être honnête, ce ne sera que quelques mots, à sens unique.

— Salut. Vincent Savoie ?

— Oui... À qui...

— Moi, c'est Danny. Le gars qui était dans le bureau de l'avocat l'autre jour m'a dit de passer te voir... J'ai quelque chose pour toi. J'vas être à ta boutique de Portneuf dans deux heures...

Vincent raccroche avec une moue amusée.

— Plutôt direct, le gars, commente-t-il. Probablement efficace...

Danny est aussi du genre ponctuel. À onze heures piles il se présente au comptoir de prêts sur gages. C'est un gars dans la jeune quarantaine, grandeur moyenne, que l'on devine musclé sous le blouson de denim. Cheveux en brosse, comme le veut la mode, favoris assez longs, moustache bien taillée… Il entre d'un pas assuré, jette un regard circulaire, de qui aurait à détailler l'inventaire d'un commerce puis il se dirige vers Vincent, sans hésitation, comme s'il le connaissait depuis toujours.

— Vincent Savoie ? demande-t-il tout de même en tendant la main. Danny.

Puis il regarde encore une fois autour de lui, reste un moment les yeux fixés sur Normand, avant de revenir à Vincent.

— On peut sortir un moment ?

À son tour, Vincent regarde autour de lui, comme s'il cherchait ce qui peut bien motiver une telle demande. Son regard croise celui de Normand, s'y attache un instant avant de se tourner vers Danny, une lueur subtile au fond des yeux.

— Pourquoi ? On est bien ici, fait-il candidement.

— On est mieux dehors, tranche catégoriquement Danny, sans lui laisser l'occasion de répliquer. Y fait beau… Pis c'est pas souvent que j'ai l'occasion de respirer l'air pur de la campagne.

À nouveau, Vincent hésite. Puis, vérifiant machinalement la pagette à sa ceinture, il hausse les épaules.

— Okay. Comme tu veux.

Effectivement, Danny n'a pas tort : il fait toujours aussi beau. Sa raison en valait bien une autre. En biais, près de l'épicerie de l'autre côté de la rue, on aperçoit le fleuve qui brille de mille feux. Dans certains creux de la falaise, de l'autre côté du

Saint-Laurent, on aperçoit encore plusieurs bancs de neige, contrastant avec la terre rougeâtre du cap. Danny s'approche de son auto et vient s'appuyer contre le capot, le visage tourné vers le soleil. Puis il se redresse, glisse une main dans son blouson et sort un cellulaire où il signale un numéro avant de tendre l'appareil à Vincent.

— Ça va être pour toi.

Une sonnerie, deux, trois, puis une voix que Vincent n'a aucune difficulté à identifier.

— Savoie ?

— Oui.

— C'est moi... tu dois sûrement me reconnaître. Pas besoin de dire mon nom... J'ai juste quelques mots à te dire. Écoute ben... Quand tu parles avec Danny c'est comme si tu parlais avec moi. J'ai autant confiance en lui que ton avocat a confiance en toi... On s'entend là-dessus ? Je vous laisse vous entendre, Danny pis toi. Moi, je devrais pas avoir à te reparler. Sauf peut-être pour faire grossir ta shop.

Et sur ces mots, Tom coupe la communication. Vincent dessine un vague sourire et tend le cellulaire à Danny qui le replace aussitôt dans la poche de son blouson. Vincent vient d'avoir la confirmation que Danny a des choses importantes à lui dire. Alors il se tourne vers lui, prenant les devants.

— Paraît que t'as quelque chose pour moi ?

Danny soutient le regard de Vincent un moment, une permanente moue de dédain rabaissant les commissures de ses lèvres, puis il cale à nouveau son dos contre le capot de son auto, une Cherokee noire qui doit faire office de véhicule, l'hiver, en attendant que sa Harley sorte du garage.

— Tout à fait, approuve-t-il... Imagine-toi que je suis une sorte de courtier d'assurances. À partir d'aujourd'hui, t'es couvert contre le feu, le vol et le vandalisme. La prime est de 1200 $ par mois, payable le deuxième mardi du mois quand j'vas passer...

Et sans attendre de réponse, ce qui, à son avis, de toute manière, n'est absolument pas nécessaire, les choses allant de soi, il ferme les yeux à demi et tourne la tête vers la chaleur du soleil, tout en poursuivant:

— Maintenant, quel prix tu me ferais pour un portatif? Un Pentium 133. J'en ai besoin pour tenir mes comptes à jour.

Vincent fait mine de réfléchir tout en se disant qu'il avait vu juste. La bande à Tom lui offre sa protection... C'est normal... Il reprend presque aussitôt.

— Pour tout de suite, des portatifs, j'en ai pas. C'est la grosse mode, fait-il en pensant à la commande que Bélanger lui a faite en parlant du Bleaché. Mais j'vais en parler à Normand. Je te reviens là-dessus. Donne-moi ton numéro de cellulaire et je te rappelle d'ici une semaine.

Puis au bout d'un court silence.

— Pour le 1200 $ d'assurance, j'ai pas trop de problème avec ça. Je sais comment ça marche. Par contre, j'aurai pas le choix d'en parler à mon associé.

Danny se redresse à nouveau, un instant silencieux, les traits durcis. Puis son visage se détend.

— Okay, concède-t-il finalement... Mais c'est le seul à qui tu vas en parler, exige-t-il en plongeant une main dans sa poche de jeans afin de trouver ses clés... Profites-en pour y faire savoir que le contrat est renégociable tous les ans et que 1200, c'est la prime par boutique, si jamais vous avez l'intention de grossir...

Danny a la main appuyée sur la portière de son auto qu'il vient d'ouvrir.

— Ah oui…

Et il glisse la main dans la poche intérieure de son blouson, en sort un bout de carton.

— Pour ce qui est de mon numéro, v'là ma carte d'affaire… Moi, j'ai un club de conditionnement physique. Tu sais, le beau monde qui veut avoir des beaux corps…

Puis il s'installe derrière le volant. Le moteur se met à gronder pendant que Danny claque la portière. Alors, il baisse la vitre et tout en ajustant ses lunettes fumées, il ajoute :

— Salut. Tom va être content de voir que vous êtes des gars responsables et prévenants… On se revoit mardi prochain.

* * *

Vincent n'a pas oublié le rendez-vous que Bélanger lui a fixé à son bureau. Dès la première heure, le lundi matin suivant, il est là, malgré le fait qu'Élise soit avec lui cette semaine. La logistique du quotidien est peut-être un peu plus lourde quand sa fille est avec lui, mais Vincent arrive à tout concilier. De toute façon, jamais il ne remettra la présence d'Élise avec lui en cause. Plus que jamais, elle est le centre de sa vie, le moteur de sa motivation. À deux, ils se sont bâtis une routine qui leur appartient, une espèce de vie de famille différente mais agréable et toutes les autres obligations de Vincent doivent forcément s'y conformer. C'est comme ça, irrévocable et non négociable…

Bélanger l'attendait.

— Savoie… Parle-moi de ça un homme de parole… Ferme la porte et viens t'asseoir.

Derrière André Bélanger, on domine tout l'est de la ville. Ce matin, les tours du Château Frontenac se découpent faiblement dans le crachin qui tombe depuis hier. Les autos roulent tous phares allumés.

— Alors Vincent ? As-tu trouvé ?

Vincent lève la tête.

— Trouvé ?

— Oui, le portatif pour Gauvin.

Son visage s'éclaire.

— Ça s'en vient. Normand est là-dessus. D'ici la fin de la semaine on devrait l'avoir.

Bélanger lui sourit :

— Parfait ! Le Bleaché va être content... Le reste à présent...

À nouveau, la physionomie de Vincent s'assombrit pendant que Bélanger se redresse et regarde le ciel gris avec ennui. Dans le sud, il n'y a jamais de ces pluies endémiques qui perdurent pendant des jours. Devant l'indifférence apparente de Bélanger, Vincent s'emporte.

— Le reste ? Quel reste ? Un portatif ça va chercher dans les...

Bélanger soupire et revient face à Vincent.

— Je sais, fait-il vivement en l'interrompant... Je sais très bien ce que vaut un portatif. Mais il y a les intérêts...

Vincent a le regard mauvais. Pourtant il ne répond pas. Il connaît le système et sait que Bélanger a raison. Dans le milieu, les intérêts courent vite. Très vite... Bélanger s'est encore une fois tourné vers la fenêtre.

— Fichu temps, n'est-ce pas, constate-t-il comme si c'était là l'unique préoccupation du moment. Je déteste la pluie froide du Québec... J'aurais un petit service à te demander.

— Un service ? Oui, peut-être. Quel genre de service ?

— J'ai un dépôt à faire à Montréal, pour un client, explique alors Bélanger, en désignant une mallette appuyée contre le mur derrière lui... J'ai pas vraiment le temps d'y aller cette semaine. Tu sais ce que c'est... La cour ça n'attend pas. Tu pourrais faire ça pour moi...

Vincent dessine une moue d'acceptation.

— C'est raisonnable. Où ça ?

— Au Bureau de Change de la rue Sainte-Catherine. C'est nouveau depuis quelques mois. Mon client a un compte chez eux.

Vincent reste impassible. Pourtant ces quelques mots le ramènent brusquement en arrière. C'était il y a quelques années, à Montréal justement, au Quartier général de la Sécurité. On venait d'ouvrir un nouveau Bureau de Change, rue Crescent, et les gars se demandaient s'il était possible que ce soit la PNF qui tire les ficelles. Le temps avait permis de savoir que ce Comptoir sur Crescent était bien ordinaire et ne cachait aucun traquenard... Vincent retient un sourire en même temps qu'un soupir de nostalgie. Bon sang qu'il aimerait que Victor soit encore là, avec lui. C'était le bon temps. Puis il revient à Bélanger, s'obligeant à faire taire ses regrets. Ce ne sont que de vieilles histoires, tout ça...

— Un dépôt de combien ?

Bélanger dessine un sourire ambigu.

— Pose pas de questions, Vincent. Tu demandes à voir un certain Tremblay... Il connaît mon client. Je te donnerai le numéro de compte... Canada quelque chose... Il faudrait déposer ça demain matin. Ils ouvrent à dix heures.

En quelques secondes, Vincent planifie le réveil et le déjeuner de sa fille. Jocelyne, une ancienne voisine, pourrait la garder avant l'heure de l'école. Ce ne serait pas la première fois... La commande est précise et réalisable. Alors il fait un sourire à Bélanger, tout en se relevant.

— D'accord... J'y serai...

— Parfait… et moi, je m'occupe du Bleaché. Dans le fond, t'as raison: un portatif ça va chercher dans les quatre mille, une fois bien équipé…

Un petit voyage à Montréal demain, un saut à Portneuf mercredi et la semaine sera finie pour Vincent. Dimanche prochain c'est Pâques et il a promis à Pierre Gendron de faire les sucres avec lui. Dès que les vacances d'Élise commencent, jeudi midi, ils embrayent tous les deux pour Trois-Rivières.

— Pourvu que le temps revienne au beau, espère-t-il en entrant dans son propre bureau, refermant la porte derrière lui.

Le temps de se réjouir à la perspective de la fin de semaine qui s'en vient et Vincent prend son cellulaire.

— Normand? Salut c'est moi. Faudrait que tu penses à faire un retrait aujourd'hui. Danny va passer demain et moi je ne pourrai pas y être…

Puis il quitte le bureau. Il a convenu avec Gendron de passer le voir chez Comtel afin de planifier la partie de sucre de samedi prochain…

Chapitre 15

Rabattant les cols de leurs manteaux et marchant contre le vent et la pluie froide qui tombe sans arrêt depuis quatre jours, Ducharme et Veilleux se hâtent vers la porte d'entrée de l'hôtel des Gouverneurs, Place Dupuis. Gary avait parlé de discrétion mais à voir leur allure, le monde entier pourrait deviner qu'ils sont policiers ! Même Colombo sait se faire plus discret ! Ils ont rendez-vous avec Gary qui revient de Québec où il a rencontré le sous-ministre. Dorénavant, comme leur a souligné Gary, au téléphone, hier matin, les rencontres risquant d'être plus fréquentes, elles auront lieu dans différents endroits anonymes afin de ne pas attirer l'attention.

Gary les attendait devant une cafetière fumante et quelques croissants. Saillant doit les rejoindre d'un moment à l'autre. Même qu'il devrait déjà être là. La fenêtre de la chambre donne sur le terminus d'autobus et la station Berri-UQAM. Un va-et-vient constant d'autos, d'autobus et de piétons encombre la rue, quelques étages plus bas. Des bruits d'avertisseurs réussissent à se faire entendre jusqu'au dixième étage. Le temps aidant, les gens sont maussades et jouent du klaxon avec conviction.

— Entrez, faites comme chez vous... Un café ?

Gary a son sourire habituel, en bon Irlandais qu'il est. Sébastien s'ébroue, fait quelques pas dans la chambre.

— Volontiers. Avec le temps de canard qu'on a... Probablement les grandes mers de mai.

Pendant quelques instants, on parle de tout et de rien, du temps affreux qu'on connaît. Le poste de télévision est allumé et diffuse les nouvelles du matin en sourdine. Puis Saillant arrive.

— Salut les gars... Excusez mon retard, j'étais pris dans un bouchon sur le pont Jacques-Cartier...

Saillant se sert un café et vient rejoindre Gary installé sur le divan devant une table basse. Ducharme a pris place dans le fauteuil, dans un coin de la chambre, et Sébastien Veilleux s'est assis cavalièrement sur le pied du lit.

— Ce matin, on va faire le point, lance Gary en consultant quelques feuilles posées devant lui, tout en cherchant la télécommande de la main. D'un geste sec, il ferme le téléviseur. Je viens de rencontrer le sous-ministre et il veut un rapport complet sur nos opérations jusqu'à maintenant. On reprend tout depuis le début, même si j'ai lu vos rapports et que je commence à me faire une assez bonne idée du topo.

Puis relevant la tête, Gary se tourne vers Sébastien Veilleux.

— Alors ? Les docks ?

— Les docks ?

Sébastien échappe un rire moqueur, détendu, s'appuyant nonchalamment sur une main.

— Plutôt mort du côté du port, comme t'as pu le constater, avoue-t-il en se redressant. Depuis le procès avorté des frères Cherry et la commission Trudel qui a le nez fourré partout, commente-t-il les coudes appuyés sur les genoux, nos p'tits copains ont avantage à se tenir tranquilles... Par contre, ils en profitent pour rencontrer plein de monde. Curieux même de voir à quel point les clans semblent bien s'entendre par les temps qui courent.

— Qu'est-ce que tu veux dire ?

— Hier soir, Taschereau, l'avocat des Cherry, a soupé avec MacKewen et Falcone. Ça te dit quelque chose ? Pis c'est pas la première fois. Si les Siciliens se mettent à parler aux gars de l'est, c'est que ça commence à sentir le roussi. En dix ans, j'ai jamais vu ça. Et la semaine dernière, j'ai suivi le même MacKewen jusqu'à Québec. Il est allé droit au bureau de Bélanger. Si je me rappelle bien, Bélanger et MacKewen, c'était plutôt comme l'eau pis le feu... L'avocat des motards est pas supposé avoir quelque chose à dire à celui des Siciliens. À moins que Taschereau ait réussi à faire l'impossible et trouvé la formule qui permette de mélanger l'huile et l'eau... réconcilier l'irréconciliable, quoi...

Pendant que Veilleux parlait, Gary a laissé filtrer un demi-sourire qui n'a éclairé finalement que son regard. Imperceptible. Comme s'il espérait ces paroles de Sébastien ou encore qu'il les prévoyait. Puis il se tourne vers Ducharme, toujours aussi décontracté.

— Et toi ? Quoi de neuf du côté du Bureau de Change ?

L'impassible Ducharme se déplie et s'avance sur le bout de son siège annonçant par le geste presque théâtral que, pour une fois, il a envie de sortir de son mutisme proverbial. Une lueur amusée traverse son regard habituellement froid et impénétrable. Il se permet même un petit sourire narquois.

— C'est fou comme Sébastien et moi on se rencontre un peu partout depuis quelque temps, constate-t-il en fixant Gary de ses yeux trop bleus. Je surveille finalement les mêmes gars que lui. Leclerc, tu sais le bras droit des Cherry, vient régulièrement faire des dépôts. MacKewen aussi. Probablement pour Falcone parce que lui, il ne fait jamais ce genre de déplacement. Alors, je me suis amusé à surveiller MacKewen moi aussi la semaine dernière et curieusement, il ne se présente au Bureau de Change qu'après avoir rencontré Falcone. Deux fois, la semaine passée... Toujours le matin après le déjeuner vers dix heures.

J'ai vu Taschereau aussi. Mais lui, impossible de savoir pour qui il y va. Aucun schéma précis dans son cas. Parfois, il vient directement de chez lui, parfois c'est après une rencontre avec les Cherry ou un déjeuner avec Karruda, le magnat du granit... J'ai dû le voir quatre fois le mois dernier.

Gary a reporté son attention sur ses papiers.

— Rien d'autre ? demande-t-il en relevant les yeux.

— Oui... une bombe...

Gary et Saillant tournent simultanément une tête d'Irlandais et une face de Bouddha vers Ducharme.

— Façon de parler, rectifie celui-ci devant l'interrogation muette des deux hommes, le même petit sourire au coin des lèvres, tout heureux de l'effet produit. Il y a deux semaines, Vincent Savoie est venu lui-même faire un dépôt au Bureau de Change. C'est dans le dernier rapport que je t'ai remis, Saillant.

À ce nom, le gros Saillant a recalé ses kilos en trop dans le divan. Si ce n'est que ça...

— Oui, j'ai vu. Ça me surprend pas, commente-t-il flegmatique, caressant sa ridicule moustache du bout de l'index. Ça ne fait que confirmer tout le reste...

Ducharme approuve d'un discret signe de tête.

— Probablement que tes hommes t'en ont parlé, Gary, poursuit-il en revenant face au policier de la PNF. Savoie aussi je l'ai suivi, fait-il avec un visible contentement dans la voix. Mais rien d'autre à signaler. Il est arrivé au Bureau de Change vers dix heures trente. Quinze minutes plus tard, il en ressortait, toujours avec la même mallette à la main. Il a pris la route vers Québec tout de suite après. Je l'ai suivi jusqu'à Saint-Hyacinthe puis je suis revenu.

Le regard de Gary pétille de toute l'exubérance de l'Irlande. Dès que Ducharme finit de parler, il se relève et se met à arpenter la pièce, regardant chacun des trois hommes à tour de rôle.

— Tout concorde, annonce-t-il en se frottant les mains, visiblement satisfait. Pas besoin d'avoir une explication en trois copies, Savoie est venu pour Bélanger. C'est évident comme la pluie qui tombe ce matin. Si Bélanger et MacKewen se rencontrent ce n'est sûrement pas pour parler de leurs prochaines vacances. Bien que...

Gary semble s'amuser. Visiblement, il est le seul dans cette pièce à pouvoir regrouper toutes les pièces du puzzle. Celles fournies par les gars de la Sécurité et celles tout aussi importantes apportées par ses propres hommes. Il laisse volontairement planer un doute sur ses derniers mots. Mais avant que quiconque ait pu intervenir, son cellulaire se met à sonner.

— Excusez-moi...

Et se glissant vers le fond de la pièce, fixant distraitement un Picasso haut en couleurs, il prend la communication.

— Jacob ! Comment ça va chez vous ? Quoi ?... Tu parles de Savoie ?... J'écoute... Oui, en ce moment... Ton rapport ? Oui, je l'ai reçu hier soir, chez moi... tu dis ? Ah oui ? Je vais transmettre le message... C'est bien... Oui, on se rappelle.

Et coupant la communication, Gary revient vers les trois hommes.

— Samuel Jacob, explique-t-il en désignant l'appareil qu'il tient toujours à la main. Puis se tournant vers Sébastien Veilleux.

— Paraîtrait que ton Econoline bleue est brûlée. T'as été repéré quand t'as suivi MacKewen à Québec... C'est Jacob qui vient de me le dire. Il serait peut-être temps que tu penses à changer d'auto... Pour le reste, on continue.

Tout en parlant, Gary a repris sa place sur le divan.

— Nous aussi, on a notre petite bombe, Saillant et moi, fait-il se tournant vers le gros homme, sachant très bien qu'il doit ménager la susceptibilité de celui qui n'a finalement rien dit ce matin et qui est très chatouilleux quant à sa présence au sein du SRQ… Tu y vas ?

Péniblement, Saillant arrive à redresser sa carcasse et, se penchant vers l'avant, il prend le temps de bien détailler ses deux hommes avant de parler.

— Tout ce beau monde qu'on voit passer au Bureau de Change, eh bien ! ils ont tous le même compte…

Sébastien a bondi comme un chat, silencieusement, se tenant en équilibre sur le bord du lit, flairant qu'il est enfin sur le point de comprendre toutes les raisons qui motivent leur surveillance.

— Qu'est-ce que tu veux dire ?

— Exactement ce que je viens de dire, Sébastien. Leclerc, Savoie, MacKewen,Taschereau… Tout le monde dépose de l'argent dans le même compte. Avec l'informatique et les satellites du Centre de Sécurité des Transmissions rien ne nous échappe. Tout est filtré. Gary a deux gars à temps plein là-dessus. Pratiquement jour et nuit. On ne sait pas encore ce qui se prépare, mais c'est gros en batince. Écoutez bien de quoi a l'air le spaghetti bancaire : treize ou quatorze comptes, trois banques dont une à New York et l'autre à Lausanne. Et surtout, un montant de plus de seize millions placé dans un compte aux îles Caïman. C'est pour ça qu'on lâche pas. Les questions à se poser sont simples : Qui va réclamer cet argent et quand ? Le morceau va être d'importance, immense. Faut être capable de l'avaler sans s'étouffer. Pis ça peut nous tomber dessus n'importe quand. Demain, la semaine prochaine, dans six mois. Le sous-ministre Langlois est bien clair là-dessus. J'en ai parlé avec Gary. Pas de risques à prendre, faut pas rater le bateau. Parce qu'il ne repassera pas deux fois... Je donnerais cinq ans de ma vie sur ça : ça sent la grosse livraison.

Ducharme reste immobile, concentré sur ses pensées. Pour lui aussi, tout devient limpide.

— Et Savoie, ajoute-t-il pensif, en guise de complément à ce que Saillant vient de dire, et Savoie est probablement le gars parfait pour eux. Il connaît le milieu et nos façons de procéder.

Puis relevant son regard clair, il conclut en regardant chacun de ses compagnons à tour de rôle :

— C'est une carte d'atout dans un jeu, ça... Faut pas le sous-estimer.

— Ouais, t'as raison Ducharme, approuve Gary, en opinant du chef. Un gars comme Savoie, c'est tout un atout. Il ne faut surtout pas le négliger.

* * *

Après plus de quinze jours de pluie et de bruine, mai s'est enfin décidé à ressembler à mai. Il fait beau même si ce n'est pas très chaud, comme si la saison avait épuisé son quota de chaleur en avril. Ce qui ne déplaît pas à Vincent qui s'apprête à déménager. Le locataire de l'appartement qu'il a loué vient de se faire construire une maison et celle-ci est déjà prête. Samedi matin, aidé de quelques jeunes avocats du bureau de Me Bélanger, aidé aussi de Normand et d'Anne, Vincent s'installe dans sa nouvelle demeure. Élise, par exception, ne viendra le rejoindre que dimanche. Vincent veut lui faire la surprise du piano et tient à ce que l'appartement soit relativement confortable et présentable quand elle arrivera chez lui.

Déjà, les caisses s'empilent dans son salon. Vincent a repris les boîtes encore pleines qui attendaient toujours dans le débarras, constatant, moqueur, que, finalement, ce n'est pas trop mal d'être occupé et de remettre certaines choses au lendemain. Ce sera toujours cela de moins à faire. Parce qu'avec le comptoir de prêts et les commandes de Bélanger, de plus en plus soutenues, Vincent n'a que peu de temps à lui. L'hiver a passé sans qu'il le voit et le printemps est bien parti pour lui ressembler. C'est un peu pour cela, qu'après le déménagement, il entend bien s'offrir quelques jours de détente. De la même façon qu'il veut profiter de la belle saison avec Élise et... Anne, qui prend de plus en plus de place dans sa vie...

* * *

— Finalement, il n'y a pas grand-chose dans le frigo. Avec le déménagement, j'ai épuisé les réserves et je n'ai pas eu encore le temps d'y voir.

Refermant la porte derrière lui, Vincent jette un regard navré en direction d'Anne qui sirote une bière, assise à la table. La fenêtre de la cuisine est grande ouverte sur les piaillements des oiseaux qui sautent de branche en branche dans un gros érable et les cris de joie de quelques enfants qui s'amusent dans la cour, un étage plus bas.

Chaque soir, quand il entre chez lui, Vincent connaît un instant de pure satisfaction. L'appartement est en tout point comme il le souhaitait et Élise, dimanche soir, en apercevant le piano, fièrement au poste dans un coin du salon, a poussé une exclamation avant de se jeter au cou de son père. Christine, venue la reconduire, a partagé un moment de complicité avec Vincent, lui souriant devant l'exubérance de leur fille. Entre eux, les relations sont meilleures, moins tendues. Une fois le quotidien réglé, c'est comme si on revenait à l'essentiel et que celui-ci reprenait son véritable sens. Élise, toute excitée, n'a rien remarqué.

— Wow ! C'est... c'est à moi ?

— Oui, ma puce. Fini les longues heures de répétition chez madame Marceau...

— Merci papa... T'es pas mal *cool*...

Tout en tenant sa fille serrée contre lui, Vincent a levé la tête vers Christine. Leurs regards se sont soutenus un moment. Et bien qu'une certaine nostalgie lui faisait encore battre le cœur un peu trop vite, Vincent a compris que finalement tout était mieux comme ça. Pour lui, pour Christine qui a refait sa vie et même pour Élise qui est de plus en plus épanouie. Tous les trois, ils ont pris le temps de partager une limonade pendant que Christine visitait l'appartement avant de repartir... Ça faisait longtemps que Vincent ne s'était pas senti aussi bien...

Mais ce n'est pas ce qui a rempli le frigo. Alors Vincent poursuit en s'approchant de la table :

— ... Qu'est-ce que tu dirais d'un souper au restaurant ? C'est encore ce qu'il y a de mieux à faire.

Anne éclate de rire.

— À moins d'aller à l'épicerie ?

Vincent fait la moue.

— Pas ce soir... je suis vidé. De toute façon, Élise soupe chez une amie et je ne la reprends qu'à huit heures trente. On a le temps... On va retourner au Montego, sur la rue Maguire. Avant, cette fois-ci on va passer chez un ami. J'aimerais te présenter Pierre Gendron. Il a un petit commerce de cellulaires tout près du restaurant.

Et tout en suivant Anne dans l'escalier qui mène au palier de la porte d'entrée, Vincent se redit que cette fille-là est formidable. C'est probablement pour cela qu'il a envie de la présenter à Pierre... Anne est déjà dehors, tenant grande ouverte la portière de sa nouvelle auto, une Saab décapotable, bleu nuit.

— Monsieur Savoie laissez-moi vous conduire, lance-t-elle à la blague tandis que Vincent éclate de rire.

Anne n'a eu aucune difficulté à garer son auto près de l'Hôtel de Ville de Sillery, à côté du poste de pompier, et remontant la rue, Vincent et elle se dirigent vers le commerce de Pierre, à quelques bâtiments de là. Ce dernier s'apprêtait justement à partir. Les mardi et vendredi, c'est lui qui tient boutique. Les autres jours, il a un employé. Il répète à qui veut l'entendre qu'il ne faut surtout pas oublier qu'il a pris sa retraite et qu'il entend bien en profiter.

— Vincent ! Content de te voir.

— Salut Pierre... je passais dans le coin... Laisse-moi te présenter... Pierre Gendron, un ami de longue date... Anne Trépanier, une avocate du bureau de Me Bélanger.

Le regard de Pierre est éloquent : la jeune femme lui plaît bien.

— Bonjour... Comme ça vous êtes une avocate chez Bélanger...

— Oui... en fait, presque. Je suis encore stagiaire.

— Et comment on trouve ça ?

Anne dessine une petite moue d'indécision.

— Je ne sais pas encore... Comment dire... Je ne suis pas certaine d'être faite pour le criminel... J'ai l'impression que je serais plus à l'aise pour la Couronne... même en droit commercial...

— Je peux comprendre ça.

Pierre éclate de rire.

— Je suis un ancien policier... Pas de doute pour moi que pour un avocat il n'y a qu'un bon côté de la clôture...

Puis se tournant vers Vincent.

— Alors ? Quel bon vent t'amène ? Du nouveau ?

Vincent soutient son regard.

— Rien de particulier. Ça roule partout à toute allure. Oh ! oui... Je viens de déménager... Va falloir que tu viennes voir ça. Mais j'y pense... Pourquoi tu ne viendrais pas souper avec nous ? N'est-ce pas Anne ? fait-il finalement en regardant la jeune femme.

— Tout à fait... C'est pas souvent que j'ai l'occasion de rencontrer tes amis, Vincent...

Échappant un rire, elle ajoute encore :

— À croire qu'il vit en reclus...

À ces mots, Pierre soutient le regard de Vincent un moment. N'est-ce pas là, justement, le genre de vie que Vincent a toujours menée ? Une vie en parallèle, une vie de solitaire. On n'en change sûrement pas du jour au lendemain. Et Pierre connaît bien Vincent. Il sait le genre d'homme qu'il est et qu'il restera, quel que soit son travail. Alors, il reporte son attention sur Anne et lui dit :

— Oui, vous avez raison. Vincent c'est un solitaire. Une sorte de marginal. Qui n'accepte pas ça ne sera jamais heureux avec lui... Jamais...

Ils se sont installés sur la terrasse qui est achalandée par cette belle soirée. Ils ont commandé des pâtes et un litre de vin rouge. Depuis qu'ils ont quitté Comtel, Anne est restée songeuse. Comme si les paroles de Pierre avaient eu un impact direct sur tout ce qu'elle pense de Vincent et ce qu'elle ressent pour lui. Du coin de l'œil, elle l'observe, sans se mêler à la conversation. De toute manière, Pierre et lui ont plein de choses à se dire. Il est évident qu'il y a quelque temps déjà qu'ils ne se sont pas vus. Présentement, ils en sont à une partie de golf qu'ils prévoient pour samedi quand Élise retournera chez sa mère. Alors Anne écoute sans écouter, se répétant qu'elle le trouve beau, attirant, gentil, même si parfois il lui semble vivre sur une autre planète, toujours occupé à mille et un projets, planifiant le temps et leurs sorties selon ses convenances. Cela l'agace un peu, tout comme ce commerce de prêts sur gages, à Portneuf. Et comme, justement, Pierre et lui en sont à en parler...

— Moi, je ne comprends pas qu'on puisse prendre plaisir à tenir un tel commerce, intervient-elle aussitôt qu'un silence se glisse dans le dialogue. Il me semble que c'est profiter du monde...

Puis regardant Pierre et Vincent à tour de rôle, elle ajoute :

— Non ?

Vincent se redresse brusquement, comme s'il venait d'être piqué par les quelques mots d'Anne.

— Pourquoi tu dis ça ?

Anne soupire en haussant les épaules, voyant qu'elle a probablement blessé Vincent. Et ce n'est surtout pas le but qu'elle cherchait. Pourtant, elle aimerait comprendre. Ses buts, ses motivations. Alors elle insiste, mais d'une voix très douce.

— C'est évident non ?

C'est au tour de Vincent de hausser les épaules.

— Peut-être.... Oui, je peux peut-être comprendre ce que tu penses. L'image est... comment dire... L'image est particulière, non conventionnelle. Mais en même temps, il faut se dire que si ce n'est pas moi, ça sera un autre...

— N'empêche que...

— Moi je crois que Vincent n'a pas tort... et vous non plus...

Pierre s'est confortablement calé sur sa chaise, tenant son verre de vin à deux mains et le faisant tourner doucement.

— Moi aussi, je comprends très bien ce que vous pouvez ressentir, Anne. Mais de son côté, Vincent ne fait rien de mal. Peut-être bien que ce n'est pas habituel comme commerce... moins classique qu'un dépôt de cellulaires, ajoute-t-il mi-souriant. Mais qu'importe ? Il y a de la place pour un Cash-In exactement de la même manière qu'il y a de la place pour un Comtel. Une sorte de service, quoi. Et Vincent, justement, est de ceux qui peuvent rendre ce genre de service.

Anne semble à demi convaincue.

— Oui mais sa fille, face à ça ? J'aimerais pas, moi, que mon père soit...

— Élise est encore bien jeune, vous ne trouvez pas ? intervient Pierre. Pour elle, un commerce en vaut bien un autre... Disons qu'elle n'est pas en âge d'y voir les mêmes subtilités que vous...

— Oui... peut-être...

Puis au bout d'un court silence, elle ajoute sur un tout autre ton :

— Vous Pierre, pourquoi est-ce que vous ne le prendriez pas à votre boutique ? Il me...

— Ce n'est pas à moi à décider, Anne, l'interrompt aussitôt Pierre. C'est à Vincent. On parle de lui comme s'il n'avait rien à dire dans tout ça. Et il n'y a pas que ça... Tout comme vous, Vincent travaille chez Bélanger, Legrand et associés... Il ne faudrait pas l'oublier.

À ces mots, un éclat de reconnaissance traverse le regard de Vincent. Il sait qu'entre lui et Pierre, existe une confiance que rien ne pourra altérer. Ni le temps qui passe ni les événements qui traversent les existences.

— C'est vrai, Pierre... Vous avez raison.

Pendant quelques instants, un silence lourd de réflexion les entoure. Par réflexe, ils portent chacun leur verre à leurs lèvres. Pierre apprécie le vin puis se tourne à nouveau vers Anne.

— Vous savez, l'important, c'est de rester honnête dans tout ce que l'on fait, quoi que l'on fasse. Pour moi, c'est une valeur universelle qui vaut pour tous, à toutes les occasions. Être loyal. Envers soi et les autres. Et bien faire ce que l'on a à faire sans se préoccuper des apparences et des qu'en dira-t-on...

Sur le chemin du retour, c'est exactement ces mots que Vincent se répète. Les quelques réticences d'Anne sont restées en lui comme une lumière d'alarme. Saura-t-il continuer à bien élever sa fille en acceptant d'aller aussi loin dans ce milieu ? Il revoit Danny, Tom... Sa témérité ne risque-t-elle pas de le conduire encore une fois dans l'aile du super maximum ou pire, dans le lot familial au cimetière Saint-Charles ? Pourtant, il se refuse à voir l'avenir autrement qu'avec optimisme. Il a fait les bons choix. Les seuls finalement qu'il savait pouvoir endosser avec efficacité. De toute façon, il est trop tard pour reculer. Le temps aussi s'est chargé de faire certains choix pour lui. Il ne reste plus qu'à les assumer jusqu'au bout.

* * *

Malgré tout, malgré le support inconditionnel de Pierre, malgré l'avancement de ses projets, Vincent n'arrive pas à se défaire de cette sensation d'inconfort. Même si depuis quelque temps, sa vie semble prendre un nouvel envol, car tout se place petit à petit. Un peu comme s'il reprenait le cours de son existence à zéro. Nouvel emploi, nouveau logis, nouveau rythme, nouvelles attaches, nouvelles tendresses aussi. Parce que lorsqu'Élise passe la semaine chez Christine, Anne est de plus en plus souvent avec lui. Dans l'armoire à pharmacie, il y a maintenant quelques bouteilles et une brosse à dents qui ne sont ni à Vincent ni à Élise. Un pyjama de soie, court et léger, se glisse à travers quelques vêtements de Vincent, dans le tiroir de sa table de nuit. Entre eux, sans mots ni grande promesse, les choses se dessinent tout doucement. Ils aiment la présence de l'autre et tentent de se voir le plus possible. Quand Vincent est libre.

La nuit est belle. Une brise légère se faufile par la fenêtre ouverte sur un ciel étoilé et une lune presque pleine. Sur le bureau, dans un coin de la chambre, une bougie achève de se consumer, éclairant la pièce d'un reflet doré qui joue avec les coins d'ombre, portant à la confidence. Couché sur le côté, Vincent tient Anne par la taille, tout contre lui. Et bien qu'elle lui tourne le dos, le rythme de son souffle contre son bras lui suggère que la jeune femme n'est pas aussi calme qu'on pourrait le penser quand on vient de faire l'amour. Vincent la sent tendue.

— Vincent ?

Tout en parlant, Anne s'est tournée à demi vers lui, blottissant sa tête dans le creux de son épaule.

— Oui ?

— Tu ne trouves pas que des instants comme celui-ci sont trop rares ? C'est à peine si on arrive à se croiser certaines semaines.

Vincent soupire.

— Oui, c'est vrai… Mais que veux-tu ? Moi, c'est à peine si j'arrive à faire tout ce que j'ai à faire…

— Il serait peut-être temps de faire des choix, non ?

Anne s'est tournée complètement vers lui, glissant une jambe entre les cuisses de Vincent pour se blottir encore plus étroitement contre lui. Vincent plonge son regard dans le sien, la serre un peu plus fort dans ses bras.

— Faire des choix? demande-t-il. Non, Anne, je ne vois pas comment. Malheureusement, je n'ai pas de choix possible. Et tout ça, à cause d'une petite puce qui s'appelle Élise. Je me suis promis que jamais, tu m'entends, jamais elle ne manquerait de rien.

— D'accord... Je suis bien d'accord avec toi, Vincent, en ce qui concerne Élise. C'est une adorable petite fille et je comprends très bien ce que tu veux dire... Mais il y aurait sûrement d'autres moyens pour gagner ta vie sans courir comme un fou. Il me semble que...

Et dans une envolée, d'une voix très calme, à l'image de ce qu'elle est, Anne tente de lui expliquer comment elle verrait la situation. Laisser son commerce, essayer de voir avec Pierre Gendron ou avec Bélanger ou même un autre bureau d'avocats... pourquoi pas. Pourtant Vincent n'écoute plus vraiment ce qu'elle dit. Il ne voit que ses yeux qui brillent dans la pénombre et il la trouve jolie. Et finalement, oui, il comprend ce qu'elle est en train de lui expliquer. Il lui semble qu'il a déjà entendu ces mots-là. Alors, se penchant vers elle, il l'interrompt en l'embrassant.

— Je sais que tu as raison, Anne, admet-il enfin, même si ces quelques mots lui semblent usés à force de servir d'expression passe-partout. Ça vire en batince autour de moi. Vite, trop vite. Mais pour l'instant, je ne peux pas reculer. J'ai un associé et tout ce qui va avec. J'ai des engagements face à lui et face à Bélanger aussi. Je... J'ai cet appartement et une auto neuve... Laisse-moi du temps, Anne. Je te jure que ça ne durera pas toujours. Mais laisse-moi du temps...

Anne se soulève sur un coude et le regarde longuement, sans dire mot. Puis dans un souffle, avant de se recoucher dos à lui, elle murmure:

— D'accord, Vincent. Je suis prête à te laisser un peu de temps. Parce que je tiens à toi. Mais pas trop longtemps. J'ai déjà partagé la vie d'un courant d'air et je me suis juré que je ne recommencerais jamais... Non, plus jamais. J'ai déjà trop attendu après la vie...

« J'ai déjà trop attendu après la vie... » Ces quelques paroles, si pleines de sens et de mise en garde, maintenant, Vincent se rappelle fort bien les avoir déjà entendues... C'était une autre femme qui les prononçait et Vincent tenait à elle. À elle et à la vie qu'ils partageaient ensemble. Et pourtant...

Il se tourne sur le côté lui aussi et ferme les yeux, toujours silencieux. Sur l'écran de sa mémoire, le visage de Bélanger se superpose à ceux de Tom et de Normand. Vincent ramène la couverture sur son épaule. Finalement, il ne répondra pas à Anne. Il n'y a rien à répondre et les mots ne sauraient exprimer ce qu'il ne peut promettre en ce moment. D'un geste amoureux, il enlace Anne, en priant pour que ses caresses sachent apporter les réponses dont ils rêvent tous les deux. La passion renaît, les doutes s'estompent. Les gestes, les draps et les parfums s'entremêlent et ne font plus qu'un. La clarté bleue de la lune succède à la lueur mordorée de la bougie qui vient d'expirer en un filet de fumée odorante. Et Vincent se surprend à espérer que cette nuit n'ait jamais de fin...

Chapitre 16

— André ? C'est Tom...

Perché sur un coin de son bureau, André Bélanger vient de prendre la communication.

— Salut. Et alors ? Quoi de neuf ?

— Ça marche. Dimanche j'vas être aux Expos. Avec Danny. Rien de mieux que la foule pour passer inaperçu. On se retrouve à la fin de la huitième manche. En face du restaurant. Trouve-toi quelqu'un pour faire la drop. J'aurai pas le sac avec moi. C'est Danny qui va s'occuper de ça.

— Comme tu veux. De mon côté, Vincent va être avec moi...

Au bout de la ligne, Bélanger entend un soupir à peine retenu.

— Savoie... Ben sûr, ton consultant... Tu fais comme tu veux, André, c'est à toi les oreilles. Mais dis-y qu'à la seconde où le sac est dans ses mains, ça devient ta responsabilité. Arrange-toi pour ben y faire comprendre ça. Si y'arrive un os, t'en assumeras les conséquences. Pis les frais des funérailles de ton avocat manqué...

Et sur ces quelques mots cordiaux, Tom raccroche. Malgré tout, Bélanger échappe un sourire en déposant l'acoustique sur le téléphone. Tom est définitivement sur la défensive, ça se sent dans chacun de ses mots et dans le ton de sa voix. Mais, au moins, il a accepté de placer de l'argent dans le projet de MacKewen. C'est déjà beaucoup. Ce n'est pas souvent que les

Devil's Choice prennent des associés dans un marché. Et c'est exactement ce que Bélanger souhaitait. La livraison prévue pour l'automne prend des proportions plus qu'intéressantes et il n'en demande pas plus. La retraite s'en vient.

Cherchant son cellulaire des yeux, André Bélanger se relève et va jusqu'au guéridon placé contre le mur du fond de son bureau. Il compose un numéro et attend en suivant du doigt la ligne d'un deux mats miniature, comme celui dont il rêve. À l'autre bout de la pièce, le ciel est gris et lourd et il est facile de deviner qu'il fait une chaleur humide comme on le voit parfois en juillet avant les orages. Pourtant, mai n'est pas encore terminé... Puis Bélanger se redresse.

— Georges ? C'est Bélanger... Dis donc, dimanche prochain, j'aurais besoin de tes billets pour le match des Expos. C'est possible ?

Tout en parlant, l'avocat a regagné sa place. Machinalement, il se balance dans son fauteuil. Il fait une moue d'appréciation quand Taschereau lui répond :

— Dimanche ? Ça peut se faire. T'arrives à Montréal quand ?

Bélanger continue à se balancer, nonchalant, se sentant en contrôle de la situation. Tout va exactement comme il le veut.

— Samedi en après-midi. On va profiter de l'occasion pour sortir dans la grande ville... Marielle devrait être avec moi. Dimanche elle pourrait aller voir sa sœur pendant le match. Depuis le temps qu'elle en parle. Moi j'ai quelqu'un à rencontrer.

— Marielle, ici ? On soupe ensemble, alors ? Brigitte serait contente. Et je pourrais te remettre les billets à ce moment-là.

— Bonne idée. J'en parle à ma femme et on se rappelle vendredi.

— J'en fais autant de mon côté. Mais minute avant de raccrocher... As-tu entendu parler du vol chez Birks ?

À ces mots, Bélanger suspend son mouvement en fronçant les sourcils. Puis il s'approche de son bureau en faisant glisser sa chaise.

— Oui... Dans les journaux. Pourquoi ?

— Comme ça. J'ai appris que les Chinois venaient d'investir dans les diamants.

— Des diamants ? Pas fous les gars. C'est un placement sûr... Si jamais t'entends parler de quelque chose, dis-le moi. Je serais peut-être intéressé, moi aussi, par un placement de ce genre...

À son tour, Taschereau retient sa réponse un instant. Puis, d'une voix détachée :

— C'est noté. On se revoit samedi. Je parle à Brigitte et j'attends ton appel.

* * *

À peine midi et déjà il y a foule au Stade olympique. C'est la journée des enfants. Faisant les cent pas devant l'entrée principale, Bélanger surveille l'arrivée de Vincent et de Taschereau. Retenu par une situation familiale imprévue, l'avocat n'a pu quitter la ville de Québec avant ce matin et doit repartir immédiatement après le match. Sa plus jeune fille a eu un accident de bicyclette, sans gravité aucune, heureusement, mais il a tout de même promis à sa femme d'être de retour le plus rapidement possible. Enfin, il aperçoit Vincent qui arrive à grandes enjambées, regardant tout autour de lui, comme toujours. Celui-ci, repérant André Bélanger, il se dirige vers lui en souriant.

— Salut André. En forme ? Et ta fille ?

Bélanger dessine une moue de contentement, visiblement soulagé.

— Plus de peur que de mal... Une fracture à la jambe, quelques contusions...

— Tant mieux. Avec les enfants, on ne sait jamais...

— J'en sais quelque chose. J'en ai quatre... Heureusement, les trois plus vieux volent de leurs propres ailes. Enfin presque... Tiens ! Voilà Georges !

L'avocat montréalais les ayant vus s'oriente aussitôt vers eux, les saluant d'un signe de la main.

— Salut André... Vincent...

Puis il tend une enveloppe à Bélanger.

— Les billets, explique-t-il. Et ce dont on a parlé vendredi...

André Bélanger entrouvre l'enveloppe, prend les deux billets puis regarde à l'intérieur de l'enveloppe en la secouant. Un pas derrière lui, en biais, Vincent n'a qu'à tendre le regard pour apercevoir deux pierres qui brillent fortement au soleil de midi. « Des diamants », a-t-il le temps de penser, pendant que Bélanger fait glisser les deux pierres dans un mouchoir qu'il glisse dans la poche de sa chemise tout en demandant :

— Et combien est-ce que je te dois pour les deux billets et tes chinoiseries ?

Taschereau sourit. Puis il hausse les épaules comme si la question n'avait pas la moindre importance.

— Cette fois-ci, ça monte à 1200 $. Mais on réglera ça quand on se reverra... Et comment va ta fille ? enchaîne-t-il aussitôt, leur emboîtant le pas pour se diriger vers l'entrée du stade.

— Pas trop mal. Elle va s'en sortir sans séquelles. Mais Dieu qu'on a eu peur...

— Saprés enfants, approuve Taschereau en secouant ses

boucles poivre et sel. On passe notre vie à s'en faire pour eux... Bon bien, c'est ici que je vous laisse, fait-il enfin en arrivant devant la porte. Dîner de famille chez le frère de Brigitte, comme souvent le dimanche, explique-t-il en tendant la main à Bélanger puis à Vincent. Et en plus, j'ai dû prendre la BM, explique-t-il. Mon auto est au garage. Brigitte doit m'attendre. Bon match, André, et on se rappelle...

André et Vincent ont trouvé leur place à la huitième rangée, sur la ligne du premier but. De bonnes places, les sièges étant réservés pour la saison par le bureau de Taschereau. Sur le terrain, Youppi s'en donne à cœur joie avec les jeunes qui sont autorisés à rencontrer les joueurs avant la partie. Aujourd'hui, le terrain leur appartient ! Des jeux sont organisés et les plus petits se font maquiller.

Puis la partie commence.

C'est une journée un peu spéciale et l'atmosphère est à la fête. Entre les manches, il y a des activités de prévues et des animateurs de foule, grimpés sur les abris des joueurs, réchauffent l'ambiance en incitant les spectateurs à faire de l'exercice ou à suivre une course de voiture sur l'écran géant. Des prix sont tirés dans la foule à l'aide de catapultes, commandités par Labatt.

Et le match continue. Fidèles à leur veine chanceuse depuis le début de la saison, les Expos mènent 6 à 2 à la fin de la huitième manche. C'est alors que Bélanger se lève.

— C'est l'heure. On a rendez-vous au restaurant...

Tom les y attendait.

— Salut André.

Et sans saluer Vincent autrement que par un signe de tête, il ajoute :

— Danny est au niveau 400. Je suis venu chercher des bières.

À ces mots, Vincent se retourne vers Bélanger, sachant très bien ce qu'il doit faire.

— Tu m'excuses, André ? On se retrouve à notre place pour la neuvième manche...

Quand il revient, Vincent tient un sac à dos vert et mauve. Comme il doit y en avoir des centaines ici, cet après-midi. La partie n'est pas encore recommencée et Bélanger n'est toujours pas de retour. Sur l'écran géant, des mannequins font un défilé pour ce qu'ils appellent la manche Revlon. Pourtant, malgré son attirance habituelle pour les jolies filles, Vincent y porte à peine attention. Il glisse le sac à côté de lui, une ganse toujours passée à son poignet. La foule s'exclame, l'ambiance ressemble à celle d'une fête foraine. Aujourd'hui, chez les Expos, c'est la fête de la famille et des enfants. Le marketing est excellent et les spectateurs sont enthousiastes. Des clowns circulent dans les allées. On mange des hot-dogs, des chips. On boit de la bière. L'été commence et on a tous une raison d'être heureux.

Et dans le sac à dos de Vincent, il y a quatre cent mille dollars...

Il sait que des transactions comme celle-ci ont lieu à répétition dans d'autres endroits. Dans les stades, au forum... Rien de mieux qu'une foule pour tout camoufler. Il l'a toujours dit. Vincent regarde autour de lui. Qui connaît vraiment son voisin ? On rit, on s'amuse sans imaginer que des centaines de milliers de dollars circulent autour d'eux. Alors Vincent dessine un sourire amer en pensant que l'ensemble de ces transactions illicites suffirait probablement à payer le déficit du toit olympique... Si les gens savaient... Puis Bélanger revient.

— Déjà là ?

Et jetant un coup d'œil discret sur le sac, l'avocat reprend sa place.

— J'espère que les Expos vont gagner, souligne Vincent regardant fixement devant lui. La dernière fois que je suis venu, ils menaient comme aujourd'hui et ils ont finalement perdu... Mais si ça ne te dérange pas, moi, je vais y aller.

Alors mine de rien, tout en gardant les yeux sur le terrain où les joueurs reprennent enfin leur place, Bélanger ajoute :

— As-tu réservé une chambre pour la nuit ? Et n'oublie pas ton rendez-vous demain...

Non, Vincent n'a pas réservé de chambre pour la nuit ; il ira dormir chez sa sœur. Puis, dès le lendemain, vers dix heures, observé par Ducharme et photographié par l'équipe de Gary, il se présentera au Bureau de Change, sur Sainte-Catherine pour faire un dépôt. Toujours dans le même compte...

Ensuite il prendra la route vers Québec pour se présenter au bureau des avocats Bélanger, Legrand et associés. Soulagé de pouvoir remettre le bordereau de dépôt. Tom pourra dormir tranquille. Soulagé, parce que c'est l'argent des Devil's Choice que Vincent trimbalait avec lui et que ce sac, finalement, c'était un peu le prix de sa vie qu'il promenait à travers Montréal.

* * *

À quelques reprises, Vincent est venu manger à La Bonne Adresse avec Anne. Et sans poser de questions, Michaud a compris que Vincent venait de se séparer et commençait une nouvelle relation. Il y a certains gestes qui parlent d'eux-mêmes. Mais ce soir, Vincent est seul.

Il a passé plus de deux heures devant l'ordinateur pour ensuite s'installer à sa table habituelle et se commander un copieux repas, arrosé d'un litre de vin. Il commence à se faire tard. Le restaurant se vide peu à peu. Mais Vincent ne bouge pas. Il boit son vin tranquillement comme on le fait à une dégustation, gorgée après gorgée, consciencieusement. Les serveurs quittent la place un à un, saluant Vincent et Michaud qui finit de ranger derrière le bar. Puis fermant quelques lumières, ce dernier rejoint Vincent, se tire une chaise.

— Une autre journée de faite, soupire-t-il en relâchant le premier bouton de sa chemise et en se laissant tomber sur la chaise. Ça fait un moment qu'on ne t'a pas vu ici. Occupé ?

— Occupé ?

Vincent ricane. Il a le regard brillant de qui a un peu trop bu.

— Il paraît même que je suis trop occupé, poursuit-il en regardant son verre.

Puis il prend une dernière gorgée, attrape le carafon et finit de le vider dans sa coupe.

— Et le pire c'est que c'est vrai, constate-t-il enfin.

— On l'est tous, fait Michaud, placidement. Ici, c'est pareil...

Vincent lève vivement la tête.

— Tu penses ? Pas sûr moi que ma job pis ta job se ressemblent tant que ça...

Un autre trait de vin et Vincent corrige, reprenant sa pose décontractée, appuyé contre le dossier de sa chaise :

— Okay, t'as raison : on mène tous les deux une vie de fou. Ici aussi ça doit virer par moment pis pas à peu près. Mais laisse-moi te dire que moi, je commence à trouver ça dur.

— Dur ?

Michaud s'est calé sur sa chaise en bâillant. Vincent reprend.

— Ouais, dur... Ça vire trop vite à mon goût. Pis je ne suis pas du genre à aimer perdre le contrôle.

Michaud le regarde un moment, puis il hausse les épaules.

— T'as juste à peser un peu sur le frein. Personne te

demande de te casser la gueule, Vincent. Dans la vie, faut y aller avec ce qu'on a. Faut jouer sûr.

Vincent ne répond pas tout de suite. Il reste immobile, concentré sur le chatoiement du vin qu'il fait tourner dans sa coupe.

— Avec ce qu'on a, reprend-il enfin. Justement, là, j'ai peur de perdre le peu que je suis en train de reconquérir.

Vincent avale encore un peu de vin.

— Tu vois, j'ai pas envie de perdre une autre femme à cause de la job. Une fois, ça me suffit. Pis Anne m'a bien fait comprendre que la patience n'est pas sa vertu dominante.

Michaud hésite puis dessine un petit rictus d'incompréhension. Il connaît Anne assez bien puisqu'elle vient régulièrement manger. Et plus souvent qu'autrement, elle arrive vers vingt heures directement du bureau.

— Pourtant elle devrait comprendre, analyse-t-il donc. Son agenda semble assez chargé. Elle aussi travaille chez Bélanger, non ?

— Pas pour longtemps, précise Vincent. Depuis quelque temps, elle est en train de mettre des bémols sur Bélanger…

À nouveau, Vincent se met à ricaner, le regard de plus en plus brillant.

Parlons-en de Bélanger… L'avocat des motards, des Devil's Choice. Toute une référence… Si on ajoute à ça la boutique de prêts sur gages…

Michaud lève la main, l'air sévère.

— Attention, Vincent. Là c'est ton choix. Personne ne t'a obligé à ouvrir une…

— Mais fait-on toujours les bons choix ? interrompt Vincent. Je ne dois pas oublier que j'ai une fille. C'est pas évident de s'occuper d'une enfant à travers tout le reste. Dis-toi bien qu'Élise sera toujours ma priorité.

— Ouais, j'peux comprendre. J'ai deux enfants moi aussi. Mais ça change quoi dans la vraie vie ça ? Que t'aies un comptoir de prêts ou une boutique de sport !

— Vu de l'extérieur peut-être. Mais moi, je suis dedans à temps plein. Pis je la vois la différence. C'est peut-être juste une question de valeurs, de principes... Non, je te le dis, Daniel, j'ai l'impression que je suis en train de me mettre le pied dans la bouche encore une fois. Pis le pire là-dedans, c'est que je peux même plus reculer. La shop à Bélanger accepte pas les marches arrières. J'espère juste que ça va être payant pour ma carrière... Que je serai encore capable de me bâtir un avenir après.

Pendant quelques instants, le restaurant est curieusement silencieux. Pourtant, dehors, la rue Cartier est animée. Il n'est que minuit et les bars sont toujours ouverts. On entend un rire, le claquement des talons sur le trottoir, le grondement d'un moteur. Mais c'est un peu comme si ces bruits n'atteignaient pas les deux hommes. Comme si le restaurant était calfeutré et que les odeurs de la journée, nourriture et tabac entremêlés, suffisaient à occuper tout l'espace. Chacun reste perdu dans ses pensées, le regard fermé, seul, par choix ou parce qu'il n'y a plus rien à dire. Puis une auto klaxonne, brisant le silence et les distances. Michaud se relève en s'étirant.

— Je t'offre le cognac avant de partir ? Il me semble qu'on l'a bien mérité.

Et sans attendre de réponse, il se dirige vers le bar. Après quelques pas, il s'arrête, passe une main fatiguée sur ses cheveux courts, les ébouriffe et revient face à Vincent.

— Fais-toi confiance, Vincent. Trompe-toi pas parce que Bélanger va vouloir aller chercher le maximum de toi. Faut juste que tu gères ça pour ne pas te faire mal.

Puis il continue vers le bar. Au moment où il prend les verres et la bouteille de Courvoisier, il ajoute:

— Oublie pas que la vie offre rarement deux chances.

Chapitre 17

L'été promet d'être beau. Les cours d'école résonnent du rire des enfants qui ont commencé le compte à rebours. Dans moins d'une semaine, les vacances seront devenues réalité. Élise ne tient plus en place et la préparation des examens demande un surplus de diplomatie et de promesses pour mériter un tant soit peu d'attention. À six ans, l'appel du grand air et des jeux, surtout fin juin, devient prioritaire et Vincent doit user de tout son charme et parfois même de son autorité pour amener sa puce à accorder le sérieux nécessaire à ses études.

— Promis... on va la prendre notre semaine de vacances au bord de la mer. Mais pour ça, il faut le mériter... Maintenant, on recommence les tables d'addition...

Vincent est fatigué. Depuis quelque temps, il a l'impression d'être obligé de se multiplier par quatre pour réussir à tout faire et finalement, il sent qu'il ne donne le maximum nulle part. Et cela ne lui ressemble pas. Ça l'agace. Dans ce temps-là, il devient impatient, voire agressif. C'est peut-être pour cela qu'Anne se fait plus discrète, se trouvant elle aussi mille et une occupations. Ce qui n'arrange pas les choses...

Ce matin, Vincent a choisi délibérément de s'offrir quelques heures. Seul, sans enfant, sans amie, sans associé ni patron. Question de refaire le plein. Élise vient de quitter l'appartement pour l'école avec l'engagement formel de faire « tout son possible et même plus » et Vincent n'a pas l'intention de se présenter au bureau avant la fin de l'avant-midi. Au programme, en ce début de journée : journaux et café. Puis en après-midi, il ira à Portneuf. Pas trop tard car il veut être de retour à seize heures, en même temps qu'Élise. Demain, il y a l'examen de vocabulaire...

Café à la main, journaux de l'autre, Vincent vient prendre place sur la terrasse, à l'arrière de la maison. Le soleil du matin est déjà bon et deux lilas, en bas sur le terrain, embaument l'air tiède. À moins que ce ne soit le vieux pommier, dans le fond de la cour, qui commence à poudrer ses pétales un peu partout sur la pelouse... Vincent s'installe sur la chaise qui est orientée face au soleil et goûte amoureusement une longue gorgée de café chaud, les yeux fermés. S'il s'écoutait, c'est toute la journée qu'il s'offrirait comme une récompense bien méritée. Un peu comme le voyage qu'il fait miroiter aux yeux émerveillés de sa petite Élise. Il est conscient qu'il ne l'aurait pas volée, cette journée de repos. Même que la tentation de se porter absent se fait très forte. Pourquoi pas ? Juste pour aujourd'hui. Oublier les contraintes et les obligations. Ne penser qu'à soi...

C'était sans compter les grands titres du matin.

À peine un regard sur la une du *Soleil* et Vincent a oublié jusqu'à la signification du mot détente. Repoussant sa tasse de café, il dépose le journal sur la petite table devant lui et se penche pour lire l'article qui s'étale sur deux colonnes sous la photo de Luc Dion, l'homme qui l'a aidé à ouvrir son commerce de prêts sur gages... Le journaliste a bonne plume et l'article est clair.

« Hier soir, vers seize heures trente, dans une beignerie de la région de Beauport, un homme a été atteint de trois balles, deux à la tête et une au cou. Luc Dion, 42 ans, propriétaire de trois commerces de prêts sur gages dans la région immédiate de Québec, était déjà décédé à son arrivée à l'hôpital. Ce meurtre pourrait bien être relié à la guerre que se livrent les gangs de motards. En effet, la police aurait retrouvé des bâtons de dynamite dans un cabanon derrière le chalet de Dion et ce serait cette même dynamite qui aurait servi à faire sauter un bar appartenant aux Devil's Choice, le mois dernier. Pourtant, Dion était réputé être sympathisant de ce groupe. Serait-ce un autre épisode de cette purge interne qui a déjà coûté la vie à Jacques « Coco » Lamarre ainsi qu'à Pierre « Coyote » Patry ? Luc Dion aurait-il payé de sa vie un trafic illicite de dynamite ? Ce matin, les policiers devaient se présenter aux commerces de Dion pour les perquisitions d'usage. C'est à suivre... Luc Dion laisse dans le deuil une compagne, Lyne Mercier, ainsi qu'un fils, né d'une précé... »

Vincent relit le papier, feuillette le *Journal de Québec* à la recherche d'un autre article qui relaterait le même événement, le détaille à son tour puis se relève. Est-ce bien lui qui pensait détente il y a à peine cinq minutes ? Sans perdre un instant, Vincent attrape sa tasse de café tiédi, la vide distraitement d'un trait comme on le fait d'un verre d'eau par grande chaleur puis se précipite vers l'étage pour se changer. Sûrement que Bélanger doit l'attendre... et Normand aussi...

Effectivement, Bélanger l'attendait. Les journaux du matin sont étalés sur son bureau.

— T'as lu ? Il y a de fortes chances que ce soit un dossier dont on va hériter à court terme. J'aimerais ça que tu ailles jeter un coup d'œil. On ne sait jamais...

Vincent retient une grimace. Pour ce qui est du repos, on pourra repasser...

— Tu veux que je me présente aux commerces de Dion ?

— Oui. À celui de Limoilou en particulier. C'est là que Dion gardait ses livres.

Et finalement, en guise de conclusion, comme si cela suffisait à justifier sa demande, Me Bélanger ajoute, sans vraiment s'intéresser à Vincent, tout en repliant le journal:

— De toute façon, j'ai l'intuition que tu vas te voir confier la gestion de ces trois commerces...

Vincent aurait le réflexe de demander s'il a le choix d'accepter ou non. Puis brusquement il se rappelle la rencontre qu'il a eue avec Tom, ici même, il y a quelque temps. Le motard ne l'avait-il pas prédit: « Dion est à veille de se retirer des affaires... » Alors Vincent hausse les épaules en soupirant mentalement. Il connaît déjà la réponse. Il n'aura pas le choix.

— C'est beau, laisse-t-il enfin tomber. Je pars à l'instant. Ensuite, je vais aller voir mon associé à Portneuf. J'ai l'impression que lui aussi a quelques questions dont il aimerait avoir réponses. À moins qu'il n'ait pas lu les journaux ce qui me surprendrait... On se rappelle.

En quittant le bureau de Bélanger, Vincent a une curieuse sensation. Comme un inconfort qui lui gratterait l'estomac. Il a la très nette impression qu'il est coincé. Que la boule de neige roule le long de la pente de plus en plus vite et qu'inexorablement, elle deviendra de plus en plus grosse.

Vincent Savoie a la très nette impression qu'il est en train de se piéger lui-même...

Limoilou, première avenue, dix heures du matin, à côté de l'hôpital Saint-François d'Assise. Il y a déjà la foule habituelle des promeneurs, des commerçants, des camions de livraison. L'écriteau municipal décrétant le silence pour cause de zone hospitalière semble dérisoire. Un bruit de freins suivi d'un avertisseur impatient narguent les autorités. Vincent arrive à se garer derrière une Chevrolet Impala, bleu nuit, à deux blocs du Cash-in de Dion. Directement devant le commerce, une voiture de la Sécurité fait le guet, se voulant anonyme, gyrophares éteints. Pourtant, instinctivement, Vincent ne s'y attarde pas et revient à l'Impala qui le précède. Le conducteur est toujours assis derrière le volant et regarde nonchalamment autour de lui, mâchant sa gomme avec conviction. On dirait quelqu'un qui attend un parent ou un ami venu en consultation à la clinique de l'hôpital. Vincent se redresse, tous ses sens en alerte. Il ne croit pas aux coïncidences. Cette auto est une auto banalisée de la Sécurité. Il en a trop souvent conduit de semblables pour ne pas la reconnaître. Alors, il sait aussi que cet homme est là pour lui. Ses réflexes de policier ne peuvent lui mentir. Pendant un moment, Vincent reste immobile, fixant la nuque puis le profil de l'homme devant lui. Puis encore la nuque et l'autre profil... Vincent a l'impression de revenir dans le temps. Il est en mission mais personne ici ne le sait. Et cet homme l'attend pour l'interroger parce qu'il a été vu en compagnie de certains suspects. C'était hier et Vincent a l'impression que c'est encore aujourd'hui. Il était de Grande-Vallée puis de Rimouski. Il a fait un saut dans le Saguenay puis habite maintenant à Québec où il travaille. Il connaît le milieu criminel comme pas un, à force de persuasion il s'y est taillé une place que certains envient, que d'autres décrient. Le moins qu'on puisse dire c'est que sa carrière est particulière, différente. Il la trouve par moments enivrante. Il joue avec les images et les gens. Il fait partie d'une équipe même si souvent il est seul. Mais c'est le choix qu'il a fait...

Ce n'est plus tout à fait cela... Les noms d'emprunt appartiennent au passé. Pierre Côté et Michel Valois sont morts au moment où il a choisi de plaider coupable. Maintenant, il ne reste que Vincent Savoie, avec ses acquis et ses espoirs... Il sait qu'on va probablement l'emmener au quartier général de la

Sécurité, comme souvent on le faisait à l'époque. Mais aujourd'hui, Vic ne sera pas dans un coin de la salle à le regarder passer, un sourire de complicité au coin de l'œil. Oui, Vincent sait qu'on va l'emmener mais en même temps, il sait qu'on ne peut rien retenir contre lui… De toute façon, Bélanger n'est-il pas un excellent avocat ? Se décidant enfin, il ouvre la portière et se glisse hors de sa Prelude. Aussitôt, l'homme de la Chevrolet en fait autant et se dirige vers lui.

— Vincent Savoie ? J'ai un mandat contre vous. Veuillez me suivre…

Tel qu'anticipé, on a conduit Vincent au poste central de la Sécurité. Une caméra vidéo, trouvée sur la banquette arrière de son auto, et sans numéro de série, est venue à elle seule justifier le mandat de perquisition qu'on avait obtenu pour complot et recel…

En entrant dans la salle de l'Escouade, Vincent a le réflexe de regarder dans le fond de la pièce, là où il avait son bureau tout à côté de celui de Victor. Il est presque surpris de ne pas voir la tête blonde dépasser le bord du paravent qui séparait la salle en différents îlots et lui jeter un regard de connivence. Le grand Victor avec ses allures de Viking… Cela fait combien de temps déjà ? Un téléphone sonne, des voix s'interpellent, un rire. Retenant un mouvement de nostalgie, Vincent se laisse guider vers une petite salle anonyme, le visage fermé, comme indifférent à tout ce qui se déroule autour de lui, ce matin. Comme si le passé n'existait plus et que l'avenir n'avait aucune importance. Ne reste alors que le présent. Vincent serre les mâchoires. C'est cela : ne penser qu'au moment présent parce que les souvenirs continuent de faire mal et que les projets sont encore trop flous… Un dernier rictus, un sourire incomplet, un regard d'intrigue presque frondeur et Vincent se retourne.

Philippe Bolduc, prévenu de l'arrivée de Vincent Savoie, l'attendait en berçant complaisamment sa panse de capitaine fraîchement nommé.

— Vincent...

Pendant un moment le regard des deux hommes ne fait qu'un. On se détaille, on se reporte à ce que la mémoire a conservé puis on se reconnaît et on s'évalue à nouveau. Vincent, poussé par une main impatiente, fait un pas de plus dans la pièce.

— Laissez-nous.

Bolduc n'a pas vraiment changé. De ses chaussures un peu avachies au nœud de sa cravate négligemment noué, il respire toujours le certain laisser-aller de qui attend la retraite. Terre promise que l'on croit bien méritée... Pourtant, la mèche hirsute de ses cheveux qui était autrefois sujet de moquerie est aujourd'hui disciplinée, rabattue et enduite de gel pour camoufler une calvitie naissante, lui qui a connu les gyrophares rouges, les voitures de patrouille aux portières jaunes, l'étui de « 38 » à rabats et le pantalon kaki avec les rayures noires. Devenu gris de poil, Bolduc doit bien avoir maintenant dans les cinquante-cinq ans.

— Entre, assieds-toi, Vincent.

À nouveau, Bolduc plante le reflet de son regard dans celui de Vincent. Ce qui le surprend un peu. Son ancien patron n'a pas l'habitude de fixer les gens. Il n'aime pas se mouiller, s'impliquer. Son poste l'oblige peut-être à prendre des décisions, mais il a appris au fil des ans et des expériences à ménager la chèvre et le chou. Bolduc est passé maître dans l'art de tout négocier... Alors ce regard incisif trouble un peu Vincent. Mais cela ne dure guère. Un battement de paupières et Bolduc reprend la pose qu'il connaît bien: d'un geste réflexe le capitaine vient faire craquer ses jointures et y met toute son attention.

— Alors ? demande-t-il sans vraiment lever la tête.

Sans rien dire, vague à souhait, la question est habile, ouvre toutes les possibilités. Vincent hausse les épaules.

— Qu'est-ce que tu veux que je te donne comme réponse ?

Répartie tout aussi politique, au-delà de toute diplomatie.

— Rien, sinon me dire ce que tu faisais là.

— Rien, sinon que je suis curieux de nature…

Chiens de chasse aguerris, ils tournent tous deux autour de la proie sans l'approcher, pour l'étourdir. Bolduc est le premier à lâcher prise, comme souvent. Mais avec une variante : à nouveau il darde son regard sur Vincent.

— Sacrament, Vincent…

À ces mots, une ombre furtive, presque amusée, traverse le visage de Vincent. Il vient de reconnaître le patron.

— Sacrament, Vincent… Je… je suis content de te revoir, mais je pensais pas que ce serait ici… À quoi est-ce que tu penses ? C'est pas une vie…

Vincent laisse couler quelques secondes.

— De quoi est-ce que tu parles ?

Bolduc soupire, impatient, comme devant une évidence que l'autre refuse de voir.

— On a de l'écoute… Et toi, tu sais très bien de quoi je parle. Tout comme moi.

Une autre pause. Et ensuite, d'une voix très calme qui elle aussi énonce une évidence :

— Non, Philippe. Tu ne sais pas. Personne ne peut savoir.

— Okay.

Geste d'homme vieillissant, Bolduc se lève pesamment et vient asseoir sa corpulence un peu flasque en équilibre instable sur le bord de la table. Comme pour abolir les distances et retrouver cette intimité qui a déjà existé entre eux. L'image est difficilement soutenable pour Vincent.

— Peut-être bien que je ne peux pas savoir tout ce que tu as vécu, admet-il enfin. Mais je te connais, Vincent. On a travaillé ensemble, on s'est battu ensemble. Et je sais que t'es un bon gars. Ce que j'ai sur écoute ça ne te ressemble pas. C'est pas le Vincent que je connais. Ça ne te donnera rien de bon. Crois-moi, laisse tomber, Vincent.

Bolduc a pris le ton du prof qui fait la morale à un élève un peu turbulent ou plutôt celui du bon père de famille qui choisit de glisser son autorité à travers sa bonhomie. Attitude légèrement déplacée dans le dialogue qui confronte les deux hommes. Les enjeux se jouent à un autre niveau et ils le savent tous les deux. Pourtant, Vincent entre dans la danse et répond avec la fougue de l'adolescent qui en a assez de suivre les consignes.

— Laisser tomber ? Quoi ? Qui ?

— Pas avec moi, veux-tu... Quitte le milieu. Parce que tu t'en vas directement d'où tu viens, en prison. Sinon dans ta tombe. T'as une famille, non ?

— Tu le sais bien. J'ai une fille.

— Pense à elle, Slinky.

« Slinky ». Vincent doit se faire violence pour rester de marbre. Slinky, c'était son surnom au sein de l'Escouade. Le gars insaisissable, toujours prêt à rebondir. C'est donc en quelque sorte le reflet de sa vie de policier que Bolduc utilise. À nouveau, très habile, mais en même temps très méchant. Et ce n'est pas dans la nature de Bolduc d'être manipulateur. Pas de cette façon. Alors, pourquoi est-ce qu'il joue avec lui comme ça ? Il n'a pas le droit. Même pour le faire réfléchir, même avec les meilleures intentions du monde, même involontairement.

D'être ici est déjà bien assez lourd à porter. Pas besoin d'en rajouter. Le visage de Vincent se durcit.

— Inquiète-toi pas pour ma fille. J'y vois.

Bolduc a regagné sa place, de l'autre côté de la table.

— Si tu voulais parler, on pourrait peut-être t'aider ?

— M'aider ?

Vincent échappe un rire amer, même si la proposition de Bolduc était prévisible. Combien de fois Vincent a-t-il usé d'un langage semblable ? Donnant-donnant. Ses rides se creusent. Rides de déception, de solitude gravées sur son front. Mais le regard reste placide, inatteignable.

— Tu ne penses pas qu'il est un peu tard pour me dire ça ? L'aide, je l'aurais pris il y a trois ans.

Autre évidence que Bolduc rejette d'un soupir. Il y a de ces choses que l'on préfère nier.

— Il n'est jamais trop tard, fait-il pour se rattraper, comme si le temps et les occasions perdus pouvaient revenir à volonté.

À ces mots, le front de Vincent se lisse à nouveau. Les déceptions et la solitude se fondent aux souvenirs, s'estompent, disparaissent en même temps que les rides. Aussi rapidement que celles-ci avaient strié son visage. Et les regrets entretenus avec les souvenirs en font autant. Ce qui se vit ici, ce matin, n'a rien à voir avec la nostalgie qu'il garde de son métier. Jouer avec la vie de quelqu'un laisse toujours un goût amer, même quand on gagne. Vincent, lui, c'est sur le terrain qu'il aime agir. Pas dans un bureau. Dans le fond, c'est la camaraderie, c'est l'équipe qui lui manque. Quant au reste... Bolduc n'a donc rien compris. Dommage... Alors Vincent n'a plus rien à regretter. Il reprend, curieusement soulagé, posant un regard neuf sur lui et sa vie.

— Oh que oui, il est trop tard. Il est beaucoup plus tard que tu penses, Philippe. Beaucoup plus tard ! De toute façon, je n'ai rien à dire. Pas un seul mot ni la moindre virgule.

— Et la caméra vidéo ?

— Oh ça !

Vincent lève la tête et à son tour plante l'éclat décidé de son regard dans celui plus terne, presque décoloré, de Bolduc :

— La caméra est à moi… J'ai la facture…

Quand Vincent ressort du quartier général, un orage a laissé sa trace luisante sur la chaussée. Un troupeau de nuages noirs galope vers un soleil d'apocalypse qui étale un miroitement de cendre sur la ville. Un arc-en-ciel se dissout vers l'est et le ciel revient à la normale vers l'ouest. Vincent prend une profonde inspiration. De soulagement. À son insu, Bolduc lui a permis de replacer certaines variantes de ses choix dans leur véritable perspective. Un orage a lavé la ville en même temps qu'il lavait son esprit. Les regrets qu'il entretenait avec nostalgie n'ont maintenant plus de corps, devenus volatiles comme une essence sans parfum, éventés par les saisons qui passent. Vincent regarde autour de lui, essayant de trouver son auto que les policiers ont fait remorquer afin de poursuivre leur fouille. Puis l'ayant repérée, Vincent glisse la main dans la poche de son pantalon pour retirer l'enveloppe qui contient ses effets personnels. Il prend ses clés, tout en marchant d'un bon pas vers le fond du stationnement. Il ne ressent plus aucune fatigue.

Le temps de faire un saut au commerce de Portneuf et Vincent Savoie devrait être de retour à la maison en même temps que sa fille Élise. Demain, il y a un examen de vocabulaire…

* * *

Le festival d'été bat son plein. La Capitale est assaillie par les touristes qui se promènent le nez en l'air pour ne rien manquer. Les acrobates succèdent aux amuseurs publics, les clowns rivalisent avec les musiciens. On consulte les cartes et les programmes. On rit, on projette, on quadrille la ville d'une scène à l'autre. Québec n'est plus qu'une immense fête où les enfants sont roi, maquillés, les cheveux tissés de fils multicolores. Le soir, adolescents et adultes envahissent les places de spectacles qui se suivent à un rythme endiablé, tous différents, hauts en couleur, en musique. La francophonie est à l'honneur : Belgique, France, Afrique... Québec vibre au son des tamtams, des flûtes et des voix envoûtantes. On oublie que l'on doit travailler le lendemain. On prend le temps de respirer, de marcher. On prend le temps de vivre. C'est la pause tant attendue, c'est enfin l'été.

D'un pas de promeneur, justement, Gary emprunte la rue Saint-Louis et se dirige vers le Château Frontenac. Il aime bien la ville de Québec et ne se fait jamais prier pour y revenir. La foule est dense, l'air est bon, les vieilles pierres se chauffent au soleil. Habilement, Gary faufile sa carrure de footballeur à travers la masse compacte d'un groupe de touristes japonais. Curieux Gulliver chez les Lilliputiens. Puis il poursuit son chemin, ses cheveux roux jetant des éclairs sous le soleil de midi.

Un portier, chapeau haut-de-forme et veste queue-de-pie l'accueille au Château. Gary passe la porte tournante et se retrouve dans un décor de Dickens. Une femme de chambre traverse le hall, telle une soubrette d'opéra avec sa robe noire et son tablier blanc. Un immense bouquet de fleurs coupées offre sa couleur vivace dans l'ombre fraîche de la réception. On se déplace à bruits feutrés, on s'interpelle à voix couverte... Un homme d'entretien vide les cendriers avec des gants blancs... Alors Gary dessine un sourire. Il n'y a que Québec qui puisse marier la vieille France et le British avec autant d'élégance, qui puisse continuer de vivre au vingtième siècle, en Amérique, dans un décor séculaire... Le temps d'habituer son regard à la pénombre de la place, et Gary emprunte le long couloir qui part devant lui, bordé de boutiques luxueuses et qui mène directement au Bar Le Saint-Laurent.

Il a demandé une table tranquille, prétextant un important contrat à négocier. Ce qui n'est qu'un demi-mensonge.

Le bar de forme ovale du Château est frais à souhait et la table proposée, légèrement en retrait, près du foyer, donne sur la terrasse. Un bon vent gonfle les eaux bleutées du fleuve, les borde de moutons blancs et les voiliers de vacances roulent toutes voiles dehors. Quand Gary se penche vers la droite, il aperçoit la pointe de l'île d'Orléans, toute de vert habillée, qui se découpe entre ciel et mer. Il se commande une bière. Puis il se cale contre le dossier du fauteuil. Chaque fois qu'il se retrouve ici, au Château Frontenac, un curieux vertige l'emporte. Que de gens se sont rencontrés, que de décisions importantes se sont prises ici... Churchill, Kennedy, le prince Rainier, Élisabeth II, Trudeau... Peut-être se sont-ils assis dans ce même fauteuil... Gary regarde autour de lui, comme si ces gens pouvaient soudainement lui apparaître. Puis il esquisse un bref sourire. Si les murs avaient des oreilles, que de choses ils auraient probablement à dire... Puis le serveur revient.

À peine Gary verse-t-il sa bière dans le verre que Langlois, le sous-ministre à la Sécurité publique arrive, toujours fidèlement ponctuel. C'est l'homme d'affaire qu'il attendait. Debout dans l'embrasure de la porte, Réal Langlois le cherche du regard. Grandeur moyenne, carrure sans envergure, visage quelconque, cheveux blonds filasses, lunettes cerclées d'or, bouche amère que Gary n'a jamais vu sourire, Langlois est un homme neutre, sans caractéristiques définies. Le policier n'a jamais pu l'imaginer autrement vêtu qu'avec son complet marine. Seule la cravate de soie varie selon le résultat des élections. On ne lui connaît ni femme, ni famille et la réflexion de Gary n'a jamais élaboré sur le sujet. Cela ne le regarde pas. Au demeurant, Langlois est efficace. En dix ans, les gouvernements se sont succédé et Langlois est resté. Les années passent et lui, il sait de plus en plus de choses. Avec le temps, il est devenu immuable et craint. Aujourd'hui, et depuis deux ans, il porte une cravate bleu fleur de lys. À son tour, il se commande une bière.

Gary sait que les heures de la journée de Langlois sont comptées à la minute près, alors, il va droit au but. La rencontre est prévue pour faire le point sur les activités du SRQ jusque dans les moindres détails, ce qui ne pouvait se faire au téléphone, et, en accord avec Saillant, pour demander patience et confiance absolue.

— La preuve accumulée, commence-t-il donc, après les quelques palabres d'usage entre gens du monde, ne permet pas encore de relier les intervenants entre eux. Par contre, les filatures, l'écoute électronique, les révélations de nos informateurs indiquent que nous ne devrons intervenir que dans le cas d'une importante entrée de drogue au Québec. Ce que nous anticipons.

Le sous-ministre écoute Gary sans manifester la moindre émotion. Il prend une longue gorgée de bière avant de répondre.

— J'aime mieux attendre que la preuve soit solide. Le ministre en a assez de se faire questionner sur la valeur des témoignages de délateurs... À croire les journaux, ce serait nous qui serions devenus les méchants. La pression est forte. Il faut donc réussir ce projet. C'est capital. Alors, on attendra le temps qu'il faudra.

Finalement, d'un ton banal, comme royalement indifférent, il demande :

— Par contre, simple curiosité, notez-le bien : est-il possible d'escompter obtenir les résultats avant les élections ?

Gary fait la moue.

— Comment répondre avec certitude, monsieur ? L'analyse des informations obtenues laisse penser que la transaction aurait lieu à l'automne. Par contre, l'expérience me suggère de vous redire que plusieurs variables peuvent influencer les plans et occasionner des délais. Je vous réponds donc que j'espère pouvoir intervenir avant l'hiver... En fait, il faudrait intervenir le plus tôt possible pour limiter les fuites ou pire, les problèmes légaux...

Habitué au langage politique, Langlois balaie la réponse de Gary du revers de la main.

— Mais encore, fait-il agacé. Soyez précis.

— Comme je viens de le souligner, nous avons toutes les raisons de croire que la saisie devrait se faire ici, au Québec. Nos relations avec l'agence américaine anti-drogue sont au beau fixe. Nous pouvons confirmer que la Drug Enforcement Agency, la DEA a réussi à infiltrer le cartel de Cali et nous avons appris que Jose Sforza lui-même s'est rendu à Paris pour finaliser une mégatransaction. On avance même le chiffre de deux tonnes de cocaïne.

C'est peut-être la première fois que Gary voit l'ombre d'un sourire effleurer la physionomie du sous-ministre. Il reste un moment interdit.

— Deux tonnes ? intervient alors Langlois, devant le bref silence du policier, en levant un sourcil qu'il porte broussailleux. Intéressant... Poursuivez, Gary, poursuivez.

Le volubile Irlandais n'attendait que cela.

— Inutile de dire que la DEA espère que la saisie se fera à l'extérieur des États-Unis, le plus loin possible de leur agent d'infiltration. Vous comprendrez alors l'importance pour nous de nous montrer patient, tout en continuant à analyser les activités des groupes criminalisés.

— Effectivement, murmure le sous-ministre, à nouveau avare de mots et d'expression. Continuez...

— Dans ce contexte, selon nous, il est primordial que le gouvernement du Québec, et probablement celui du Canada, puissent convenir d'une entente nous permettant d'obtenir l'autorisation formelle d'effectuer l'interception et la saisie des stupéfiants ainsi que celle de procéder au blocage de l'argent et des biens reliés au projet. Le tout, sur le territoire du Québec afin de garder au Québec le fruit de ces activités criminelles...

Les deux sourcils maintenant réunis en une ligne dense et touffue au-dessus du cercle des lunettes, Langlois approuve.

— Bien... Bien... J'avise sans tarder mon patron de la gravité de la situation...

— Vous comprendrez aussi, poursuit Gary, toujours sur sa lancée, qu'il serait regrettable qu'une telle saisie soit effectuée à l'extérieur du Québec.

— Éminemment regrettable, en effet, reconnaît aussitôt le sous-ministre...

Puis il retombe dans un certain mutisme que Gary n'ose interrompre. Il connaît bien le sous-ministre et sait que ces pauses lui sont essentielles. Après quelques instants de concentration sur les bulles qui éclatent à la surface de sa bière, Langlois relève son regard de myope.

— Croyez-vous avoir, à ce jour, d'autres souhaits à formuler ?

— Plus tôt, ce matin, j'ai parlé au directeur du SRQ. Je l'ai rencontré dans un commerce en banlieue. Il m'a avisé que deux-cent-cinquante policiers seraient nécessaires pour mener les opérations à terme.

Encore une fois, Langlois balaie l'intervention de Gary du revers de la main, comme si cela allait de soi.

— Rien d'autre ? insiste-t-il.

— Oui. Une confiance aveugle dans le SRQ. Vous connaissez les hommes qui sont sur le terrain, n'est-ce pas ? Soyez assuré qu'ils font un excellent travail. Un véritable labeur de taupe, sans vouloir faire de jeu de mots facile. Mais c'est vrai. Leur rôle est ingrat. Ils avancent lentement, avec prudence et sans beaucoup de lumière. Michaud, en particulier. Nos preuves s'accumulent et petit à petit on arrive à recouper certaines personnes. Au Service de renseignements, on ne doit pas souvent dormir sur ses deux oreilles. Mais on ne veut rien brusquer. Et quitte à ne recevoir les informations qu'à la goutte, on ne prendra aucun risque.

— C'est bien. Je suis persuadé que, dans ce contexte, le ministre vous accordera sa confiance. L'important, c'est de protéger le côté politique de la chose, si jamais l'opération ne se terminait pas comme prévu. Et c'est exactement ce que vous semblez avoir compris.

Chapitre 18

Depuis que Vincent est revenu de vacances (une semaine à la mer, tel que promis à Élise), Bélanger et lui ont pris l'habitude de venir dîner à La Bonne Adresse, une fois par semaine. Quand le temps le permet, ils font le trajet à pied. Début août, le temps a légèrement fraîchi mais le soleil reste relativement fidèle. La promenade entre les bureaux de Bélanger, Legrand et associés et l'avenue Cartier n'en est que plus agréable. Me Bélanger qualifie cette randonnée de « jogging » hebdomadaire...

— Alors, Vincent, pas trop lourd de gérer quatre commerces ?

Les deux hommes longent présentement le Grand Théâtre en direction de la rue Maisonneuve. Parfois ils arpentent cette route, à d'autres moments, ils utilisent la Grande-Allée, tous les deux attirés par ces vieilles demeures, vestiges d'une époque où Québec était véritablement la capitale de ce nouveau monde. Le ciel est d'un bleu électrique même si une brise fraîche fait se retourner les feuilles maintenant d'un vert sombre, poussiéreux. On sent que l'automne n'est plus très loin. Vincent répond d'abord par une moue amusée.

— Il faudrait peut-être le demander à Normand, mon associé, fait-il pince-sans-rire. Finalement, c'est lui qui se tape le plus gros du travail. La gestion de quatre commerces de prêts sur gages n'est pas simple.

— Et c'est rentable ?

À nouveau une ombre amusée passe sur le visage de Vincent, alors qu'il se penche vers sa pagette qui vient de sonner. C'est

Normand qui tente de le joindre. Vincent hésite puis revient à Bélanger.

— Assez, oui.

— Suffisamment pour penser à investir certains profits ?

Bélanger sent une légère hésitation dans la démarche de Vincent, même si celui-ci n'a pas ralenti l'allure. Puis d'une voix détachée :

— Pourquoi pas ?

Alors Bélanger se permet de sourire.

— C'est bien ce que je pensais. J'ai peut-être quelque chose d'intéressant...

Ils sont maintenant tout près de la rue Sallaberry. Du geste de l'habitude, sans avoir à regarder devant eux, ils tournent à gauche, traversent la rue en diagonale et enfilent sur Aberdeen qui débouche sur Cartier, directement en face de La Bonne Adresse.

— Je détiens une information concernant un mouvement qui devrait survenir bientôt à la Bourse. Un bon placement, au bon moment et les profits sont assurés.

Vincent se tourne vers lui, intéressé.

— Quels genres de profits ?

— Substantiels. On parle de IDESOFT...

— IDESOFT ? La compagnie de...

— Oui, la compagnie de logiciels, interrompt André. J'ai su qu'un événement devrait venir perturber le cours de ses actions.

Le visage de Vincent se durcit et la ride habituelle de sa réflexion affleure aussitôt sur son front.

— Quel genre d'événement ?

Bélanger hausse les épaules, comme dégagé d'un tel détail.

— A-t-on vraiment besoin de le savoir ? Les renseignements viennent de Taschereau. Ça me suffit... Attention...

Ils viennent de déboucher sur Cartier. L'achalandage quotidien, normal à l'heure du midi, encombre la rue. Se faufilant entre les autos, Vincent et Bélanger arrivent à la porte du restaurant. C'est à ce moment, tout en tenant la porte ouverte pour Bélanger que Vincent répond.

— Ça m'intéresse. Mais j'aimerais avoir plus de détails.

— Pas de problème, le jeune. On s'en occupe tout de suite.

Puis sans transition, retenant Bélanger par le bras un moment, Vincent ajoute, montrant la rue d'un geste du menton :

— J'habite dans le quartier. Il faudrait bien que tu viennes voir ça un jour.

Alors Bélanger lui sourit.

— Je sais... Anne m'en a parlé...

Michaud les accueille avec son empressement coutumier. Leur table est prête.

— Tu m'apporteras un scotch, lance Bélanger sans prendre la peine de s'asseoir. Je vais aux ordinateurs...

Le message envoyé sera bref, précis et vague à la fois.

« .... *Vincent et moi voyons un intérêt certain dans votre projet de développement. Nous aimerions connaître le moment qui vous convienne afin de fixer un rendez-vous pour discuter des modalités et mesurer les possibilités d'expansion de ce projet novateur et exclusif. Votre heure sera la nôtre et nous nous gouvernerons en conséquence.*

Vous remerciant d'avoir pensé à nous associer à ce projet, nous attendons votre réponse.

Au plaisir,

André et Vincent »

Le tout envoyé par le biais d'Internet à la firme Taschereau, Croft, Savard et Associés, au soin de Me Georges Taschereau, fils. La réponse leur parviendra au dessert et Vincent en prendra connaissance en buvant son café.

« *......André,*

Les événements se précipitent. Il est impératif que nous puissions nous rencontrer mardi en huit, le 13 août, à 9 h 45. Mes associés et moi proposons que vous investissiez 25 000 et 40 000 $ dans le projet. Vous devez comprendre que vous ne serez pas les seuls investisseurs dans le projet et que vous vous joindrez à des partenaires triés sur le volet.

Au plaisir de vous rencontrer

Georges »

* * *

Avant même que les journalistes n'aient pu s'emparer de la nouvelle, Saillant, Ducharme et Veilleux en discutaient entre eux. À 10 h 03, en ce mardi matin gris du mois d'août, deux bombes éclataient au siège social de IDESOFT, à Laval. À 10 h 12, Saillant recevait un appel de Gary et à 10 h 15, il convoquait Veilleux et Ducharme. Une même interrogation brille au fond des regards.

— Terrorisme ? lance Veilleux.

Ducharme fait une moue dubitative.

— Pas sûr... C'est trop parfait. Personne sur les lieux de l'explosion... Ni morts ni blessés... Du moins à première vue... Non, je pense plutôt que c'est un message... ou un placement. Peut-être même les deux.

Puis se tournant vers Saillant.

— Gary doit-il rappeler ?

— Oui, dès qu'il aura d'autres renseignements. Mais je pense comme toi, P A, ça ne ressemble pas à du terrorisme...

Puis à une vitesse et avec une agilité surprenante pour un homme de sa corpulence, Saillant fait pivoter son fauteuil et se lève.

— Je sais ce qu'on va faire…

Et sans plus d'explication, il quitte le bureau. Pour revenir quelques instants plus tard, un papier à la main.

— Sébastien, prends ce numéro et appelle Donald Brochu. C'est un ancien de la CUM. Il travaille maintenant à la sécurité à la Bourse. Demande-lui de suivre le cours des actions de IDESOFT. Si je ne me trompe pas, nos cravates de soie sont mêlées à ça…

— Tu crois ?

— Plus j'y pense et plus j'en suis sûr. Le pif, Sébastien, le pif… Ça vaut bien des enquêtes parfois… Et toi Ducharme, va sur les lieux… On ne sait jamais. Moi, je rappelle Gary… Réunion ici dans deux heures.

Comme Saillant l'escomptait, dès la nouvelle rendue publique, les actions de IDESOFT ont chuté de façon substantielle. Il semblerait qu'il y a de l'action sur le parquet des Bourses nord-américaines…

— Je le savais, jubile Saillant en frottant ses mains boudinées. Je le savais donc…

Et se penchant sur son bureau, il regarde fixement Ducharme et Veilleux l'un après l'autre, lissant machinalement sa courte moustache.

— Je veux la liste complète des acheteurs d'actions chez IDESOFT depuis trois mois. Rappelle Brochu et demande-lui de te la fournir. Vous allez me scruter ça à la loupe. Puis dans quelques jours, vous demanderez la liste de tous ceux qui ont investi depuis aujourd'hui, ceux qui ont vendu en bloc récemment… Notez tout ce qui vous semble suspect… Je veux tout…

La nouvelle a fait la une de tous les journaux, puis un terrible accident d'autobus a pris la relève, suivi d'un vol dans un dépanneur qui a mal tourné et les bombes chez IDESOFT se sont retrouvées en troisième page. Finalement, trois semaines après l'attentat, on en parle comme d'un fait divers. Quand il n'y a ni morts ni blessés et que les dégâts sont limités... « Un fou, un malade, entend-on dans les conversations... » Puis on passe à autre chose.

Sauf Saillant. Depuis trois semaines, il en a fait son pain et son beurre...

Le soir est tombé. La salle de l'escouade, à Montréal, est presque silencieuse. Une lampe de travail dessine un halo de lumière jaunâtre sur les feuilles de papier couvertes de noms et de notes qui encombrent le bureau du gros inspecteur. Il a relâché le nœud de sa cravate et remonté les manches de sa chemise. Derrière lui, les lumières de la ville clignotent sur l'été finissant et sur le rebord de la fenêtre, un vieux poste de radio diffuse en sourdine une musique de jazz. C'est un beau jeudi soir. Le Festival des films du monde doit commencer bientôt. L'automne est à deux pas. Et Saillant sourit.

Sur la feuille qu'il tient à la main, il y a la liste des noms des derniers investisseurs chez IDESOFT. Ainsi que quelques noms de personnes qui avaient vendu leurs actions dans les quarante-huit heures avant l'explosion et qui, curieusement, ont racheté ces mêmes actions peu après pour revendre le tout il y a quelques jours. Pour certains, les profits doivent être considérables... Après un travail de moines, Ducharme et Veilleux ont finalement isolé l'identité des personnes que Saillant espérait retrouver sur la liste que Brochu leur a fournie. Il ne s'était pas trompé. À travers une suite considérable de noms, Ducharme a surligné quelques noms :

« André Bélanger, avocat, Québec
Georges Taschereau fils, avocat, Montréal
Andrew MacKewen, avocat, Montréal
Joseph Karruda, homme d'affaires, Sherbrooke
Anne Trépanier, avocate, Québec »

Et à côté de ce dernier nom, une note griffonnée par Ducharme : « Nouvelle compagne de Vincent Savoie... ». Saillant s'attarde un moment à ce dernier nom, le suivant du bout du doigt, pensif.

— Rusé le renard, murmure-t-il alors. Encore plus connecté et croche que tout ce que je pouvais imaginer...

Puis revenant aux autres noms.

— Mais ça achève. Le nœud se resserre.

D'un geste las, il dépose la liasse de feuilles sur son bureau et se laisse aller contre le dossier de son fauteuil. Le reflet de la lampe dessine une ombre au-dessus de sa curieuse moustache, ce qui creuse les traits de son visage rubicond et lui donne l'air incroyablement fatigué. Machinalement, des deux mains, il se masse la nuque, en soupirant bruyamment. Ce n'est pas tout de savoir, encore faut-il pouvoir l'utiliser. Et Saillant sait fort bien que le 435 000 $ que le groupe a touché sera extrêmement difficile à récupérer. Comment prouver qu'ils en ont réellement eu le contrôle et que c'est de l'argent sale ?

* * *

Elise a repris le chemin de l'école. Et la vie, elle, reprend son cours normal après la période des vacances qui fut, avouons-le, plus qu'agréable. L'automne est là. On le sent à la brise un peu plus fraîche et on le voit aux verts qui s'assombrissent. Mais l'été continue de battre de l'aile et les terrasses sont toujours aussi achalandées. Aussi souvent qu'ils le peuvent, Anne et Vincent tentent d'en profiter. Mais les horaires sont chargés et les rencontres de plus en plus rares.

Ce soir, c'est la première fois depuis longtemps que Vincent n'a rien à faire. Élise est chez sa mère et Anne sortait avec des amies. Il vient de passer trois jours en compagnie de Normand à vérifier les livres comptables et à faire un peu d'inventaire. La tâche est lourde et Normand n'est plus certain de vouloir continuer très très longtemps.

— Ce n'est pas ce qui était prévu, a-t-il lancé en fin d'après-midi, en soupirant comme une vieille locomotive. J'en ai assez. Un commerce ça pouvait toujours aller mais quatre. En plus de Danny qui est de plus en plus gourmand... Je l'aime pas ce gars-là.

Vincent n'avait pas répondu, se contentant de soutenir longuement le regard de Normand. Lui aussi il commence à en avoir assez. La vie qu'il mène depuis un an est essoufflante. Et voilà que septembre est là. En tout point semblable à celui de l'an dernier. Une autre année qui s'annonce, conforme à celle qui vient de passer et brusquement, il a l'impression de courir sur place, de ne plus avancer. Une espèce de routine l'a rattrapé, l'obligeant à faire des choix qui l'éloignent de ceux qu'il aime. Anne la première... Elle attend la réponse d'un autre bureau d'avocats. Si celle-ci est positive, elle quittera le cabinet de Bélanger, Legrand et associés sans le moindre remords. Elle n'apprécie pas de faire des recherches qui pourraient permettre aux Devil's Choice de s'établir en plein centre-ville de Val-Bélair. Elle refuse de se battre plus longtemps avec sa conscience. Sans qu'elle ait besoin d'en parler, Vincent comprend à ses regards qu'elle aimerait qu'il en fasse autant. Mais lui, il n'a pas cette possibilité. Il est aujourd'hui lié à André Bélanger par mille et une ficelles qui forment un imbroglio de plus en plus serré. Comme un piège qui se refermerait sur lui... Depuis un an, Vincent est entouré de gens. Il a fait des tas de nouvelles connaissances : au bureau, dans les commerces, à Montréal. Mais jamais il ne s'est senti aussi seul, aussi isolé.

La soirée est douce. Assis sur la terrasse arrière de son appartement, Vincent tente de faire le vide. Mais peine perdue. Après trois jours dans les chiffres, dès qu'il ferme les yeux, ce sont des milliers de colonnes en spirale qui valsent sous ses paupières. Il s'oblige à se concentrer sur les bruits de la ville qui lui arrivent par vagues étouffées. Comme le ressac de la marée au bord d'une plage. Il se laisse emporter par ce murmure diffus, essaie surtout de ne pas penser. Tout doucement, les rides de son front s'estompent, un vague sourire flotte sur son visage quand il reconnaît un air de musique qu'il aime. Il prend une profonde inspiration et surpris, il constate que l'air a déjà des senteurs de feuilles mortes. La nature se prépare à faire éclater son dernier feu d'artifices avant la grande blancheur. Alors Vincent accentue son sourire. Il a toujours aimé l'automne...

La sonnerie du téléphone l'arrache au léger bien-être qu'il commençait à ressentir. Les rides reviennent aussitôt graver son visage. Par habitude plus que par envie, il entre dans la maison. Mais dès qu'il répond, le sourire revient.

— Pierre... oui, ça va... Ce soir ? D'accord... Au Merlin ? J'y serai...

Pierre Gendron l'a convié à prendre une bière dans une petite boîte sympathique, sur la rue Cartier, à deux pas de chez lui. Gendron a spécifié qu'il avait à lui parler. Et c'est peut-être ce dont Vincent avait le plus besoin : la présence d'un ami. Car dans sa vie, présentement, c'est une denrée rare. Très rare !

Jamais avant, même du temps où il était policier et qu'il faisait de l'infiltration son pain quotidien, il n'a ressenti la solitude avec autant d'acuité. Parce qu'alors, bien qu'il travaillait seul, à l'écart, il sentait la présence de l'équipe autour de lui. Michel Valois, François Guertin ou Pierre Côté n'étaient que des noms d'emprunt et c'est Vincent Savoie qui tirait les ficelles. Et surtout, Victor n'était jamais bien loin. À deux, ils faisaient le point, prévoyaient des scénarios, analysaient des résultats. Et quand il revenait chez lui, une famille l'attendait. Il avait des amis, des voisins. Alors qu'aujourd'hui, il ne reste que Vincent Savoie... Les amis d'hier ne sont souvent que souvenir. Même Patrick, ce copain d'enfance et de travail, fait désormais partie de l'album de famille, bien qu'il soit revenu habiter Québec depuis le printemps. Aujourd'hui, Patrick court après les meurtriers et les excuses pour expliquer ses absences à la maison... Pour Vincent, il est devenu quelqu'un dont on ne se rappelle qu'au moment de feuilleter les anciennes photos. Ne reste que Pierre, parfois, malheureusement pas assez souvent...

Ce dernier l'attendait, installé près de la grande baie vitrée du bar, qui, malgré la saison et la soirée qui avance, est encore ouverte. Ce soir, on se promène à pas lents, la veste sur l'épaule. Pierre fait signe à Vincent qui vient de sauter sur le trottoir.

— Vincent ! Content de te voir...

Le temps de gravir le petit escalier qui mène au Merlin et Vincent le rejoint.

— Salut. Moi aussi je suis content de te voir.

Entre eux, les mots sont souvent inutiles. Le temps et l'affection sincère qui lient les deux hommes suffisent parfois à remplacer bien des beaux discours. À peine un regard et Pierre comprend que même si le geste est accidentel, il a bien fait d'appeler Vincent. Il a les traits tirés et son regard a l'opacité d'une nuit sans lune. Dès que le serveur a pris la commande et tourné les talons, il demande :

— Fatigué ?

Vincent le regarde un instant avant de répondre.

— Plus que ça... Épuisé, vidé... Et surtout très seul.

Une lueur de compréhension traverse le regard de Pierre.

— Après tout ce que tu as vécu, et ce que tu vis présentement, c'était peut-être un peu prévisible, non ?

— Tu crois ça ?

Puis après une légère hésitation.

— Oui, peut-être... Mais si j'avais su que le prix à payer allait être aussi lourd, je ne suis plus aussi certain que j'aurais plaidé coupable. Même si toi tu me le conseillais.

Pierre s'appuie les coudes sur la table et fixe la bouteille brune qu'il fait tourner entre ses doigts. Puis il relève la tête.

— Mais c'est temporaire, Vincent, rassure-t-il. Et tu le sais. La vie va finir par te redonner tout ce qu'elle te doit.

Vincent dessine un sourire amer qui durcit encore plus les rides de son visage.

— C'est beau, c'est très beau ce que tu dis là. Mais ce ne sont que des mots, Pierre, constate-t-il froidement. Que des mots. Moi je vis au quotidien, avec du vrai monde. Et le monde qui m'entoure ne ressemble en rien à celui que je connaissais. C'est difficile à presque quarante ans de repartir à zéro.

— Tu ne repars pas à zéro et tu le sais fort bien, réplique aussitôt Pierre, tentant d'encourager son ami. Tout ce que tu vis présentement, ça fait partie de tes choix. Rappelle-toi. C'est ce qui est en arrière de toi qui te permet d'avancer aujourd'hui.

— Peut-être bien. Mais avancer seul, c'est parfois très difficile. Je n'ai personne Pierre. Sinon Anne que je vois de moins en moins souvent et une fille qui est encore trop jeune pour comprendre.

— Et il y a moi, complète Pierre d'une voix chaude.

— Oui, c'est vrai. Il y a toi, concède-t-il. Mais tu avoueras qu'on ne se voit pas très souvent... Comment dire... J'ai passé une bonne partie de ma vie à travailler seul. Mais en même temps, j'étais partie prenante d'une équipe. Je la sentais avec moi, derrière moi. Sans le savoir, les gars m'aidaient, me secondaient... Mais aujourd'hui, les gens que je côtoie me sont indifférents. Bélanger, Taschereau, même Michaud de La Bonne Adresse, que j'aime bien... Non, il n'y a plus personne... ou si peu. Disons que ce n'est pas pareil. Que rien ne me semble pareil. C'est comme si la flamme s'éteignait faute d'être entretenue... J'y ai même laissé ma femme, ma famille. C'est un lourd tribut, Pierre. Même mes parents doivent se convaincre que je fais ce qu'il faut pour repartir à zéro. Comme si la confiance était rompue entre nous. Comment leur expliquer tout ce qui m'a amené là ? Qu'est-ce que je peux leur dire ?

Ouvrant les mains, Vincent fait un constat d'impuissance.

— Rien, poursuit-il. Il n'y a rien à dire. À personne. Il y a des faits que tous connaissent, un point c'est tout. Les journaux en ont parlé à pleines pages. Et moi, j'en assume aujourd'hui les conséquences. C'est un prix très élevé à payer pour se dire qu'on a fait le bon choix...

Pierre ne répond pas tout de suite. Le serveur revient avec la bière commandée par Vincent. Puis il repart. La petite salle du bar est remplie de monde. On rit, on danse. La musique est forte, l'air enfumé. On se croirait en plein été. Pierre fixe Vincent qui se concentre sur sa bière. C'est alors qu'il reprend.

— Fais confiance, Vincent. À toi, à la vie. Anne finira bien par comprendre. Et tu le sais.Tes parents aussi. Je... je vais rencontrer ton père, ils ont le droit de savoir. Donne-toi du temps.

— Du temps ?

Vincent a levé brusquement la tête.

— C'est justement ce qui me fait le plus peur. Le temps file. Trop vite. Et en même temps, c'est ma vie qui file sans que je la voie... C'est drôle à dire mais c'est peut-être maintenant que je comprends ce que Christine essayait de m'expliquer.

— Ça ne te ressemble pas de parler comme ça, intervient Pierre en l'interrompant. On dirait un vieil homme désabusé, qui n'attend plus rien... Tu es jeune, Vincent. Tu as encore toute la vie devant toi. Raccroche-toi. Ce n'est surtout pas le moment de flancher...

« Pas le moment de flancher... » Les mots tourbillonnent un moment dans l'esprit de Vincent. Puis il hausse les épaules. Y a-t-il eu des moments dans sa vie où il a eu le droit de laisser tomber ? Il ne s'en rappelle pas. Pourtant, il n'est pas différent des autres. C'est aujourd'hui, au milieu d'une solitude de plus en plus dense, qu'il est prêt à l'admettre.

— Laisse-moi juste te dire que certains matins j'aurais envie de tout plaquer, lance-t-il finalement en poursuivant sa pensée. Je me demande vraiment si la justice c'est mon domaine.

Puis il se reprend.

— Mais tu as raison : ça ne me ressemble pas de parler comme ça. J'ai pris un chemin et je vais le suivre jusqu'au bout. Comme je l'ai toujours fait quels qu'en soient les risques.

Et à ces mots, Vincent ose un sourire.

— Un jour, je remplacerai peut-être Bélanger dans son propre bureau... Et je pourrai laisser tomber les comptoirs de prêts.

— Je te reconnais bien là.

Au bout d'un silence, redevenu sérieux, Pierre ajoute :

— Au moins toi, tu peux te dire que tu as la santé. Que tu as encore devant toi de nombreuses années pour faire le point.

Pour reprendre ou continuer. Tu as encore des choix et la liberté de les assumer.

À ces mots, Vincent lève un sourcil curieux. Il ne voit pas où Pierre veut en venir.

— Mais pourquoi...

— J'y viens. C'est un peu pour cela que je t'ai appelé, ce soir. J'ai appris que Gilbert Noël était malade. Très malade...

— Gilbert ?

Une fraction de seconde et toute une partie de la vie de Vincent se dresse là, à portée de main entre Pierre et lui. Gilbert c'est Chibougamau, c'est Québec, c'est les meilleures enquêtes qu'il ait pu faire. Gilbert c'est aussi Victor et la nostalgie qui reste attachée à cet ancien coéquipier. Alors il répète :

— Gilbert ? Malade ?

— Oui. C'est Victor qui m'a prévenu. Accident cardiovasculaire, il y a quelques semaines... Je sais que cet homme a eu beaucoup d'importance dans ta vie. À plusieurs niveaux. Alors j'ai pensé que c'était peut-être quelqu'un avec qui tu aimerais faire le point justement. Avant qu'il ne soit trop tard...

Pendant un moment, Vincent reste pensif. Il a de la difficulté à imaginer Gilbert sur un lit d'hôpital, victime d'un ACV. À ses yeux, la corpulence et l'air naïf de son ancienne source doivent fort mal s'accommoder de l'ascétisme d'une salle de soins intensifs. Un sourire indéfinissable flotte un moment sur son visage. Puis il lève la tête vers Pierre.

— Ça fait trois ans que j'attends pour lui dire ce que je pense... Casse-toi pas la tête, Pierre, il va connaître ma position. Oui, t'as raison, on va faire le point. Peut-être bien que ça va l'aider à guérir...

* * *

Vincent n'avait pas tort. Les traits allongés par la maladie et son gros ventre bordé de draps blancs, Gilbert Noël a vaguement l'air ridicule dans cette minuscule chambre tout de beige lambrissée, à l'hôpital Laval. Ses lunettes de corne noire ont glissé sur son nez et il semble assoupi. Sans faire de bruit, Vincent entre dans la pièce.

Pendant un moment, devant la vulnérabilité de l'homme endormi, Vincent fait un drôle de bond en arrière et c'est une curieuse nostalgie qui s'empare de lui. Avec Gilbert, Vincent a réussi les meilleures enquêtes de sa carrière. Cette source lui donnait du score, comme pas un, comme il le disait dans le jargon du métier. Et cela, Vincent ne l'a pas oublié. Mais peu à peu, l'attitude avait changé. Comme si Gilbert avait appris à l'utiliser à son tour... À ce souvenir, Vincent serre les dents, ses mâchoires se contractant par vagues saccadées. Se sentant en contrôle, Gilbert était allé trop loin. Et cela non plus, Vincent ne l'oubliera jamais. Même qu'en y regardant de près, finalement il n'y a que cela dont il veut se rappeler. Un jour, Gilbert Noël a sauvé sa peau au détriment de la sienne et il est temps que les choses soient dites...

C'est à cet instant que le malade ouvre les yeux, comme si à travers sa somnolence il avait senti la présence de Vincent. D'un geste machinal il remonte ses lunettes, aperçoit le visiteur puis tente maladroitement de se redresser sur ses oreillers.

— Mon doux... Vincent...

— Salut Gilbert. Surpris de me voir, on dirait...

— Surpris ? s'essouffle alors le gros homme, cherchant à se donner meilleure contenance en essayant de s'appuyer sur un coude. C'est pas vraiment le mot... Comment ça se fait que... Qui t'a dit ?

— Tout se sait, Gilbert, rappelle Vincent en approchant du

lit, un sourire narquois sur les lèvres. Disons que j'ai entendu dire à travers les branches que t'étais malade.

Gilbert pousse un profond soupir en regardant le plafond de sa chambre.

— Malade, malade, lâche-t-il enfin en retombant contre son oreiller, malgré tout fidèle à l'image qu'il a toujours projetée. Ben oui, je suis malade. Qu'est-ce que tu crois... Pis c'est suffisant pour que tu viennes me voir?

Vincent hausse les épaules, le visage à nouveau hermétique.

— Pourquoi pas? Même si toi t'es pas venu me voir en prison.

— T'as attendu que je sois condamné pour venir me voir? insiste encore Gilbert, visiblement épuisé par le modeste effort qu'il vient de fournir.

Vincent le regarde un moment, constatant un peu surpris qu'il n'est pas vraiment touché par la maladie de Gilbert. Pas beaucoup plus finalement que lorsqu'on s'attarde sur un fait divers qui nous interpelle, coincé entre deux grands titres de journaux. Alors, il articule assez froidement:

— Quoi d'autre? Pourquoi venir avant? T'as toujours fait ce que t'es capable de faire: utiliser le système. En autant que ça te payait en argent ou en permission, hein Gilbert? Pis aujourd'hui, tu te plains de la seule chose que tu pouvais vraiment contrôler... Ce sont tes excès qui t'ont condamné, Gilbert. Rien d'autre.

À ces mots, Gilbert pousse encore une fois un long soupir.

— J'sais ben que mes excès, comme tu dis. Mais ça me dit pas ce que tu fais là...

— Je te l'ai dit: je rends visite à une connaissance qui est malade. À un ex-collaborateur qui va en profiter pour me donner la vraie version.

Sur ces mots, Gilbert referme les yeux. Mais, alors que Vincent croyait que c'était là une façon de lui faire comprendre de s'en aller, Gilbert se met à parler.

— Tout ce que je peux dire, commence-t-il d'une voix de plus en plus essoufflée, c'est que j'ai pas eu le choix.

— On a toujours le choix, coupe vivement Vincent. Ça dépend des objectifs.

Gilbert entrouvre les paupières. Son regard est vitreux, comme lorsqu'on est atteint d'une forte fièvre. Il a les yeux cernés et les narines de son nez sont pincées, battant rapidement le rythme de sa respiration difficile.

— Laisse-moi finir, interrompt-il péniblement. Les gars m'ont donné trois mille piastres pour ça... Qu'est-ce que je pouvais faire d'autre ? D'un côté, je devais de l'argent et de l'autre, Ducharme menaçait de dénoncer publiquement ma collaboration... J'avais fait un trou quand les policiers ont saisi ma coke. J'étais dans le rouge. Fallait bien que je paye Leclerc, moi ! Pis Bélanger savait le genre de relations qu'on avait toi pis moi et ça faisait son affaire de te tasser. Pis moi, je restais en vie...

Le débit est lent, comme s'il avait de la difficulté à trouver ses mots. Il a le souffle court et quelques gouttes de sueur perlent à son front. Vincent constate que la main droite de Gilbert n'a pas bougé depuis qu'il est ici. Habitué à voir le volubile petit homme ponctuer ses discours de nombreux gestes, un éclat indéchiffrable traverse son visage devant cette main qui repose inerte sur le drap, comme désormais inutile. Tout en parlant, Gilbert a suivi le regard de Vincent. À son tour, il pose les yeux sur son bras, s'interrompt, hésite comme brusquement frappé d'une toute nouvelle pudeur face à lui-même, puis il hausse imperceptiblement une épaule et reprend là où il avait laissé.

— À l'époque, j'ai pensé te le dire, continue-t-il avec effort. Puis j'ai pensé que je pourrais m'en sortir seul et qu'ils comprendraient. J'ai parlé de Vic aussi, rassure-t-il, un sursaut d'énergie dans la voix. Je leur ai dit que tous les deux vous aviez besoin de moi et de mon argent pour travailler. Pas de ma dope. Je pensais que ça suffirait. Puis Saillant et Ducharme sont venus me voir... Ils m'ont demandé d'écrire que je t'avais vu prendre de la coke. Mais là, j'ai refusé. Je te le jure Vincent... Alors, ils m'ont demandé de te rencontrer et de te faire parler. Ils m'ont dit qu'ils savaient que l'on faisait du... des affaires ensemble. Je n'ai pas nié en faisant ma déposition. C'est bien ce qui se passait non ? Ils disaient aussi qu'ils voulaient juste te tasser... te transférer ailleurs et que moi j'allais continuer à travailler avec quelqu'un d'autre... Ils ont aussi ajouté qu'aucune accusation ne serait portée contre moi... Mais c'est pas exactement ce qui s'est passé... Vic n'a jamais été incommodé et toi...

— Et moi j'ai perdu sur toute la ligne, tranche brutalement Vincent. Alors viens pas me parler de tes états d'âme. Quant à Vic, on s'est parlé et il a fait ce qu'il avait à faire.

Pendant un moment, comme attiré par un aimant, Vincent reporte le regard sur la main abandonnée mollement sur le lit. Comme si cette vision lui était intolérable ou tout simplement accessoire, sans intérêt, il remonte les yeux sur le visage de Gilbert.

— Pour moi, Gilbert Noël c'est quelqu'un qui m'a servi, annonce-t-il durement. Tu m'as servi par les gens que tu nous présentais et par ton argent qui m'a permis de me faire un nom et de mener ma carrière de policier. Comment as-tu pu croire que je faisais du trafic pour mes poches ?

Pendant un bref instant, Vincent se retient. Les regards des deux hommes se soutiennent puis Gilbert referme les yeux. Vincent prend une longue inspiration.

— Oui, c'est vrai que tu nous as permis de coffrer de gros joueurs, admet-il d'un ton plus calme mais toujours aussi sourd. Mais ça va pas plus loin. Tu n'as fait que ce que tu savais faire le mieux. T'es un crosseur professionnel, un profiteur qui n'a pas de nerfs.

À ces mots, le malade entrouvre à nouveau les yeux et cherche le regard de Vincent.

— Tu vois, Gilbert, la vie c'est des opportunités, poursuit ce dernier. Ça tu l'as toujours compris. Et moi, c'est grâce à toi que je l'ai appris. Aujourd'hui mes affaires marchent à cause de ton exemple.

Puis devant le silence de Gilbert, Vincent ajoute :

— Dis-toi bien une chose : j'aime pas ça te voir là. Pour moi, tu serais bien plus utile debout et en santé. Mais j'ai confiance que la médecine puisse stabiliser ton état. Peut-être bien qu'un jour, on se reverra. Qui sait ? Ça va peut-être t'arriver de dire la vérité. Ça te changerait...

Faisant un effort surhumain, Gilbert arrive à se dresser sur un coude. La sueur coule dans son cou.

— Qu'est-ce que tu veux que je fasse, Vincent ? Que j'aille témoigner à la commission Trudel pour leur dire que je vous commanditais ? Pis que je vous présentais les gars que vous arrêtiez ? Personne ne va me croire. Ils vont juste me demander quand est-ce que je dis la vérité...

Épuisé, Gilbert se laisse retomber contre ses oreillers.

— Quand les trois gars de la compagnie sont venus me voir à Chibou, poursuit-il d'une voix sifflante, ils savaient ce qu'ils voulaient. Moi aussi je les suis les travaux de la Commission. Je reconnais des visages... Les mêmes avec leurs avocats pis leurs objections. Pendant ce temps-là, moi j'suis ici. J'ai pus jamais entendu parler d'eux autres... Y m'ont *flushé*.

En sortant de l'hôpital, Vincent s'arrête un moment sur le trottoir qui mène au stationnement. Machinalement, il lève le front et tente de repérer la chambre de Gilbert, comme souvent on le fait en quittant un hôpital peut-être pour bien mesurer la distance établie et l'efficacité du mur de brique qui sépare le monde des malades et celui des bien-portants. Puis il expire bruyamment comme s'il voulait expulser toute odeur de désinfectant imprégnée dans ses poumons. D'un revers de la main, il récupère la mini-enregistreuse qu'il avait dissimulée dans sa poche de veste. L'approchant de son visage, il signale qu'il est quatorze heures dix-huit, en ce mardi 3 octobre 1996 et qu'il vient de rencontrer Gilbert Noël, hospitalisé depuis quelques semaines, à la suite d'un ACV. Puis il met fin à l'enregistrement. Il a la preuve dont il avait besoin. Instinctivement, il lève à nouveau la tête. Là-haut, derrière une de ces fenêtres, un homme lutte pour sa vie. Pourtant, Vincent ne ressent aucune pitié pour lui. À peine un peu de compassion... Il porte les yeux sur l'enregistreuse qu'il tient toujours en main et c'est un mélange de joie, d'angoisse, d'amertume et de fierté qu'il ressent. Quelques pieds d'enregistrement l'avaient un jour détruit. Aujourd'hui, quelques minutes vont peut-être lui rendre justice...

Il redresse les épaules et cherche son auto du regard. L'ayant trouvée, il s'y dirige rapidement, ouvre la portière, lance l'enregistreuse sur le siège du passager, récupère sa pagette qu'il fixe à sa ceinture en se glissant derrière le volant. Aucun message. Puis il démarre. Il a promis à Élise de la prendre après son cours de piano.

PARTIE V
L'arnaque

Octobre 1996

« … La vérité finit toujours par nous rejoindre…
Ce n'est pas le premier mensonge qui est difficile à faire,
mais les mille autres pour couvrir le premier… »

Chapitre 19

Un beau samedi d'automne. Le Cap Diamant juste en biais derrière, avec ses toits rouges et ses vieilles pierres, les Laurentides au loin se découpant sur l'azur de l'horizon et la pointe de l'île d'Orléans en équilibre sur les vagues moutonneuses sont tous parés de couleurs vives, tandis que les eaux du fleuve sont parsemées de voiles multicolores. On dirait un tableau de Gauguin. Chacun en profite car la saison achève. Bientôt le vent va tourner au nord et les escapades maritimes feront partie des souvenirs. Bélanger, devant les prévisions de la météo, a emprunté le bateau d'un ami et invité Vincent à partager quelques heures de navigation avec lui. La voile, c'est sa passion...

— On va remonter jusqu'à la pointe est de l'île, annonce-t-il enthousiaste, une fois libérés de l'écluse qui mène à la marina du Vieux-Port. Après, on se laissera revenir avec le courant...

Vincent a accepté l'invitation avec plaisir. Il est heureux de se retrouver sur un bateau. Cela lui rappelle le temps où il habitait Rimouski. Avec Marcel, son partenaire, il avait acheté un voilier et en compagnie de Christine et de la famille de Marcel, il avait sillonné toute la pointe de la Gaspésie, d'une marina à l'autre. De Rimouski à Gaspé en passant par Matane... Trois étés merveilleux. Aujourd'hui, avec le recul, debout à la barre, cheveux au vent, Vincent aurait envie de reconnaître que c'était le bon temps. Puis il s'ébroue. Il ne faut jamais regretter le passé. Il est garant du présent et forge l'avenir. Et c'est exactement ce qu'il doit se répéter: apprendre à vivre intensément le moment présent. N'est-ce pas ce qu'il s'était promis de faire quand il a quitté Gilbert, l'autre jour ? La journée est belle, le vent est bon et Bélanger s'avère un excellent navigateur. Alors Vincent regarde autour de lui, conscient de la chance qu'il a aujourd'hui. C'est à ce moment, comme en écho à sa pensée, que Bélanger vient le rejoindre, tout sourires, détendu comme jamais Vincent ne l'a vu.

— Maudit qu'on est bien, lance l'avocat en humant l'air humide porté par la brise. Ça, c'est ce que j'appelle la vraie vie. Pas de contraintes, pas de clients, pas de téléphone…

Et il ajoute, en regardant Vincent du coin de l'œil :

— Tu vois, Vincent, il n'y a qu'ici où j'arrive à tout oublier. Seul entre ciel et mer.

Il se retourne et fixe le large. Ils sont à la hauteur de Beaumont et un peu plus loin, au bout de la pointe de l'île, le fleuve s'élargit alors que subtilement l'air s'endimanche de légères senteurs salines. Bélanger se tient immobile, regardant droit devant, sourcils froncés comme un vieux loup de mer, le visage encore buriné par l'été qui n'est pas très loin derrière.

— J'ai cinquante-cinq ans, constate-t-il d'une voix grave, pour lui-même. Il est temps que je pense à vivre…

Et revenant face à Vincent.

— Je n'en ai pas encore vraiment parlé autour de moi, confie-t-il toujours sur le même ton, mais ma décision est prise. Dans quelques mois, je prends ma retraite. Marielle est d'accord. On va s'offrir le sud six mois par année et un bateau du genre de celui-ci. Les garçons sont rendus à l'université et peuvent très bien se passer de nous pendant l'hiver. Il ne reste que Nathalie qui a encore besoin de ses parents à temps plein. Alors on a pensé qu'elle pourrait nous accompagner et poursuivre ses études en Floride…

Vincent lui répond simplement d'un sourire, sentant bien que Bélanger est en veine de confidences. De toute façon, depuis quelque temps, il se doutait bien que celui-ci commençait à en avoir assez. Sa façon de commenter les dossiers, de s'en décharger de plus en plus souvent... Mais de là à parler de retraite purement et simplement... La marche lui semble haute. Il lève donc finalement un sourcil curieux.

— Mais ton bureau, tes associés ?

Bélanger hausse les épaules.

— Des parts, ça se vend, analyse-t-il froidement. Et Legrand est capable de faire marcher la boîte sans moi. Depuis le temps qu'il est là...

Croyant comprendre l'interrogation qu'il voit poindre dans la physionomie de Vincent, il complète sa pensée.

— N'aie pas peur, ton avenir peut très bien se poursuivre avec la firme Bélanger, Legrand et associés. Même sans moi. Tu as fait tes preuves, Legrand en est maintenant convaincu. Et comme je viens de le dire, des parts si ça se vend, ça s'achète aussi...

Pourtant au bout d'un court silence, il ajoute :

— Mais on n'en est pas encore là. Malheureusement...

Vincent ne le relance pas. Il connaît toutes les causes encore pendantes devant les tribunaux et sait fort bien qu'on ne peut s'en libérer uniquement par simple envie. Alors, quand André Bélanger parle de retraite, il peut bien y ajouter un malheureusement : elle n'est pas pour demain, cette retraite. Malgré cela, toute ambivalente que puisse paraître sa position, l'avocat semble confiant.

— Je te le dis : quelques mois et c'est dans la poche, reprend-il. En fait, il ne reste qu'un dossier à régler...

Vincent éclate de rire.

— Un dossier ? Juste un ? fait-il moqueur.

Bélanger ne répond pas. Il se tourne vers Vincent l'air songeur, le regard sévère. Comme si brusquement il n'entendait plus à rire.

— Oui... un en particulier.

Il se renfrogne un moment. Le bateau file mollement, le vent est léger et le soleil d'octobre arrive encore à chauffer les lainages qu'ils portent. Bélanger soupire une ou deux fois, reporte les yeux sur l'horizon et finalement revient sur Vincent.

— Tu connais Taschereau... C'est un bon avocat, un des plus importants à Montréal. Il... Il a présentement un gros dossier à compléter. Dans les plus brefs délais. Disons que c'est un peu de l'inédit. Alors on ne doit pas se tromper et voir à s'entourer de personnel qualifié.

Pendant que Bélanger parlait, Vincent a retenu ses gestes. Une ride profonde se glisse entre ses yeux.

— Je ne comprends pas vraiment ce que tu essaies de me dire, André...

Bélanger se contente de le regarder longuement, sans répondre. À son tour, Vincent reste un instant silencieux. Puis devant le mutisme persistant de Bélanger, il ajoute :

— Cesse de tourner autour du pot. Pas avec moi. On se connaît, non ? De quel dossier veux-tu parler quand tu mentionnes Taschereau ? Est-ce que je suis au courant ?

— Non... pas vraiment... Disons que certains de nos clients auraient besoin de...

Bélanger s'interrompt en soupirant bruyamment. Puis d'un large geste du bras, il invite Vincent à contempler le fleuve.

— De l'eau, au Québec, il y en a partout. En ce moment, on se laisse porter par ce qui est probablement le plus beau fleuve du monde. Malheureusement, ses eaux sont polluées. Et les quais ne sont plus sûrs. Nos clients ne peuvent donc pas s'en accommoder.

— Et en clair ça veut dire quoi exactement ?

— On cherche un lac, de préférence dans le nord, pour une livraison particulière. Une drop, une seule. Après, on pourra laisser venir l'hiver.

— Et tes... tes clients sont nombreux ?

Bélanger fait un mouvement évasif avec les épaules.

— Quelques-uns... MacKewen, Karruda, Tom... d'autres que je ne connais pas... des clients de Taschereau....

— Donc tu cherches un chalet ?

— Un lac, avec un chalet, c'est encore mieux.

Alors Vincent dessine un large sourire tout en ouvrant les bras, comme devant une évidence.

— Il y a Michaud...

C'est au tour de Bélanger de sourciller.

— Michaud ?

— Oui, Michaud de La Bonne Adresse, explique Vincent. Rappelle-toi... Il n'arrête pas de nous rebattre les oreilles avec son coin de paradis dans le nord. Peut-être que...

— Bien oui, Michaud, interrompt Bélanger, laissant filtrer un demi-sourire... Je me souviens d'un certain soir... Il parlait de rénovations à son camp de pêche pour pouvoir le louer...

— Alors ? Qu'est-ce que tu en penses ?

Bélanger se contente de fixer Vincent un instant, de faire un bref mouvement de la tête, un peu sceptique, avant de s'éloigner, songeur. Michaud, il ne le connaît pas vraiment. Sinon que l'homme lui semble un bon vivant. Un bon travailleur aussi, qui ne compte pas ses heures. Et surtout, il sait que Michaud a repris des bijoux venant de chez Dion, il y a quelques mois pour les revendre. Alors... Peut-on s'y fier ? Appuyé à l'avant du bateau, Bélanger regarde la coque fendre les eaux glauques, d'un bleu presque noir, insondable. Au large des côtes de Floride, l'eau se confond par moment avec le ciel. Elle est claire, propre et on peut y plonger comme bon nous semble. C'est de cela dont il a envie. Et sa femme aussi. André Bélanger se laisse porter par le rêve. Un rêve qui n'est peut-être plus qu'à quelques mois d'attente. Puis une vague un peu plus haute l'éclabousse. Alors il se recule en faisant la moue, revenant à ses préoccupations. Dans le fond, Michaud ne doit pas savoir. L'important, c'est qu'il ait un chalet sur le bord d'un lac, au drôle de nom d'ailleurs, s'il se rappelle bien, perdu au-delà du quarante-huitième parallèle. Le reste importe peu.

— Hé Vincent, lance-t-il en se retournant, ton idée a du bon. On devrait le rencontrer, Michaud. Et lui demander si son chalet est à louer. Lundi pour souper ça t'irait ?

— Lundi... Oui, ça va...

Bélanger l'a rejoint.

— Parfait. On soupe à La Bonne Adresse, lundi soir. Tu viens avec moi. Comment il s'appelle encore son lac ?

— Le lac Poilu...

— Ah oui, c'est vrai. Tu parles d'un nom pour un lac.

Et au bout d'un bref silence soutenu par le clapotis de l'eau, il précise :

— Allons donc pour le lac Poilu mais Taschereau n'a pas besoin d'avoir les détails. Surtout pas le nom de Michaud...

Vincent hausse les épaules.

— Comme tu veux. De toute façon, je ne lui parle jamais à Taschereau. Ni aux autres d'ailleurs.

— C'est vrai, fait alors Bélanger en signifiant à Vincent, d'un geste de la main, qu'il aimerait reprendre la barre. Va à l'avant, on change de cap...

Mais alors que Vincent commence à s'éloigner, Bélanger ajoute :

— Et disons qu'entre nous, c'est pareil. On ne parlera de ce dossier que de vive-voix.

Alors Vincent lui renvoie un large sourire, le visage à nouveau lisse et détendu. Curieusement en ce moment, c'est le visage de Gilbert Noël qui lui traverse l'esprit. Il le revoit attablé, un certain dimanche matin, sa petite sacoche noire posée sur la table entre lui et sa carrière...

— On montre pas à un vieux singe à faire des grimaces, André, rassure-t-il alors. Pas besoin de me...

Un bip sonore l'interrompt. La pagette qu'il porte à la ceinture vient de sonner.

— Excuse-moi.

Et après un coup d'œil sur le cadran numérique, il lève un regard à la fois gêné et réjoui.

— C'est ma fille, explique-t-il...

Bélanger éclate alors de rire.

— Les enfants ! lance-t-il avec un clin d'œil complice, se sentant tout à coup soulagé de mettre un terme à la conversation qu'ils tenaient. Je sais ce que c'est... Va dans la cabine en bas. J'ai laissé mon cellulaire sur la table... Je vais t'attendre pour virer de cap.

* * *

Le temps a profité d'un long dimanche incertain pour changer de cap. Le vent du nord est revenu en maître incontestable, trimbalant avec lui une cohorte de nuages grisâtres, prometteurs de pluie. À La Bonne Adresse, la foule est dense, même si c'est lundi soir. Comme si les gens voulaient oublier que l'été est bel et bien fini et se faire à l'idée qu'ils auraient dorénavant de longues soirées à occuper. On reprend une routine que la belle saison avait momentanément interrompue. Mais Vincent avait pensé à réserver et sa table habituelle les attendait. Autour d'eux, les gens s'interpellent, rient. On reconnaît certains visages avec plaisir, on renoue quelques amitiés de circonstances. Michaud va de l'un à l'autre, heureux, semble-t-il, de retrouver quelques clients familiers. Puis la première vague des dîneurs quitte le restaurant, le calme se fait petit à petit. Conversations en sourdine, cognacs et café, il ne reste que les fidèles habitués, ceux qui ont fait de La Bonne Adresse leur lieu de rencontre, de détente et que l'été n'avait pas éloignés. Bélanger vient de commander deux digestifs et deux autres cafés.

— Tu mets tout ça sur la même facture, spécifie-t-il catégoriquement. Et si tu as le temps, ajoute un cognac et viens le prendre avec nous.

Michaud jette un regard circulaire. Les conversations se jouent sur un ton plus intime. On est à finir la bouteille de vin ou on entame le dessert...

— C'est assez calme, constate-t-il. D'accord, je me joins à vous. Mais c'est la tournée de la maison... Oui, oui, j'insiste, fait-il devant le geste d'objection de Bélanger. Ça me fait plaisir.

Pendant quelques instants, on parle de tout et de rien. De l'été qui finalement a rempli ses promesses, des touristes qui ont envahi la place. Puis Michaud se tourne vers Vincent.

— Ça fait un moment que je voulais t'en parler. Tu sais mon camp de pêche ? Bien j'ai réussi à faire les améliorations que je souhaitais. J'en ai fait un vrai palace ! Six chambres, foyer, cuisine... J'ai déjà quelques clients qui ont réservé pour la chasse.

Vincent lève un sourcil curieux.

— Pour la chasse ?

— Oui, en novembre... Pour l'instant c'est plutôt tranquille. De la fin septembre à la mi-octobre, on est un peu entre deux saisons.

À ces mots, le visage de Bélanger se rembrunit.

— Comme ça, la pêche est finie ?

— Oui et non... Pour la pêche c'est moins bon, ça c'est sûr, mais dans le nord, il y a certaines espèces qu'on peut pêcher à l'année.

— J'aurais peut-être quelqu'un pour toi, intervient Bélanger, visiblement plus à l'aise. J'ai quelques clients qui aimeraient prendre une semaine de repos. Un peu de pêche, un peu de chasse, un peu de social, de relations publiques avec des amies... Tu vois le genre... Penses-tu que ça peut s'arranger ?

— Tout peut s'arranger, Me Bélanger. Comme je viens de le dire, pour la pêche, ça va être moins sportif...

Michaud laisse couler un rire.

— J'espère que vos clients sont patients. Quant à la chasse...

— Je t'arrête, interrompt Bélanger en levant la main... Dans le fond, mes clients parlaient surtout de pêche.

Alors Michaud lui fait un clin d'œil.

— Et les clients ont toujours raison, n'est-ce pas ? Je m'en occupe. Ce serait pour quand ?

— La semaine prochaine ou l'autre...

— C'est beau. Mais si vraiment ils veulent pêcher, le plus tôt serait le mieux.

— J'en prends note... Et ton chalet, on l'atteint comment ?

— C'est assez loin... À cent-cinquante kilomètres au nord de La Tuque, au lac Poilu... De préférence on y va en hydravion mais c'est aussi possible par la route... Pour la chasse, c'est important... Fin novembre, les lacs sont parfois gelés dans ce coin-là...

— Bien sûr…

— Vous allez voir : vos clients ne regretteront pas d'y être allés. C'est un endroit exceptionnel. Calme, tranquille. Les premiers voisins sont à trente kilomètres à l'est, sur le bord d'un autre lac. Mais pas de crainte, le chalet est confortable ! J'ai même de l'eau chaude depuis cet été…

— D'après ce que je vois, ça correspond assez bien à ce que mes clients espéraient trouver. Je consulte et je te reviens là-dessus dès demain…

— Pas de presse, fait Michaud en se relevant. Comme je l'ai dit, c'est on ne peut plus tranquille à ce temps-ci de l'année. Votre semaine sera la mienne. Jusqu'au 3 novembre, il n'y a personne…

Mais comme il commence à s'éloigner, Bélanger le rappelle.

— Et pour ce qui est des embarcations ?

Michaud se retourne, revient d'un pas vers la table de Vincent et Bélanger.

— Le chalet est loué tout équipé. Il y a deux chaloupes et un canot.

— De bons moteurs ?

À nouveau, Michaud se met à rire.

— Pour la pêche ? Est-ce que vous voulez courir après le poisson ? C'est un sport de patience, la pêche. D'abord et avant tout. Pourquoi ?

— Parce que je connais mes clients, tranche Bélanger. Ils aiment se déplacer rapidement d'un point à l'autre sur un lac. Ils gardent leur patience pour taquiner le poisson, justement. Et leurs relations publiques…

— C'est un point de vue intéressant, approuve Michaud en remontant nonchalamment une manche de sa chemise. Dites à vos clients de ne pas s'inquiéter. Ils auront tout ce dont ils peuvent avoir besoin.

— Merveilleux, lance Bélanger, en se levant à son tour, visiblement heureux du dénouement de la conversation. Et je ne vais même pas attendre à demain. Je vais envoyer un E-Mail tout de suite à mon associé. Directement chez lui… Le lac Poilu, au nord de La Tuque, tu dis… Tu m'attends Vincent ? J'en ai pour cinq minutes.

Bélanger est déjà tout près des ordinateurs quand il s'arrête, hésitant. Puis faisant volte-face, il revient jusqu'à la table et se penche vers Vincent.

— Je voulais te dire… Quand le dossier sera complété, si on gagne notre cause, il y aura un bonus spécial pour toi. À titre de consultant.

Puis il se redresse. Le restaurant est maintenant presque vide. Les derniers clients règlent leur addition. Il s'approche du comptoir où Michaud rince des verres.

— Est-ce que j'ai le temps d'attendre la réponse à mon message ou si tu comptes fermer bientôt ?

— Je suis ici encore pour une bonne heure. Je dois vérifier la liste des achats pour la semaine.

— Et ça ne dérange pas si on reste, Vincent et moi ?

— Pas du tout…

— Parfait… Alors apporte deux autres cognacs…

* * *

« Georges,

Tel que discuté récemment, concernant le voyage de pêche, je crois avoir trouvé le site idéal qui pourrait convenir à nos clients. Certaines pêches s'y poursuivent à l'année et on me décrit le chalet comme étant confortable et bien équipé. Il s'agit du lac Poilu à cent-cinquante kilomètres au nord de La

Tuque. Il faudrait confirmer les dates de réservation le plus rapidement possible. Si le projet te semble intéressant, tu peux me faire parvenir ta réponse ici, ce soir même. J'y suis pour un moment encore.

Au plaisir

André »

« André,

Chanceux que j'aie pris la peine de vérifier mon courrier électronique avant de monter me coucher. L'endroit que tu me décris me semble intéressant et je crois que nos clients prendraient plaisir à une pêche dans le secteur. Par contre, un de mes amis m'a déjà signifié qu'il aimerait que son pilote puisse reconnaître les lieux auparavant pour s'assurer que l'endroit est bien accessible et question d'être bien certain que les embarcations sont suffisamment rapides et confortables. Tout le monde ici aimerait bien avoir la chance de prendre son quota. Pour la date, je vérifie les disponibilités et on en s'en reparle. Je te rappelle demain sur ton cellulaire pour discuter certains détails qu'il serait plus facile à régler de vive voix.

Bonne nuit

Georges

P.S. : À première vue, la semaine prochaine me semblerait intéressante. Vérifie si le chalet est disponible. À demain… »

Chapitre 20

L'automne, dans les Laurentides, est une saison particulièrement bien réussie. Et si les nuits sont fraîches, par contre, les journées sont splendides. Les rouges, les or et les cuivre s'entremêlent et accentuent de leur seule présence un soleil encore chaud. C'est pourquoi, afin de souligner cette saison unique qui n'existe qu'au nord de l'Amérique, Gary a invité quelques amis à se joindre à lui à son chalet de Sainte-Adèle. Tous, sans exception, ont répondu à son invitation. Ils doivent arriver dans quelques heures pour le dîner de ce samedi exceptionnel.

Saillant est le premier à faire son apparition, vers onze heures, suivi de peu par Sébastien Veilleux et Paul-André Ducharme. Puis c'est Andy Walsh et Renée Valcourt qui arrivent. Gary se frotte les mains de plaisir en faisant les présentations.

— Je crois que vous vous connaissez, fait-il en se tournant vers Sébastien et Saillant. Renée Valcourt a déjà travaillé pour la Sécurité provinciale et elle a déjà fait quelques missions à Montréal.

— Oui, fait alors Sébastien. Je m'en souviens.

Puis se tournant vers Renée qui n'a pas vraiment changé depuis ce temps, il demande :

— Il y a quelques années n'est-ce pas ?

— Oui, au printemps de 1993, avec Vincent Savoie, précise alors Renée, d'une voix très calme, en lui tendant la main, rejetant machinalement ses longs cheveux noirs derrière son épaule. Puis l'année suivante avec un autre de vos collègues.

Et enchaînant sans attendre que Gary le fasse, elle s'approche du jeune homme qui l'accompagne. Un beau grand gars élancé, élégant, aux cheveux châtains et au regard vif derrière de fines lunettes françaises.

— Je vous présente Andy, fait-elle en glissant un bras sous le sien. Andy Walsh. C'est un ami et un compagnon de travail au Service de renseignements. Parce que maintenant, je travaille aux renseignements.

— C'est peut-être le plus beau samedi de ma vie, lance alors Gary en remorquant ses invités vers la terrasse. Grillades pour tout le monde. Ensuite, on a de quoi occuper tout l'après-midi. Il y a de la bière au frais...

Le terrain de Gary descend en pente douce vers le lac et d'où ils sont, la vue est à couper le souffle. Pendant un moment, on s'extasie devant les montagnes qui tranchent sur l'azur du ciel et l'aménagement paysager qui n'a rien à envier aux revues de décoration. Quelques rosiers encore chargés de fleurs d'un jaune vif côtoient une haie de cèdre et les jardinières débordent toujours de géraniums rouges et blancs.

— Je ne te connaissais pas ce talent de jardinier, Gary, apprécie Saillant devant la perfection des lieux. Bravo ! C'est tout à fait réussi.

— Merci. Mais j'ai pas grand mérite, j'adore ça. C'est mon dada, ma détente...

Puis Ducharme va se prendre une bière avant de s'approcher d'Andy pour faire plus ample connaissance, pendant que Renée et Sébastien descendent vers le quai. L'eau du lac est calme, sans ride et le soleil s'y reflète comme dans un miroir. Une demi-heure plus tard, on passe à table, toujours installés sur la terrasse. On entend des rires, des propos de vacances. Mais dès le repas terminé, sans que Gary n'ait à convier les gens à le suivre, ils se retrouvent tous au salon. Sur la table à café, quelques dossiers volumineux les attendaient.

— Installez-vous confortablement, prévient alors Gary, je crois qu'on en a pour quelques heures. Si quelqu'un en veut, j'ai fait du café. Tout est sur le comptoir de cuisine.

Lui-même prend place dans une confortable bergère et tend aussitôt la main pour saisir le plus épais des dossiers tandis que Ducharme se dirige vers la pièce adjacente.

— Quelqu'un veut du café ?

— Oui, moi. Deux sucres comme d'habitude.

Quelques instants plus tard, Ducharme revient avec deux tasses fumantes et en tend une à Saillant avant de s'installer près du foyer. Alors Gary reprend.

— Les activités du SRQ, commente-t-il en soulevant le rapport. De ses débuts jusqu'à aujourd'hui et les prévisions pour les deux prochaines semaines.

Puis levant la tête, il jette un regard circulaire autour de lui, s'attardant un instant sur chacun des visages de ceux qui l'entourent.

— Dans un premier temps, je résume l'année qui vient de passer. Puis je vous donne ce qui s'en vient. Ensuite, vous pourrez apporter vos opinions et commentaires. Bien sûr, vous pouvez intervenir à n'importe quel moment lorsque le propos se rattache à votre mission.

Et sur ces mots, il tourne quelques pages du document qui repose sur ses genoux. Puis il semble hésiter un moment. Alors il relève encore une fois la tête et annonce, avec un large sourire.

— Question de vous mettre dans l'ambiance, disons que la frappe est prévue pour le courant de la semaine...

Les gens autour de lui échangent regards et sourires. Alors, reportant les yeux sur Andy, Gary ajoute :

— Explique-leur...

Andy se redresse sur son fauteuil, les coudes appuyés sur les genoux.

— Par mon travail aux renseignements, je suis en contact journalier avec certains membres de la DEA qui m'ont confirmé cette semaine qu'ils sont en contrôle par GPS d'une importante quantité de cocaïne en mouvement vers le nord. Vous savez, cet émetteur relié aux satellites, le Global Positional System ? Il y en a un dans la cargaison qui s'en vient vers nous. Leur agent d'infiltration, en mission en Colombie, est directement impliqué dans la négociation entourant la transaction effectuée à Paris, le printemps dernier. En ce sens, on pourrait envisager le faire témoigner d'ici dix-huit mois, car il était présent en mars dernier à l'hôtel LaFayette où il accompagnait Jose Sforza, du groupe de Cali. C'est à cette occasion qu'il a rencontré MacKewen et Jason Cherry.

— C'était le 19 mars, précise alors Sébastien, une lueur de compréhension au fond des yeux. J'étais à Mirabel quand MacKewen et Cherry sont partis.

— Effectivement, confirme Andy. Cherry et MacKewen sont arrivés à Paris le matin du 20 mars et ils ont rencontré Sforza le lendemain matin, 21 mars. Puis ils sont revenus à Montréal le 22 mars.

— Une importante quantité de cocaïne, fait alors Ducharme pensivement.Voilà pourquoi tout ce beau monde-là déposait dans le même compte au Bureau de Change de la rue Sainte-Catherine.

Puis se tournant vers Saillant.

— On avait raison...

— Ce bureau de change a été monté de toutes pièces par des gars de la PNF, aujourd'hui partenaires du SRQ, confirme alors Gary. Tremblay, le directeur, c'est un gars à nous qui vient de Toronto.

— Et bien entendu, les dépôts ont été encore plus substantiels au moment des bombes chez IDESOFT, intervient Saillant. Dommage que ce soit si difficile à prouver que...

— Pas si difficile que ça, lance Renée, intervenant dans la conversation. On a de l'écoute et des transcriptions de E-mail qui pourront nous servir en temps opportun. Tout ce qui est passé par le restaurant La Bonne Adresse a été scruté à la loupe et est conservé comme preuve éventuelle. On sait donc que Savoie et Bélanger sont dans la transaction, eux aussi. Bélanger, Savoie, MacKewen, Taschereau et les frères Cherry sont sur écoute depuis des mois. Tout a été analysé, filtré, décortiqué. Même leurs appels au dentiste ou au boucher du coin... On sait donc aussi que les Devil's Choice font partie du deal. Tout comme Karruda, l'homme d'affaires de Sherbrooke.

— Et pourquoi La Bonne Adresse ? demande alors Sébastien en fronçant les sourcils.

Gary se tourne vers lui en souriant.

Parce que c'est une façade, montée de toutes pièces comme le Bureau de Change.

Pendant toute cette conversation, le regard trop bleu de Ducharme brillait d'une étrange lueur, se promenant d'un intervenant à l'autre. Puis il s'arrête sur Renée.

— Comme ça, on a de la preuve contre Savoie ? demande-t-il froidement.

Pendant un moment, Renée semble hésitante. Le souvenir qu'elle garde de Vincent Savoie n'arrive pas à être altéré complètement par l'écoute qu'elle a sur lui. Souvent, depuis qu'elle travaille pour le SRQ, la jeune femme l'entend lui répéter: « L'illusion, Renée. Ce n'est qu'une illusion... » Pourtant les preuves sont là. Le doute n'est plus permis. C'est en soupirant qu'elle répond enfin.

— Et c'est du solide, affirme la jeune femme en se tournant vers lui, comme déçue d'avoir à le confirmer.

— Alors je ne souhaite qu'une chose, poursuit Ducharme toujours aussi calme. C'est qu'on le ramasse avant qu'il nous fasse du trouble.

— J'ai la solution pour toi, Paul-André, s'interpose Gary. Si on veut l'impliquer encore plus directement c'est par Michaud que ça va passer.

— Michaud ?

— Daniel Michaud, le propriétaire de La Bonne Adresse.

— Comment ça, Michaud ? C'est un *stool* ?

À ces mots, Renée éclate de rire, se sentant libérée du curieux malaise qui l'a envahi quelques instants plus tôt.

— Non, c'est un gars du SRQ. On se parle tous les jours ou à peu près.

Puis redevenant sérieuse.

— Michaud est sur le *pay roll*, comme toi et moi, explique-t-elle. En fait, il s'appelle Samuel Jacob. Caporal Samuel Jacob, précise-t-elle. Anciennement de Winnipeg.

Alors l'impassible Ducharme s'autorise un sourire.

— Parfait... Savoie va mourir une deuxième fois...

Pendant un moment, un drôle de silence étend son malaise sur le salon. Comme si on entendait les gens penser. C'est Gary qui brise cet inconfort, en ramenant les pendules à l'heure.

— Savoie n'est pas l'unique enjeu, n'est-ce pas ? Maintenant, il faut se préparer à intervenir directement. On a appris par Michaud que Bélanger a réservé son chalet pour la semaine prochaine sous le prétexte d'un voyage de pêche qu'il organise pour certains de ses clients. On sait déjà que Danny Fréchette, le bras droit de Tom, des Devil's Choice est du voyage et Jean-Denis Gauvin, le pilote de Karruda, amicalement surnommé Le Bleaché, également. On sait aussi par la DEA, comme le mentionnait Andy, qu'une importante quantité de drogue est en mouvement vers le nord. Si on sait compter, un plus un ça fait deux...

— Avec l'écoute, on est certain maintenant que la drop va se faire au chalet de Michaud, au lac Poilu, au nord de La Tuque, ajoute Renée. Comme vient de le dire Gary, tout concorde avec les renseignements que la DEA possède. On anticipe une livraison de deux tonnes de cocaïne.

— Deux tonnes ? On n'y va pas un peu fort ?

Devant le chiffre avancé, Sébastien semble un peu surpris.

— Au moins, confirme Saillant. Si on regarde les dépôts faits au compte de la compagnie Canada 420081 vers les îles Vierges, c'est au moins ça. Il y a un peu plus de 34 millions de placé.

C'est à ce moment que Gary se relève, en s'étirant.

— Finalement, je pense que je n'aurai pas besoin de faire de rapport sur les activités du SRQ, lance-t-il à la blague. On vient de le faire tous ensemble. Quand la dope va arriver, ça va prendre des équipes sur Bélanger, Taschereau, MacKewen, Tom, Karruda, les frères Cherry, Savoie...

— Mais pour Savoie, interrompt Saillant, allez-y en douceur. Il faut qu'il pense qu'on n'a rien contre lui. Les autres, comme Bélanger et Taschereau, vont sûrement paniquer. Ça va nous servir...

— D'accord avec toi, fait Gary en se rassoyant. Je rencontre le ministre lundi matin pour lui faire mon rapport. Ducharme et Veilleux, vous verrez avec Saillant pour votre travail cette semaine. Nous en avons discuté ensemble. Quant à vous deux, ajoute-t-il en se tournant vers Renée et Andy qui se tiennent côte à côte sur un divan, vous restez en contact avec la DEA et vous continuez l'écoute en direct, ving-quatre heures sur vingt-quatre. Dès que la dope est récupérée, on frappe...

* * *

Dès le lundi matin, à la première heure, Gary se présente au bureau du ministre de la Sécurité publique, boulevard Laurier à Sainte-Foy. Jacques Hamelin, un universitaire dans la quarantaine à l'allure résolument sportive, l'attendait en compagnie de Langlois. Le ciel est lourd et vers l'est, la tour du Concorde se découpe sur un amoncellement de nuages gris. Il ne manque que le directeur du SRQ qui doit se joindre à eux d'un instant à l'autre.

— Comme ça, tout est bien en place? demande le ministre, entre deux gorgées de café, l'œil vif et le ton définitivement réjoui.

— Exactement tel que prévu, confirme Gary. L'avion privé de Karruda est parti de Montréal hier en direction de La Tuque avec à son bord Danny Fréchette, le bras droit de Thomas Gariépy, alias Tom, chef reconnu des Devil's Choice et Jean-Denis Gauvin, pilote de l'homme d'affaire Joseph Karruda de Sherbrooke. Ils ont changé d'appareil à La Tuque pour poursuivre la route jusqu'au lac Poilu en hydravion. Ils sont arrivés au chalet vers seize heures hier. Ils sont accompagnés de quelques amis de Danny, des membres en règle des Devil's ou des sympathisants arrivés en camionnette.

C'est à ce moment que la porte du bureau du ministre s'ouvre. Ce dernier, ébauchant un sourire, fait signe à Gary de patienter un instant et se lève de son fauteuil. En deux pas, il fait le tour de son bureau en tendant la main.

— Monsieur Gendron... Heureux de vous revoir...

Pierre Gendron lui rend son sourire tout en refermant derrière lui.

— Moi aussi, monsieur. Surtout dans d'heureuses perspectives comme celles qui nous amènent ici ce matin.

Puis se tournant légèrement vers sa droite, Pierre Gendron, le premier directeur du SRQ, fait un discret signe de tête.

— Monsieur Langlois, Gary... Alors, où en êtes-vous ? demande-t-il en acceptant le siège que Langlois lui désigne.

— Je viens tout juste d'informer monsieur le ministre que l'avion de Karruda est bel et bien parti hier.

— En effet, reprend Gendron. Avec les informations que nous détenons, nous pouvons dorénavant affirmer que les joueurs sont en place. La livraison devrait se faire cette semaine tel qu'anticipé. Au lac Poilu, dans le nord du Québec.

— Et vous êtes bien certain de cela ? questionne le ministre, les sourcils froncés sur sa réflexion.

On n'en sera tout à fait certain qu'au moment où nous serons en mesure d'intervenir, admet Gendron. Mais le doute n'est plus permis. Nous avons trop de preuves. Il va se passer quelque chose. Les renseignements obtenus par le Centre de surveillance et de télécommunications sont clairs et corroborent ceux que détient la DEA. C'est cette semaine que tout va se jouer.

— D'accord. Poursuivez.

— Le projet d'intervention se fera en quatre phases, continue donc Gendron. D'abord, la saisie majeure de la drogue, sur place au lac Poilu et l'arrestation des personnes présentes sur les lieux. En même temps, il y aura un blocage des fonds au Bureau de Change de la rue Sainte-Catherine.

Le ministre s'est confortablement appuyé contre le dossier de son fauteuil et il écoute religieusement Gendron, les yeux mi-clos, les bras croisés sur sa poitrine.

— Et les montants sont de quel ordre, au moment où on se parle ? demande-t-il alors, montrant qu'il ne perd aucun mot du monologue du directeur du SRQ.

— Élevés, annonce Gendron. On parle ce matin d'environ 92 millions. De ce montant, nous savons très bien où sont 34 millions et ils peuvent être bloqués. Même aux îles Vierges. Il faudra continuer nos recherches pour les 58 autres, mais on a bon espoir de pouvoir mettre la main sur la majeure partie de l'argent. Idéalement, nous devrions avoir plus de personnel pour suivre les suspects, mais je vous écrirai à ce sujet.

Le ministre soulève un sourcil intéressé.

— Parfait. Et ensuite ?

— Dans un deuxième temps, nous procéderons aux arrestations qu'auront provoquées les différentes réactions des complices. Ces deux premières opérations se joueront pratiquement simultanément en l'espace d'une heure, à la suite de la livraison au lac Poilu. Puis il y aura les saisies périphériques liées au projet et finalement, nous recueillerons les révélations des complices, des délateurs et des coaccusés. Comme vous devez le savoir, plus de deux-cent-cinquante hommes sont prêts à intervenir, dont soixante-cinq de la PNF et les autres provenant de la Sécurité de Montréal, Québec et Trois-Rivières.

— En effet, monsieur Langlois m'en a parlé.

Et se redressant, le ministre laisse tomber bruyamment ses mains sur le bureau.

— Vous avez ma totale confiance, monsieur Gendron. Et toute notre collaboration. Vous établirez un réseau de communications permanentes avec mon sous-ministre qui aura toute latitude pour autoriser des dépenses qui pourraient être inconnues à ce jour. Et ce, en fonction des résultats obtenus ou anticipés. Il ne me reste qu'à vous souhaiter bonne chance, ajoute-t-il en se relevant.

— Merci monsieur, fait Gendron, se levant à son tour, imité par Gary et Langlois.

Mais après une légère hésitation, il reprend.

— Je tenais à vous aviser que la preuve que nous avons bâtie nous obligera à procéder à l'interception de Vincent Savoie. Et cela, dès la saisie de la marchandise au lac Poilu. Peut-être même avant.

Pendant un bref moment, les deux hommes se regardent fixement.

— Savoie ? C'est ce policier qui a déjà travaillé pour la Sécurité, n'est-ce pas ?

Et sans attendre de réponse, le ministre tend la main à Gendron.

— Faites selon votre jugement. Je vous l'ai dit : vous avez toute ma confiance.

Puis se tournant vers Gary, il lui tend la main à son tour.

— Bonne chance à vous aussi. Nous suivrons votre intervention avec le plus vif intérêt. Même de loin, soyez assuré de notre collaboration la plus totale. Je vais de ce pas informer le premier ministre de votre visite.

* * *

Anne est anxieuse. Elle vient de recevoir une réponse à sa demande d'emploi. L'entrevue s'était bien passée et ce matin, dans son courrier, il y avait enfin la lettre qu'elle attendait. Incapable de se résoudre à décacheter l'enveloppe, elle a commencé par téléphoner aux bureaux de Bélanger pour dire qu'elle était grippée et qu'elle ne rentrerait pas aujourd'hui. Puis elle s'est servi un café et s'est finalement décidée. Au fil de sa lecture, ses traits se sont détendus. Ça y était! On avait retenu la candidature de madame Anne Trépanier pour combler le poste vacant. Début novembre, elle commence chez Landry, Martin et associés à titre d'avocate en droit commercial. Debout au beau milieu de sa cuisine, elle vient de relire la lettre d'acceptation pour une troisième fois. Un grand sourire traverse son visage. C'est alors qu'elle a pensé à Vincent. Depuis quelque temps, c'est à peine s'ils arrivent à se voir quelques heures par semaine. Vincent est toujours par monts et par vaux, trouvant excuses et regrets. Demandant l'attente, surtout, et la confiance. Décidant de sa vie et choisissant ses priorités sans la consulter, puis se justifiant avec une candeur désarmante qui la laisse chaque fois démunie. Alors Anne ne sait plus. De son premier mariage, il ne reste finalement que souvenirs d'attente et promesses jamais tenues. Et Anne s'était juré de ne jamais revivre cela. Elle a trop pleuré. Pourtant, tout au fond d'elle-même, elle sait qu'elle aime Vincent. Comme jamais elle n'a aimé avant. Sa façon de prendre la vie, sa confiance en lui, son besoin d'action, même sa façon un peu particulière d'ajuster la vérité à ses besoins et ses désirs sont autant de qualités qu'elle reconnaît et apprécie. Si seulement il apprenait à tenir compte des autres... C'est pourquoi, en ce moment, c'est avec lui qu'elle aimerait célébrer ce tournant dans sa carrière. Mais en même temps, elle ne sait pas si elle a envie de l'appeler. Un refus de sa part, pour quelque raison que ce soit, la blesserait et elle ne le veut pas. Ce qu'elle vit présentement est trop important.

Puis Anne se décide. Après tout, elle va tenter de le rejoindre. S'il refuse, plus jamais elle n'aura d'attente face à lui. C'est peut-être un signe que la vie lui offre ce matin, avec ce nouvel emploi. Prendre un nouveau départ, ailleurs, entourée de personnes qu'elle ne connaît pas encore. Peut-être... La lettre placée bien en évidence sur la table, devant elle, Anne signale le numéro de pagette de Vincent. Elle ne veut laisser ni message ni proposition. Elle ne laissera que son numéro et attendra qu'il la rappelle. Tout en signalant, un sourire moqueur se glisse sur ses lèvres. Elle devrait avoir le temps de prendre un bon bain. Habituellement, Vincent ne renvoie ses appels que quelques heures plus tard...

Contre toute attente, Vincent la rappelle à l'instant où Anne glisse un pied dans une eau chaude et mousseuse. Attrapant un chandail au vol, elle se précipite vers la cuisine... Sans hésiter, devant l'heureuse nouvelle, Vincent lui propose un souper en tête-à-tête chez lui.

— Félicitations! Je savais que tu réussirais. Faut fêter ça...

Puis après une légère hésitation.

— Et moi aussi, j'ai peut-être quelque chose à fêter.

À peine quelques mots, et Anne a oublié jusqu'à la moindre de ses hésitations. Vincent est au bout du fil et son enthousiasme est presque palpable. Cela lui fait chaud au cœur.

— Ah oui? Et qu'est-ce que l'on fête à part ma nomination?

— Je ne peux rien dire pour l'instant. Disons que c'est une cause importante qui va finalement se régler aujourd'hui. Comme le dirait Bélanger, c'est un dossier majeur qui va se conclure dans les vingt-quatre heures. Il devrait amener certains changements dans ma vie...

Puis au bout d'un silence tout léger, il précise:

— Dans notre vie. Je suis chez moi tout l'après-midi. Viens quand tu veux. Je... J'ai hâte de te voir...

Ils ont choisi des pâtes aux fruits de mer et un bon vin.

Vincent a dressé une table d'apparat dans la salle à manger et quelques bougies donnent de l'ambiance à la pièce lambrissée de bois sombre. Ils viennent d'ouvrir une première bouteille de vin et dégustent lentement le bon bordeaux en faisant des projets pour Anne, avant de mettre la viande à cuire. Dans leurs regards, on voit qu'ils ont l'intention d'étirer la nuit jusqu'aux limites du sommeil. Comme s'ils étaient dans un bateau ancré au port, à l'abri de toute intempérie, Vincent est heureux. Heureux de la présence de cette femme qui sait si bien écouter et partager. Heureux aussi du dénouement d'une certaine cause reliée à Taschereau. Ce matin, entre deux portes, Bélanger lui a glissé que c'était pour aujourd'hui. Alors, présentement, tout doit être fait ou sur le point de l'être. C'est aussi un peu pour cela que Vincent aimerait suspendre le cours des heures et retenir le temps indéfiniment, simplement parce qu'il se sent bien, détendu. Furtivement, il jette un coup d'œil à sa montre. 18 h 45. Tant mieux, la soirée est jeune. Anne a les yeux brillants, le verbe facile et il la trouve belle.

C'est alors qu'un coup de sonnette, bref et précis, vient jeter une note discordante dans l'intimité douillette qui les enveloppait. Retenant un soupir, Vincent se relève.

— Mais qui est-ce qui... Excuse-moi, j'en ai pour un instant.

Vincent se dirige alors vers la porte d'entrée qu'il ouvre sur Patrick. Une ride de surprise se glisse furtivement entre ses sourcils puis il dessine un large sourire.

— Pat ! Mais quelle surprise. Ça fait combien de temps qu'on ne s'est pas vu ? Mais entre, entre... Viens que je te présente à Anne...

Mais c'est à peine si Patrick répond à son sourire. Visiblement embarrassé, il fait un pas dans l'entrée et jette un regard autour de lui.

— Tu n'es pas seul ?

Vincent hausse les épaules, toujours aussi souriant.

— Peu importe. Au contraire, ça me fait plaisir de te voir.

Puis se détournant à demi et haussant le ton :

— Anne, viens ici un moment. Il y a...

— Je ne sais pas si... interrompt alors Patrick. Je... Il faudrait que tu me suives au quartier général.

La ride de méfiance qui barre habituellement le front de Vincent quand il ne comprend pas vient d'apparaître. Anne se tient dans l'embrasure de la porte de la salle à manger, elle aussi sur la défensive. Pourquoi cet homme demande-t-il à Vincent de le suivre ?

— Tu veux que je te suive au quartier général ? fait alors Vincent d'une voix sourde.

Puis il s'emporte.

— Écoute-moi bien, Patrick, moi, j'ai réglé toutes mes affaires. Ce soir, Anne vient de changer de vie. Pis toi tu voudrais que...

En soupirant, Vincent ouvre les bras dans un geste de profond découragement.

— Batince, Patrick, tu voudrais que j'aille à mon ancien quartier ? fait-il, un scepticisme évident dans la voix. Pincez-moi, je rêve. Est-ce que je peux avoir le droit de contrôler quelque chose dans ma vie, moi ? Y'a-tu quelqu'un qui...

— Penses-tu que je m'amuse là-dedans, moi ? interrompt Patrick, visiblement irrité. Viens-t'en...

— Vas-y, intervient Anne en faisant un pas vers Vincent. Je crois que tu n'as pas le choix. Je vais appeler Bélanger et lui...

— Laisse tomber, Anne, coupe alors doucement Vincent. Ça ne sera pas nécessaire. Je suis persuadé que Me Bélanger est déjà au courant...

Puis faisant le pas qui les sépare, Vincent vient prendre Anne par les épaules, plongeant son regard dans le sien.

— Je te rappelle aussitôt que possible. Je te demande seulement de me faire confiance. Les choses vont s'arranger. Tu peux rester ici... Chez moi, c'est aussi chez toi...

Puis sans un regard derrière lui, Vincent emboîte le pas à Patrick. Cet ami d'enfance venu par devoir le chercher chez lui en ce début de soirée, pour le mener au poste de la Sécurité à Québec.

Dans la rue en bas, devant la maison, une auto banalisée les attend. Une auto que Vincent a peut-être déjà conduite...

* * *

À ce même instant, après un souper pris en solitaire dans un petit restaurant de routier un peu à l'extérieur de la ville, Me André Bélanger se glisse derrière le volant de son auto. Il a beau se dire et se répéter que tout devrait bien se passer, que tout a été prévu, il n'arrive pas à se défaire de cette sensation d'angoisse qui l'étreint depuis le matin. Curieusement, il se rappelle ses années d'université et l'anxiété qu'il ressent présentement ressemble étrangement au trac qu'il connaissait avant de monter sur scène avec la troupe de sa promotion pour le spectacle annuel. Ce creux dans l'estomac chaque fois qu'une cabriole involontaire de l'esprit nous ramène sur le sujet... Machinalement, comme il le fait toutes les dix minutes depuis le matin, Bélanger jette un regard à l'horloge numérique de sa Mercedes. Dix-neuf heures... Puis il glisse un autre regard sur son cellulaire, posé sur le siège du passager. Quand il sonnera, probablement que le trac s'en ira... Sans vraiment le décider, il emprunte la bretelle qui mène à l'autoroute 20, à la hauteur de Saint-Nicolas, en direction de Montréal. Il reviendra chez lui quand il aura eu la confirmation que tout s'est bien passé. Nerveusement, il fait tourner sa grosse chevalière en or...

Une sonnerie qui lui semble stridente le fait sursauter à peine quelques kilomètres plus loin. Taschereau est au bout du fil...

— André ? C'est moi...

Le ton est grave. Et ce n'est pas ce qu'il attendait. Juste au timbre de la voix de son ami, Bélanger a l'intuition que rien ne va comme prévu et la très nette sensation que son cœur a envie de sortir de sa poitrine. Ralentissant la vitesse de son auto, il se concentre sur les paroles de Georges Taschereau.

— ... Un de mes confrères, branché sur la direction des enquêtes contre la personne, vient d'appeler pour me dire que ton protégé vient de se faire ramasser chez lui.

Bélanger ne répond pas. Une grosse boule d'inquiétude lui encombre la gorge, retenant tous les mots qu'il pourrait avoir envie de dire. Savoie se serait fait arrêter ? Bélanger retient son souffle. Il ne comprend pas et il a horreur de ça. Un rictus abaisse la commissure de ses lèvres. Mais Taschereau, n'attendant pas vraiment de réponse, est à poursuivre.

— ... Te rends-tu compte qu'aujourd'hui on ne peut plus reculer ? Si jamais notre pêche est manquée, André, tu vas avoir des réponses à donner.

Ces quelques mots suffisent à redonner toute sa lucidité à Bélanger. Il en a vu d'autres dans sa vie. Il n'en est pas à une menace près. Et devant les menaces, Me Bélanger a toujours trouvé ce qu'il fallait dire ou faire. N'a-t-il pas défendu des trafiquants, des meurtriers tout au long de sa carrière et plus souvent qu'autrement avec succès ? Par habitude, par réflexe, son cerveau s'est remis à fonctionner à toute allure.

— Si jamais tu as raison, Georges, je vais en parler à des amis. Laisse-moi faire quelques téléphones.

La voix de Taschereau est glaciale.

— Tu as intérêt, oui. Parce que moi, je vais avoir à m'organiser avec mes clients. Et je ne la trouve pas drôle.

Bélanger, alors, se montre rassurant.

— J'envoie Legrand aux nouvelles et je te rappelle. Si c'est ce que je pense, il ne tiendra pas deux jours en dedans. Je monte te voir demain à ton bureau, 9 h 00. À demain !

Et pesant sur le bouton qui met un terme à la communication, Me André Bélanger appuie sur l'accélérateur. Il lance le cellulaire sur le siège à côté de lui. Ainsi donc, paraîtrait-il que Vincent Savoie vient de se faire cueillir chez lui ? Avant même qu'on ait eu des nouvelles du lac Poilu ? Bélanger serre les mâchoires et se cramponne à deux mains sur son volant. Silencieusement, la voiture fait un bond en avant et rejoint rapidement l'auto qui la précède...

* * *

Anne a passé la nuit toute seule chez Vincent. Un appel bref et laconique deux heures après l'arrestation de Vincent, lui a demandé de ne pas s'en faire.

— Tout est sous contrôle, lui avait alors affirmé Vincent. Ne t'inquiète pas. Reste à la maison et je te rappelle demain.

Anne en a conclu que Me Bélanger avait été saisi de la situation et qu'effectivement elle devrait voir apparaître Vincent dans le courant de la journée. Elle avait donc rangé la salle à manger, mis la viande au froid parce qu'elle n'avait plus très faim et elle avait dormi seule dans le grand lit de Vincent. Mais au réveil, c'est l'inquiétude qui l'attendait. L'inquiétude et les questions sans réponse... Pourquoi est-ce qu'on a emmené Vincent ? Qu'a-t-il fait ? Anne connaît son passé. Vincent lui en a parlé et elle peut l'accepter. Mais que sait-elle vraiment du présent ? Brusquement, toute seule dans ce lit, à peine éveillée, courtisée par un rayon de soleil blafard et froid qui ressemble étrangement à celui de l'hiver et qui se faufile jusqu'à elle à travers les rideaux, elle vient de constater qu'elle ne sait rien de cet homme. Sinon qu'il travaille pour Me André Bélanger, sans être avocat, qu'il possède des maisons de prêts sur gages, en partie héritées au décès d'un sympathisant de criminels, qu'il a une adorable petite fille et qu'il est séparé. À cette pensée, Anne a un petit sourire sans joie. Elle se rappelle que Vincent lui a déjà dit qu'il avait d'abord été séparé de la réalité. Est-il en train de reprendre là où il avait laissé ? Puis Anne pousse un soupir. Malgré tout, ce qu'elle sait de lui, c'est peu et en même temps c'est beaucoup trop...

Vincent lui a demandé de l'attendre mais Anne n'a plus vraiment envie de l'attendre. Subitement, elle se demande ce qu'elle fait dans ce lit... Alors elle saute sur le sol, quitte son léger pyjama de soie et attrape ses vêtements. Si Vincent veut la rejoindre, il appellera chez elle...

En arrivant dans son quartier, elle a acheté le journal du matin en même temps qu'un bon café noir. Curieusement, elle n'a même pas envie de se préparer du café. C'est un peu comme si elle avait passé la nuit à courir un marathon. Elle se sent fatiguée, meurtrie. Peut-être bien que de fictive, sa grippe est en train de se matérialiser ? Frissonnante, elle se pelotonne sur le divan, une chaude couverture enroulée autour de ses jambes et à gestes prudents elle enlève le couvercle de son gobelet de café. Puis elle déplie le journal. À la une, sous une photo montrant les drapeaux de la PNF et de la Sécurité provinciale étalés au-dessus de tonneaux cerclés de fer et entourés de quelques policiers trop armés, un long article occupe presque toute la page. En grand titre on peut lire : « Saisie record de drogue ». Un peu plus à droite, une carte détaillant le nord québécois attire aussi son attention. Oubliant momentanément la grisaille qui l'enveloppe depuis hier, Anne se met à lire.

« Hier soir, vers 19 h 20, au lac Poilu à quelques 150 kilomètres au nord de La Tuque, des policiers de la Sécurité et de la PNF ont procédé à la saisie de ce qui semble la plus importante livraison de cocaïne au Canada. Plus de 4321 kilos de drogue ont été largués dans les eaux du lac. Si pour un achat de cette importance on parle d'un investissement réel d'environ 20 millions de dollars, on peut escompter en retirer plus de 1,6 milliard de dollars une fois dans la rue.

Le lac Poilu, situé en Haute-Mauricie, à plus de trois heures de route au nord de La Tuque est "en pleine jungle", comme on le dit dans les paroisses du coin. Il n'y a qu'un seul chalet sur les rives de ce lac appartenant à monsieur Daniel Michaud, un fervent amateur de pêche et de chasse, installé depuis trois ans dans la région. "Je n'en reviens pas, mentionne Germain Dugay, curé de la place. Monsieur Michaud est un homme affable, toujours prêt à rendre service. Je n'arrive pas à y croire." Monsieur Michaud servait de guide à un groupe de pêcheurs quand la drogue a été livrée. Il aurait déclaré aux policiers venus le cueillir à son chalet qu'il ne connaissait pas ces hommes. Il leur avait loué le chalet et les embarcations et son travail consistait à accompagner les pêcheurs dans les premiers jours de leur séjour. C'est par hasard qu'il se trouvait sur les lieux. En effet, monsieur Michaud, propriétaire d'un restaurant de la Capitale, était attendu à Québec par ses employés depuis lundi. Il aurait appelé pour prévenir qu'il y avait un problème électrique au chalet et qu'il serait retardé. Ce restaurant de la rue Cartier a d'ailleurs fait l'objet d'une visite des policiers, tôt ce matin.

Les policiers ont aussi procédé sur les lieux à l'arrestation de Danny Fréchette, bras droit de Tom Gariépy, chef des Devil's Choice; de Gabriel "Gab" Turcotte, aussi membre en règle des Devil's; de Jean-Denis Gauvin, pilote de brousse; de Pierre "Pitt" Robitaille, sympathisant des Devil's; de Marie-Hélène Garnier et Sophie Le Canuel, amies de Turcotte et Robitaille. Les suspects n'ont opposé aucune résistance à leur arrestation proclamant simplement leur innocence. Quatre véhicules, dont un U-Haul, ont aussi été saisis au bout du chemin de chantier qui donne accès au lac. Le Convair qui a fait la livraison des barils de drogue a été forcé d'atterrir à Parent, escorté de F-18 de l'armée canadienne. Roberto Enrique Gonzales, un résident colombien, pilote du Convair, a été mis en état d'arrestation ainsi que Adam Brown, le copilote, un Américain, qui l'accompagnait.

Il semblerait que cette saisie a été rendue possible grâce à une longue enquête qui dure depuis de nombreux mois. Ce qui a permis de frapper un peu partout au Québec en même temps qu'au lac Poilu. Les arrestations ont été nombreuses.

Joseph Karruda, homme d'affaires, domicilié à Sherbrooke; Georges Taschereau, avocat bien connu, domicilié à Westmount; les frères Jason et David Cherry, bien connus depuis ce qu'il est convenu d'appeler l'affaire des frères Cherry qui a déclenché l'enquête menant à la création de la commission Trudel et domiciliés à Montréal; Andrew MacKewen, avocat, domicilié à Laval; Vincent Savoie, ancien policier à la Sécurité, présentement en libération conditionnelle, a été appréhendé à son domicile hier soir. On se rappellera que monsieur Savoie avait plaidé coupable en 1994 à une accusation d'avoir offert des stupéfiants et qu'il avait été condamné à...»

C'est comme si Anne venait de recevoir un coup en plein cœur. Les mains tremblantes, elle laisse tomber le journal sur ses genoux, incapable de poursuivre sa lecture. Elle a l'impression d'être emportée par un violent tourbillon qui l'empêche de penser. Un long frisson secoue ses épaules et par instinct, elle reprend le gobelet de café qu'elle avait déposé sur la table, le tenant fermement des deux mains, pour se réchauffer. Pendant de longues minutes, elle reste immobile tentant de faire le vide en elle. Tentant de faire taire la douleur qu'elle sent sourdre à chaque battement de son cœur. « Fais-moi confiance », disait Vincent. Fais-moi confiance... D'un geste rageur Anne vient essuyer son visage, se défendant de pleurer. Pas pour lui. Pas maintenant... Pourtant, tout au fond d'elle-même, c'est la voix de Vincent qui persiste, insistante, lancinante. « Donne-moi du temps, Anne, donne-moi du temps... » Alors, pour contrer toute l'ambivalence qu'elle ressent, Anne s'oblige à reprendre le journal pour terminer l'article. Aussi bien aller jusqu'au bout. Après peut-être qu'elle arrivera à faire la part des choses. Peut-être...

« *... Les suspects ont tous été appréhendés à leur domicile. En dernière heure, de source sûre, nous avons aussi appris qu'un mandat d'arrestation aurait été émis contre Me André Bélanger, avocat bien connu de la capitale et contre Thomas "Tom" Gariépy, chef reconnu des Devil's Choice, chapitre de Québec. Au moment d'écrire ces lignes, les deux hommes n'avaient toujours pas été revus depuis la fin de l'après-midi, hier, mercredi.*

Les suspects devraient comparaître demain matin en début de matinée au Palais de justice de Québec, d'où le complot aurait été orchestré, devant la juge Cécile Deslauriers. Ils devraient être accusés de conspiration, importation, possession et trafic de cocaïne ainsi que d'une kirielle d'autres accusations.

Nous nous attendons à un déploiement majeur des forces de sécurité et cette comparution devrait donner lieu à des procédures particulières. »

Lentement, Anne relit l'article puis rejette le journal sur le plancher, à ses pieds. Elle ne sait plus ce qu'elle doit penser. Ni même si elle est encore capable d'émettre la moindre pensée cohérente. Les mots qu'elle vient de lire tourbillonnent dans son esprit alors qu'en même temps, elle revoit les yeux clairs de Vincent. Ce sourire un peu moqueur qui allume une petite lueur dans son regard quand il lui parle. Vers quel tourbillon a-t-il été projeté ? Peut-on pousser l'illusion jusqu'à ce point ? Et pourquoi l'aurait-il fait ? Elle n'a rien à voir dans toute cette histoire. Vincent n'avait pas à la manipuler ou à se servir d'elle. Peut-être bien, oui, qu'il n'a pas tout dit. Mais ce qui se joue entre elle et Vincent est étranger à tout ça. Elle entend cette façon qu'il a de prononcer son nom quand ils font l'amour et son cœur se serre. Non, Vincent n'a pu lui mentir. Pas sur les sentiments qu'il dit ressentir pour elle. Il a peut-être tu certaines choses mais il n'a pas menti. « Fais-moi confiance... » Et contre toute logique, là, en cet instant bien précis, n'écoutant que ce que son cœur lui suggère, Anne aurait envie de lui faire confiance. Jusqu'au bout. Après, quand il aura donné ses explications, elle avisera. Pour l'instant, elle n'est pas prête à lui jeter le blâme. Qu'importe ce qu'en disent les journaux. Plus que jamais, elle a envie de se fier à son intuition. Elle aurait envie de téléphoner à une amie, elle aurait besoin de se confier. Mais elle constate que depuis près d'un an, il n'y avait vraiment que

Vincent. Quand on partage la vie d'un marginal, bien des amitiés tombent. Et c'est bien ce qu'il est, non ? Un marginal ? Qui comprendrait qu'elle puisse croire les promesses de ce maître de l'illusion ? Vincent Savoie, l'infiltrateur, accusé et condamné. Elle sait bien que, tôt ou tard, la vérité la rejoindra. Et elle aurait envie de dire le plus tard possible, car elle craint ce moment. Si l'avocate en elle préfère la vérité aussi cruelle puisse-t-elle être, la femme amoureuse la redoute. Puis elle relève la tête. Vincent seul décidera s'il mérite la femme qu'elle est. Quant à Anne, son choix est fait... Elle ajustera ses priorités et ses valeurs quand il sera temps de le faire.

Se relevant vivement, Anne se précipite vers sa chambre. Le temps d'un bon bain chaud puis elle retournera chez Vincent. Comme ça, s'il tente de la rejoindre, elle pourra l'aider. Car nul doute que Vincent va sûrement avoir besoin d'aide, d'une façon ou d'une autre. Il est quand même accusé de trafic de drogue. Mais Anne ne veut pas extrapoler. Elle va tout simplement attendre. Tel que promis, elle va attendre de ses nouvelles chez lui. Chez nous, comme il le dit si bien...

— Oui, chez nous, murmure-t-elle en écho à sa pensée, en ouvrant un tiroir de sa commode. Je vais attendre ton appel chez nous...

Chapitre 21

En ce matin de fin octobre, la matinée ressemble déjà à l'hiver. Un vent froid secoue les arbres dénudés, promenant durement les feuilles mortes et quelques papiers sales qui jonchent les parterres, faisant relever les cols de manteaux des rares promeneurs qui se hâtent le long du boulevard passant devant le Palais de justice de Québec. Un soleil blanc, sans chaleur, résiste tant bien que mal dans un ciel délavé, ni bleu ni gris, annonçant une neige certaine pour les heures à venir. Ce serait tôt dans la saison... Escorté de deux policiers en uniforme, de Pierre Gendron et de Patrick, Vincent se dirige vers l'entrée de l'édifice de verre qu'il connaît fort bien. En biais, les fumées d'usine courent les unes après les autres, s'épousant finalement sur l'horizon en une longue spirale qui laisse sur l'autoroute Dufferin une brume grisâtre et dense. Allongeant le pas, Vincent se rappelle un certain matin de janvier en tout point semblable à celui-ci : même vent glacial, mêmes ombres longues, même ciel de fin du monde... Tenant étroitement un blouson autour de ses bras, cachant ainsi ses poignets, Vincent entre dans le Palais de justice, précédant Pierre qui vient de lui ouvrir la porte. Son regard est fixe, fatigué.

Une cohorte de journalistes encombre le hall jouant du coude pour contrer une sécurité accrue. Ce matin, c'est la comparution des MacKewen, Taschereau, Cherry, Karruda et autres, présumés coupables d'une importation massive de drogue. On entend parfois en sourdine les noms de Bélanger et de Tom. Se faufilant entre les appareils photos et les micros,

Pierre et Patrick guident Vincent jusqu'à l'escalier roulant et rejoignent le troisième étage. Ironiquement, c'est Luc Dufour qui a été mandaté à titre de procureur de la Couronne. C'est la juge Cécile Deslauriers qui présidera l'assemblée.

La comparution doit avoir lieu dans quelques minutes. Vincent, Patrick et Pierre se tiennent dans une petite salle adjacente au tribunal prêts à entrer dans la salle quand on les appellera. Les deux policiers montent la garde. Mais contrairement à ce qui était prévu, la comparution est retardée. On vient de faire évacuer la salle et on entend procéder à une brève fouille en utilisant un détecteur à métal. Finalement, la comparution commence. Il est plus de dix heures. Les avocats, en concertation, demandent aussitôt que l'enquête sous cautionnement ait lieu immédiatement. La juge Deslauriers se tourne vers Me Luc Dufour.

— Me Dufour...

Alors le procureur se lève et dans le geste de toge que Vincent connaît bien, il s'avance au milieu du parquet.

— Madame la juge Deslauriers, j'aurai le privilège de représenter la Couronne dans ce dossier complexe dont les résultats majeurs seront dévastateurs pour l'ensemble des organisations criminelles du Québec. J'entends présenter une preuve qui démontrera la qualité du travail et la volonté réelle de tout l'appareil judiciaire. Je vais vous présenter les résultats du travail concerté d'agents, de procureurs, d'autorités politiques et aussi des instances policières fédérale et provinciale. Votre Seigneurie, nous avons misé sur des éléments importants afin de réussir à intercepter des quantités importantes de stupéfiants, mais surtout à citer en justice les têtes de ces réseaux dont les activités illicites génèrent des sommes d'argent importantes, inimaginables et qui sont réinvesties dans les réseaux bancaires, au Casino et comme nous vous le démontrerons, dans des activités boursières que certains groupes ne manquent pas de manipuler et influencer dans le seul but d'optimiser la rentabilité de leurs placements.

Un nouveau service a été créé : le Service de renseignements du Québec, ou SRQ. Cette division mixte, ultrasecrète, a pour mandat de contrer les activités des organisations criminelles installées au Québec mais aussi outre-frontières. La stratégie qui a été appliquée est simple : patience, analyse et travail concerté, honnête, entre chacun des intervenants lorsqu'il avait été établi avec les autorités du SRQ et l'enquêteur principal au dossier que cela ne nuirait pas à l'atteinte de l'ensemble des objectifs du dossier.

Madame la juge, vingt-quatre personnes défileront devant vous. Certaines seront accusées de meurtre, de complicité. D'autres seront accusées de trafic, de recel, d'importation mais aussi de blanchiment d'argent, de méfait et d'extorsion. De plus, nous entendons démontrer l'enrichissement illicite de ces mêmes personnes qui, jusqu'à ce jour, étaient considérées comme des intouchables, protégées qu'elles étaient par leurs organisations, les menaces, les bureaux de consultants légaux, le silence et l'argent. En ce sens, la Couronne a obtenu des autorisations de blocage des biens et des avoirs de ces personnes, mais aussi et surtout le blocage des biens et des avoirs des entreprises qu'ils possèdent, parfois camouflés dans ce labyrinthe commercial et économique qui se trouve sous leur autorité et pouvoir. Nous entendons vous démontrer les liens qui existent entre les activités illégales de ces groupes et l'importance des sommes circulant dans le monde secret de la criminalité au Québec, en relation directe avec les fournisseurs de stupéfiants internationaux. Étant donné l'ampleur et la complexité du dossier, l'équipe des procureurs s'efforcera de vous démontrer, hors de tout doute, que les infractions et les crimes commis l'ont été volontairement par chacun des accusés et qu'ils en ont retiré des avantages et des profits au mépris de la santé et de la sécurité des citoyens du Québec.

À ce moment, j'aimerais ouvrir une parenthèse et attirer votre attention, madame la juge, sur l'importance des montants et des biens que les lois C-123 et 61 nous autorisent à bloquer. Ainsi, la valeur des biens meubles et immeubles, propriété des accusés-complices, s'élève à ce jour à plus de vingt-neuf millions de dollars. Nous parlons ici de condos, d'autos de luxe, d'ordinateurs, de bateaux, d'œuvres d'art, d'avions, d'un centre de ski, de trois hôtels et surtout de différents comptes bancaires et portefeuilles boursiers. Tout ces éléments pourront, comme vous le savez, retourner à la lutte contre le crime et à la prévention, conformément à la loi québécoise numéro 61.

Madame la juge, nous baserons notre preuve sur les témoignages d'intervenants de premier plan. Monsieur Pierre Gendron, premier directeur du Service de renseignements du Québec, viendra expliquer la nature du mandat, des autorisations et des objectifs de son service. Monsieur Gary Monaghan, enquêteur principal au dossier, viendra, quant à lui, démontrer la stratégie globale du projet vous expliquant les techniques d'enquêtes et les moyens technologiques utilisés. Il vous confirmera que les agents d'infiltration, comme la loi C-8 le permet, n'ont pas lésiné sur les moyens. La concentration des services de renseignements a favorisé la qualité de l'enquête en général et a supporté, comme jamais auparavant au Québec, un travail d'infiltration qui vous permettra d'apprécier la preuve de consentement, de contrôle et surtout de connaissance des coaccusés et ce, sans avoir à récompenser des agents-sources ou des délateurs peu crédibles.

Nous entendrons aussi monsieur Samuel Jacob, alias Daniel Michaud, agissant comme infiltrateur et faux propriétaire du restaurant La Bonne Adresse, appartenant en fait au SRQ. Il viendra confirmer les agissements et les communications de plusieurs accusés surtout en rapport avec la super saisie de stupéfiants, au lac Poilu dans le nord de La Tuque, mais aussi à titre de faux receleur.

À ce stade-ci des procédures, madame la juge, il est important de vous souligner qu'un contrat de délation a été rédigé et autorisé avec Jean-Denis Gauvin, appelé Le Bleaché, pilote d'avion privé de monsieur Joseph Karruda. Monsieur Gauvin a servi d'intermédiaire avec le groupe principal des accusés et le pilote de l'avion qui a largué les tonneaux contenant la cocaïne et récupérés dans les eaux du lac Poilu.

Le dernier témoin que nous vous ferons entendre, et qui viendra corroborer les dires de l'agent Samuel Jacob et ceux du délateur Gauvin, sera monsieur Vincent Savoie. Monsieur Savoie agit à titre d'infiltrateur dans ce dossier, et ce depuis de nombreuses années et est considéré comme un élément clé dans ce méga-projet. Vous pourrez constater que ce dossier est le plus long et le plus efficace jamais conduit par les unités d'élite chez nos policiers québécois en collaboration avec d'autres corps de police à travers le monde..

Les gestes de messieurs Jacob et Savoie seront corroborés par des systèmes techniques d'enregistrement vidéo ou sonores et par l'analyse des saisies de données informatiques grâce à des bavards informatiques appelés « Trackers ». Je ne peux m'empêcher de sourire en vous mentionnant que dans au moins deux cas, les ordinateurs qui provoqueront la perte des accusés, avaient été fournis par l'agent Savoie lui-même alors qu'il exploitait fictivement des commerces de prêts sur gages.

Madame, j'occupe le poste de procureur de la Couronne depuis plus de onze ans. Jamais je n'ai été aussi fier de présenter une qualité de preuve comme celle-ci. De plus, le temps me donne aujourd'hui l'occasion de souligner l'engagement et l'honnêteté de monsieur Savoie qui, depuis plus de deux ans, a sacrifié son nom et sa crédibilité afin de participer à la réussite de cette enquête majeure. Enquête qui, j'en suis certain, grâce à la délation, à l'analyse des heures d'écoute électronique et des enquêtes provoquées par celle-ci, débouchera sur d'autres arrestations, tant ici au Québec, qu'aux États-Unis....

Mais avant de terminer, madame la juge, je crois que nous devons prendre un moment pour réfléchir aux réactions que provoque ce genre d'activités. La drogue tue. Non seulement enlève-t-elle la vie à ceux qui en consomment, mais il arrive aussi que des innocents en soient la victime. Nous serons en mesure de déposer la preuve qui rendra justice aux parents de cette jeune fille tuée lors de l'explosion d'une Econoline. Nous avons le devoir de tout mettre en œuvre pour que de tels tueurs ne puissent s'en tirer. Il s'agit de protéger les générations à venir... Alors, madame la juge, vous me permettrez de terminer mon exposé par un moment de silence à la mémoire de cette jeune victime qui se croyait protégée, en sécurité...

L'envolée de Me Dufour a tenu tout le monde en haleine. Peu après, les accusés enregistreront tous un plaidoyer de non-culpabilité. Toute libération sous cautionnement leur sera refusée... La juge Deslauriers fera savoir la date du procès dans dix jours, procès qui sera tenu devant juge et jury.

* * *

Pierre et Vincent viennent d'arriver au Louis-Hébert, un restaurant de la Grande-Allée. Ils ont demandé une table dans la verrière, à l'arrière de la salle à manger principale. Le soleil a tenu bon et ses rayons, même pâlots, suffisent à réchauffer l'endroit. On se croirait presque en été. Des plantes en pot et des lierres suspendus donnent une atmosphère de serre. Saillant, qui a assisté à la comparution de ce matin, doit les rejoindre dans quelques minutes. Après avoir passé commande d'un apéritif, Vincent se laisse aller contre le dossier de sa chaise en fermant les yeux. Enfin, c'est fini. Les comédiens ont tiré leur révérence et le rideau vient de tomber sur la scène... Puis il constate, d'une voix lasse, en ouvrant les yeux:

— J'ai hâte que Vincent Savoie reprenne sa place complètement.

Pierre approuve d'un mouvement de la tête.

— Je peux comprendre. Par moments, ça n'a pas dû être facile. Un *deep cover* comme celui-là ne s'était jamais vu au Québec. Faire une infiltration secrète, même aux yeux de ses confrères... Au moins tu peux te dire que les personnes les plus importantes étaient au courant. Gary, Jacob, Normand et le ministre... Non, ça n'a pas dû être facile.

Vincent laisse filtrer un rire sarcastique.

— Pas facile? Dis plutôt que c'était l'enfer. Les comptoirs de prêts sur gages, les manigances de Bélanger, les causes tordues... Tom, Danny... Ma vie avec Anne. Une chance que tu avais rencontré mes parents.

Puis il éclate de rire, franchement, comme s'il était tout à coup immensément soulagé.

— Laisse-moi te dire qu'il y en a un qui est content que ce soit fini. Normand n'en pouvait plus, confie-t-il au moment où le serveur apporte leurs consommations. La dernière fois où je l'ai rencontré, il sacrait après tout ce que la Sécurité peut avoir de patrons pour avoir pensé à lui pour cette mission. Je crois que maintenant il va profiter d'une retraite bien méritée.

— Qui parle de retraite ? Toi Vincent ?

Saillant vient d'arriver. Se tirant une chaise, il s'installe en soufflant bruyamment face à Vincent et sans transition, il ajoute :

— Tu ne crois pas que tu es encore un peu jeune pour penser à la retraite ? fait-il un brin moqueur.

Puis il enchaîne sur un ton nettement plus sérieux.

— J'aimerais te féliciter pour ton implication et la qualité de ton travail tout au long de cette opération. On te voyait aller de loin et laisse-moi te dire que tu en as subjugué plus d'un. Moi le premier...

Devant le mutisme de Vincent qui l'écoute sourcils froncés, la ride de sa méfiance plus que jamais gravée sur son front, Saillant poursuit, frottant machinalement sa ridicule moustache :

— J'ai lû avec beaucoup d'attention le compte-rendu de tes témoignages et je suis heureux de constater que tu as refait ton nom. Finalement, ça te revient de plein droit.

Puis il fait signe au serveur qu'il prendrait la même chose que ses voisins de table avant d'enchaîner :

— En échange de ton implication, la Sécurité provinciale a convenu avec toi de te réintégrer malgré tes comportements illégaux de 1993. Aujourd'hui, déclame-t-il comme s'il avait appris sa tirade par cœur, conformément à cette entente, je suis mandaté par mes supérieurs, comme Pierre t'en a sûrement avisé, pour récupérer l'enregistrement de la Nagra...

Comme le serveur revient, Saillant consent enfin à se taire. Oui, Vincent sait que Saillant est là pour récupérer la Nagra, cet enregistrement fait lors d'une mission avec Victor, au Concorde et qui vient prouver hors de tout doute que les patrons connaissaient fort bien la façon particulière que Vincent et son partenaire avaient de mener leurs enquêtes. Ensuite, on passe la commande. Vincent n'est toujours pas intervenu. Pendant que Saillant consulte le menu, Vincent se permet de l'observer à la dérobée. Puis son esprit dérape vers le bureau de Bolduc. Brusquement, en survol, Vincent revoit les dossiers qu'il a traités avec ce dernier patron. Il revoit surtout la fierté de Bolduc devant la saisie effectuée avec le concours de la sûreté municipale de Beauport, saisie qui avait atteint les quatre kilos. Quatre kilos ! Vincent ne peut réprimer l'envie de sourire. Puis il revient à Saillant. Il ne l'a pas revu depuis ce dimanche où, venu de Montréal expressément pour lui, Saillant l'avait interrogé dans une petite salle grise et terne du poste de la Sécurité à Québec. Ducharme était présent. Pour eux, il n'y avait aucun doute que Vincent était coupable. Leurs carrières respectives imposaient ce jugement. Et probablement, malgré les quelques coups d'encensoir de tout à l'heure, que Saillant n'a pas vraiment modifié sa position. La fin de son discours en fait foi. Alors, dès que le serveur s'éloigne un peu, Vincent se redresse sur sa chaise et appuyant les coudes sur la table, il regarde Saillant droit dans les yeux.

— Si j'ai accepté de jouer le jeu, Saillant, c'est uniquement en fonction de l'amitié que j'ai pour Victor et Pierre… Vous ne le savez peut-être pas, mais j'avais refusé pareille offre de la part de Ducharme.

Tout en parlant, Vincent prend conscience à quel point il a bien fait de ne pas donner suite à la demande de Ducharme. Jamais, non jamais, il n'aurait pu retravailler à l'aise avec ces hommes assoiffés de pouvoir.

— Je n'ai jamais cru, continue-t-il sur le même ton détaché, je n'ai jamais cru que les Ducharme, Bolduc ou même vous puissiez avoir d'autres motivations que de couvrir vos décisions et autorisations d'alors...

— Vincent...

Pierre a levé la main, tentant d'intervenir. Vincent se tourne vers lui.

— Non Pierre, je sais très bien ce que tu pourrais dire. Mais je n'ai pas fini.

Revenant face à Saillant, Vincent se penche légèrement sur la table.

— L'enregistrement de la Nagra, analyse-t-il froidement, prouve que ce que l'on m'a reproché était autorisé et c'est ça qui vous fait peur. Si l'informateur Noël n'a pas parlé, c'est que ce n'est pas dans son intérêt de le faire. Vous savez très bien qu'il n'a aucune crédibilité. Avec la job que Jacob, Normand et moi venons de faire, vous êtes pris. Vous venez de vous peinturer dans le coin...

Vincent se recule sur sa chaise. Puis devant le silence persistant de son vis-à-vis, il reprend la pose, les coudes appuyés sur la table.

— Monsieur Saillant, je sais une chose : si je n'avais pas cet enregistrement pour venir dire que vous connaissiez mes gestes et ceux de certains de mes confrères, nous n'en serions pas à parler d'une entente... Non ! Vous m'auriez laissé pourrir en prison... Vos petites guerres de pouvoir entre Québec et Montréal, moi j'en ai rien à faire. Le club des vierges offensées aurait continué à clamer haut et fort que la justice doit s'appliquer même à l'intérieur de la compagnie. Tant pis pour Savoie. Finie la carrière pour lui. Après tout, ce n'est qu'un ripou... Vous avez même poussé votre protection en disant que j'étais un drogué... Mais là, vous êtes allés trop loin...

Il n'y a plus rien pour arrêter Vincent. Ne l'avait-il pas dit à Christine : un jour, la vérité finira par se savoir. En ce moment, il a l'impression que c'est la vie qui lui offre une occasion. Alors il poursuit, toujours sur le même ton :

— En haut de votre tour d'ivoire, tout ce que vous cherchez, c'est le pouvoir... Mais un jour, le pouvoir aussi va chercher à connaître la vérité et ce jour-là, ça va faire mal à certaines carrières... La réussite de cette opération prouve qu'on peut faire de la police autrement. Vous ne résisteriez pas à une commission Trudel, version deux. Et c'est pour ça que vous avez compris qu'on devait se parler. Vous voulez soigner vos après-carrières, vos parties de golf avec les copains, vos contacts. Pendant ce temps-là, personne ne devrait savoir ce que j'ai vraiment fait...

À ces mots, le visage de Saillant se durcit.

— Le *deal*, articule-t-il distinctement, c'est ta carrière contre l'enregistrement.

— Non... Le *deal*, c'est un enregistrement pour sauver l'image.

Un malaise certain se glisse autour d'eux, brisé subitement par le garçon de table qui arrive avec les potages. Le temps d'être servi et Vincent reprend.

— Enlevez-vous de la tête que je suis naïf.

Puis glissant une main dans la poche de son veston, il pose une cassette sur la table, tout près de son assiette.

— Vous m'avez demandé de vous remettre les enregistrements de la Nagra ? En voici une copie... L'original, je le garde, prévient-il d'une voix sourde. Disons que je le considère comme une assurance-carrière... Ma caisse de retraite.

Et comme si tout avait été dit, Vincent prend une bouchée de potage, se coupe un morceau de pain, le beurre et le mange. Alors, devant le silence persistant de Saillant, il relève la tête et se remet à parler.

— Les belles félicitations que vous m'avez adressées au début de la rencontre, il serait peut-être temps de les mettre par écrit... Même Dufour est à me louanger, aujourd'hui.

Comme un coup de vent balayant tout sur son passage, Vincent revoit les dernières années de sa vie. Comment Saillant peut-il seulement penser que ça pourrait être aussi simple qu'il le souhaite ?

— Non, reprend Vincent, d'une voix vibrante, personne ne peut savoir. Essayez juste d'imaginer ce que j'ai ressenti quand j'ai lu les journaux, quand j'ai croisé d'anciens confrères qui avaient lu comme moi la déclaration de Me Dufour ? Vous rappelez-vous ? Le fameux « lien de confiance est rompu... » Alors que je n'étais même pas encore inculpé. Imaginez-vous donc que moi aussi j'ai suivi les travaux de la commission Trudel. Les bourdes de la shop, je les connais. Mais ça ne m'a pas empêché de bouger quand Pierre me l'a demandé. Je me sens comme un gars qui a joué aux Dames pendant toute sa carrière. Les deux dernières années m'ont permis de jouer aux échecs.

D'un geste las, Vincent repousse le bol de soupe qu'il a à peine entamé. En ce moment ce n'est pas l'appétit qui le garde ici. Présentement, Vincent Savoie est en train de reprendre le contrôle de sa vie. Alors il se cale dans son fauteuil, regardant fixement Saillant dans les yeux. Il est en confiance, sûr de lui.

— Comment avez-vous pu seulement penser qu'un jour j'aie pu négocier mon intégrité... Vous m'avez eu parce que j'avais emprunté de l'argent sale à Noël. Ça c'est sûrement ma faiblesse. Mais aujourd'hui, je serais prêt à la mettre dans la balance.

C'est alors que Pierre se décide à intervenir.

— Vincent, conseille-t-il, donnes-y la cassette. Arrête ça là, tu vas te faire mal. Pense à Élise, à Anne, à tes parents...

Aujourd'hui, ils sont sûrement fiers de toi et c'est ce qui compte. C'était ta job, un point c'est tout.

Alors Vincent pousse à nouveau un profond soupir comme on en a parfois après un intense moment de réflexion. Brusquement il a l'impression de s'éveiller d'un long cauchemar. Visiblement, Saillant souhaite que Vincent se calme. Soupirant d'impatience, Saillant repousse son assiette à pain.

— Tu as raison, Pierre, admet enfin Vincent.

Puis tendant la main vers le centre de la table, il dépose la cassette contre le vase de faïence qui contient quelques œillets blancs.

— Tenez, voici la copie de l'enregistrement Nagra. Et en extra...

Tout en parlant, à nouveau, Vincent a glissé la main à l'intérieur de sa veste.

— Je vous donne aussi la copie d'une conversation que j'ai eue avec Gilbert Noël, il y a quelque temps à l'hôpital Laval, fait-il en déposant une seconde cassette contre la première... Comme ça, vous en saurez autant que moi sur nos avenirs. Plus que jamais nos carrières et nos réussites sont liées par deux rubans. Et maintenant, fait-il enfin en se relevant, vous allez m'excu...

— Un moment, Savoie...

Saillant a fait signe au serveur d'attendre un instant. Celui-ci dépose les assiettes qu'il avait à la main et se recule d'un pas avec discrétion.

— Rassis-toi deux minutes... Je t'ai laissé dire tout ce que tu avais sur le cœur. Et c'est correct comme ça. Ce que tu proposes est de bonne guerre...

D'un geste leste, il prend les deux cassettes, les glisse dans la poche de son veston.

— Je te jure que je vais les écouter avec la plus grande impartialité, promet-il alors, avec une gravité nouvelle dans la voix, comme une sorte de respect face à l'inconnu que l'intervention de Vincent suggère.

Puis levant les yeux, il se permet de sourire.

La compagnie change, les patrons aussi. Je persiste à croire que tu as fait une bonne job et que tu aideras encore la compagnie... à ta manière... J'ajouterais que ta force réside dans les mots que tu n'as pas dit, dans tes souvenirs qui cachent des noms, des carrières mais aussi des ennemis que tu dois craindre. Tu vois, dans le public, qui se souvient de toi ? Personne ou si peu... Tu dois choisir entre le remède et le mal. La décision te revient. C'est juste dans la mythologie et les livres que David gagne contre Goliath. Pierre t'a donné un bon conseil, suis-le.

Faisant signe au garçon d'approcher, il montre la chaise que Vincent vient d'abandonner.

— Allez, assieds-toi...

Mais Vincent reste immobile, une main posée sur le dossier de sa chaise.

— Monsieur Saillant, ne sous-estimez pas le pouvoir d'un crayon et la perspicacité des lecteurs.

À ces mots, Saillant ébauche le reflet d'un sourire qui se perd dans ses mentons.

— Je reconnais la force de tes arguments. Mais regarde en avant. Tu ne peux pas constamment contrôler le son et l'image.

Et devant l'hésitation de Vincent, il ajoute :

— Tu me fais penser à un joueur de baseball. Est-ce que tu sais que le jeu le plus difficile à faire au baseball, c'est de décider de garder la balle dans son gant quand on se doute qu'on n'aura pas la chance de retirer le frappeur. Toi, c'est pareil... Pour ne pas mettre l'équipe dans le trouble, il faut que tu gardes la balle, pour ne pas mettre la police dans le trouble. Ton jeu, c'est de garder tes affaires pour toi. C'est la seule façon de gagner la partie pour tout le monde. Si tu lances n'importe quoi, n'importe où, c'est toi qu'on va blâmer. Moi, je pense que tu es un bon joueur d'équipe.

Puis après un bref silence:

— S'il te plaît... On m'a dit le plus grand bien de ce restaurant. Il serait dommage de ne pas profiter du repas.

* * *

Dès qu'il tourne le coin de la rue menant à son appartement, Vincent aperçoit l'auto d'Anne stationnée devant chez lui. Elle l'a attendu... Alors, il se dépêche de garer la sienne, se moquant de lui-même devant ce cœur un peu fou qui s'est mis à battre un peu plus vite. « Comme un adolescent », se dit-il. Pourtant, en ce moment, il a toutes les raisons du monde pour être heureux. Et surtout, il a hâte de tenir Anne dans ses bras. Il a hâte de lui parler, de lui expliquer, de faire des projets d'avenir avec elle. Enfin, la vie va retrouver un rythme normal. Le vrai visage de Vincent Savoie va pouvoir se montrer au grand jour... Allongeant ses pas, il traverse la pelouse et grimpe l'escalier qui mène à la galerie. Machinalement, tout en cherchant la clé de son logement, Vincent glisse la main dans la boîte aux lettres. Tout aussi machinalement, il consulte le courrier en déverrouillant la porte, comme il le fait chaque jour. Mais cette fois-ci, il s'arrête sur le palier, curieusement ému. Sur une enveloppe bleue, sans timbre, il reconnaît l'écriture de Christine... « Pour Vincent ». S'il n'y a pas de timbre, c'est donc qu'elle s'est déplacée pour venir lui porter ce mot. Le geste touche Vincent. Déposant les avis publicitaires et quelques comptes sur une marche de l'escalier qui mène chez lui, il ouvre l'enveloppe. À l'intérieur, une simple feuille de papier et quelques mots. « Félicitations... J'ai appris par les nouvelles télévisées de ce midi et j'ai compris bien des choses. Je suis heureuse pour toi. Mais malgré tout, n'oublie pas : maintenant que c'est fait, que tu as réussi, passe à autre chose. Affection, Christine... »

Vincent prend le temps de relire la brève lettre, un sourire au coin des lèvres. Puis il replie soigneusement le papier et le glisse dans son portefeuille, à côté de la photo de sa fille. Ce sera son pense-bête... Attrapant le courrier d'une main leste, il gravit les marches de l'escalier quatre à quatre.

— Anne ? C'est moi...

Un visage radieux apparaît dans l'embrasure de la porte de la cuisine, encadré de mèches folles, désordonnées. Aussitôt, Anne se retrouve dans les bras de Vincent s'abandonnant à son étreinte avec une joie qu'elle ne croyait plus jamais connaître. Puis elle lève les yeux vers lui.

— J'ai lu le journal ce matin qui t'accusait puis j'ai vu le bulletin de nouvelles ce midi et j'ai compris. Je... je crois qu'on a bien des choses à se dire, n'est-ce pas ?

À ces mots, Vincent, évitant qu'elle ne sente l'arme qu'il porte maintenant à la ceinture, la reprend contre lui un moment, heureux, presque étourdi de sentir entre eux cette complicité qui lui a tant manquée au cours de la dernière année. Puis l'écartant légèrement, il répond enfin :

— Oui, on a des millions de choses à se dire... Mais pas maintenant...

Et la faisant tourner sur elle-même, il ajoute :

— Parce que maintenant vous allez vous faire belle, madame. Ensuite on va chercher Élise. Ce soir, Vincent Savoie sort les deux femmes de sa vie...

Puis alors qu'elle s'éloigne déjà, il ajoute :
— Anne ?
— Oui ?
— On a toute la vie maintenant pour parler… Toute la vie.

Conclusion

Le procès aura duré des mois. Dès le lendemain de la première comparution, une équipe de policiers a démantelé le réseau informatique de La Bonne Adresse. Le restaurant a été mis en vente quelques semaines plus tard.

— Pierre Gendron, premier directeur du SRQ. Il est toujours propriétaire de Comtel et les affaires vont bien. La semaine prochaine, il attend Vincent pour entailler les érables de sa sucrerie. Le printemps est enfin de retour.

— Raymond Saillant, inspecteur principal à Sécurité provinciale de Montréal, vient de prendre sa retraite. Il restera consultant pour le SRQ. Pour l'instant, il planifie un voyage bien mérité en Europe, en compagnie de son épouse… Il aura, avant de partir, à témoigner à la commission Trudel.

— Paul-André Ducharme, inspecteur-chef à Montréal, vient lui aussi de prendre sa retraite de la Sécurité. Il a accepté un poste de direction à la sécurité du Casino. Contre mauvaise fortune bon cœur, il a conclu que quelques années supplémentaires dans la métropole ne pourraient lui nuire. Même s'il continue à s'ennuyer farouchement de la Vieille Capitale. Il doit revenir à Québec pour ses vacances et avec sa femme, il a bien l'intention de s'acheter un chalet au lac Saint-Joseph. C'est leur projet de retraite en compagnie de Philippe Bolduc et son épouse qui viennent de se porter acquéreur d'une petite maison sur les bords de ce même lac.

— Sébastien Veilleux, sergent à la Sécurité à Montréal,

toujours affecté à l'escouade des stupéfiants, a réintégré ses fonctions à plein temps. Il enquête maintenant sur Falcone, le chef du clan sicilien dont on n'a pu prouver l'appartenance au consortium qui a fait l'importation massive de drogue. Il est resté en contact avec Gary Monaghan qui est devenu, en quelque sorte, un ami très proche. Les récents événements lui indiquent qu'un mouvement majeur viendra secouer la société criminelle italienne. Il s'attend à un message sans équivoque, probablement un meurtre, directement au sommet du clan italien de Montréal.

— Gary Monaghan, lieutenant à la PNF, toujours en poste. Il entend bien profiter de l'été qui approche pour s'offrir de longues vacances. Il a décidé de renouveler la décoration extérieure de son chalet et de remplacer les rouges et les jaunes par une palette de roses dans toutes leurs gradations. En juillet, quand l'été est à son apogée, il veut donner un souper où Réal Langlois, le sous-ministre, fait partie de sa liste d'invités... Ils auront alors l'occasion de discuter de la contestation légale concernant l'autorisation du Solliciteur général pour la création du Bureau de Change de Montréal. Ce qui fait rager Gary. L'ensemble des poursuites dépendra de l'appréciation d'un juge. D'un autre côté, il espère retrouver un ordinateur volé lors de l'opération et il tente de mesurer l'incidence de cet événement sur les activités du faux Bureau de Change. Il présentera au ministre, conjointement avec Pierre Gendron, une demande de budget pour autoriser quinze nouveaux enquêteurs permanents.

— Samuel Jacob, alias Daniel Michaud, est retourné à Winnipeg dès le lendemain de la comparution pour retrouver sa femme et leurs deux filles. Il a fait la navette entre sa place d'origine et Québec selon les besoins du procès. Ce matin, il vient de recevoir une lettre confirmant sa promotion au titre de sergent. On lui offre un poste à Montréal pour travailler en collaboration avec Gary Monaghan, aux bureaux de la PNF. Il veut en parler avec Mary, sa femme, avant de donner suite.

— Me Georges Taschereau, avocat montréalais, reconnu coupable d'importation de drogue en vue de trafic, a été condamné à douze ans de pénitencier, peine qu'il devait purger à la prison de Sainte-Anne-des-Plaines... Il ne s'y est jamais présenté puisqu'il a porté sa cause en appel, alléguant que l'écoute électronique avait été obtenue illégalement, contrevant à plusieurs articles de la Charte canadienne des droits et libertés.

— Joseph Karruda, homme d'affaires bien connu de la région des Cantons de l'Est, reconnu coupable d'importation en vue de trafic, a été condamné à sept ans de pénitencier à Donnacona. Il a porté sa cause en appel.

— Thomas « Tom » Gariépy, chef reconnu des Devil's Choice, chapitre de Québec, a finalement été arrêté le 19 novembre, dans le bunker, du chapitre de Trois-Rivières. Il a été reconnu coupable de meurtre, de complot, d'importation en vue de trafic, de trafic et de recel. Il a été condamné à vingt-cinq ans de pénitencier. Il purgera sa peine à Donnacona.

— Danny Fréchette, membre en règle des Devil's Choice et propriétaire du centre de conditionnement physique En Forme, de Vanier à Québec, reconnu coupable de complot pour meurtre, de recel, de trafic, a été condamné à six ans de pénitencier. Il purgera sa peine à Sainte-Anne-des-Plaines.

— Jean-Denis Gauvin, pilote de brousse et homme à tout faire de Joseph Karruda, devenu délateur pour le SRQ, a obtenu une nouvelle identité et il espère rester en vie.

— Me André Bélanger, avocat bien connu de la Vieille Capitale, est toujours recherché par Interpol, sur mandat international. Sa femme, propriétaire de leurs deux résidences, a mis ces dernières en vente et projette de s'installer dans une île du Sud pour se soustraire aux médias qui ne cessent de l'importuner. Elle est, paraîtrait-il, inconsolable et morte d'inquiétude pour son mari.

Épilogue

L'été est de retour. Une bonne chaleur enveloppe le paysage d'un frisson de vapeur suite à l'orage qu'on a connu hier soir. Vincent Savoie vient de passer quelques jours chez Pierre Gendron, en compagnie de sa fille Élise. Dans quelques heures, il retrouvera Anne à leur appartement. Celle-ci vient d'emménager chez lui et a profité de son absence pour renouer avec certaines amies qu'elle avait perdues de vue depuis quelques mois. Vincent vient d'accepter un poste de consultant à la formation d'agents d'infiltration, sous la responsabilité de l'Institut de police du Québec. Il n'aura pas à déménager, car le cours se donnera dans la capitale, dans un endroit tenu secret.

Avant de reprendre la route en direction de chez lui, Vincent est allé montrer la ville de Nicolet à Élise. La vieille église, le pont qui enjambe la rivière, l'école primaire, le casse-croûte qui sert de terminus d'autobus… Un peu ému, Vincent revoit le gamin qu'il était la première fois qu'il a mis les pieds dans cette ville. À peine dix-neuf ans… Garant son auto devant l'ancien collège qui sert maintenant d'assise à l'Institut de police du Québec, Vincent prend la main d'Élise pour faire quelques pas.

— Tu vois cette grande école, Élise ?

— Oui. Pourquoi ?

— C'est là que papa a déjà étudié.

Une lueur d'intérêt brille aussitôt dans les yeux clairs de la petite fille.

— Ah oui ?

— Oui… Et c'est là que mes nouveaux patrons travaillent.

La main de Vincent se serre un peu plus sur celle d'Élise.

— Maintenant, papa va toujours être là le soir. Comme les autres papas.

Un beau sourire illumine le visage d'Élise.

— C'est *cool*, fait-elle avec une petite grimace d'incertitude se demandant si l'expression qu'elle a déjà entendue et employée est bien appropriée cette fois-ci. Mais aussitôt après, elle ralentit le pas

— Papa ?

— Oui ma puce.

— Est-ce que c'est vrai que t'es une sorte de policier ?

C'est la première fois qu'elle ose lui en parler. Christine, sa mère, a tenté de lui expliquer ce que faisait son père quand elle avait vu sa photo dans le journal, en octobre dernier. Mais jamais, avant ce jour, Élise n'avait abordé la question avec son père. À l'instar de bien des enfants, le mot policier lui faisait un peu peur et chaque fois qu'elle venait pour lui demander des explications, une drôle de retenue l'empêchait de parler. Mais là, ce matin, il lui semble que le ton est différent entre elle et son père. Comme une complicité nouvelle qui les mettrait sur un pied d'égalité. Élise ne saurait ajuster les mots qu'il faut sur ce qu'elle ressent, mais peu importe. Avec l'intuition propre aux enfants, elle a compris qu'elle pouvait enfin poser sa question et que celle-ci serait bien reçue. Elle a levé le regard de ses yeux verts jusqu'à rencontrer celui de Vincent. Il y a à la fois tellement d'interrogation et de confiance dans ce regard que Vincent en est ému. Alors il plie les genoux pour se mettre à sa hauteur. Il y a de ces choses qu'on ne peut dire que les yeux dans les yeux.

— Oui, c'est vrai. Je suis une sorte de policier.

— Alors c'est pour ça que souvent tu étais absent ? C'est pour ça, quand j'étais petite, que t'as fait un long voyage ?

Un long voyage... N'est-ce pas en effet ce qu'il vient de vivre ? Un voyage à l'intérieur de lui-même qui l'a finalement projeté loin, très loin à l'extérieur de sa vie ? Il dessine un long sourire pour Élise. Sa micro-puce a trouvé exactement les mots qui expriment ce qu'il ressent.

— C'est un peu ça. Une sorte de voyage...

Puis posant les mains sur les épaules de sa fille, il ajoute :

Plus tard, quand tu seras grande, tu vas tout comprendre... Papa va trouver quelqu'un pour l'aider à écrire un livre qui va raconter le voyage dont tu parles. On l'appellera *La Promesse à Élise*...

À ces mots, la gamine se met à rire.

— Un livre ? Un livre avec mon nom ?

— Pourquoi pas ?

Alors, dans un élan d'amour, Vincent prend Élise tout contre lui.

— Et ça ne serait pas nouveau, Élise... Parce que depuis que tu es au monde, tout ce que j'ai fait, c'est pour toi que je le faisais...

Complément d'enquête

À : Me Luc Dufour, procureur responsable
Opération Boomerang

Me Dufour,

Voici une liste d'informations pertinentes que vous pourrez apprécier et présenter lors des différents procès.

Comme vous le savez, tout au long de l'opération, les différents agents d'infiltration étaient tous munis de cellulaires ou de téléavertisseurs. Dans chacun des cas, ces appareils servaient de transmetteurs, ce qui nous permettait d'enregistrer leurs conversations avec les différents complices. Mais ce système nous permettait aussi de localiser nos agents en tout temps afin d'assurer leur protection.

Vous constaterez aussi en parcourant les rapports de surveillance que chaque fois que cela était possible, nous avons fourni une surveillance physique immédiate et directe. Si vous le jugez à-propos, même si cela est peu fréquent, les agents des équipes de surveillance pourront témoigner afin de corroborer l'identité des personnes rencontrées par nos agents d'infiltration.

Je dois aussi vous signaler que nous vous fournirons l'ensemble des enregistrements des conversations de nos agents. De plus, des vidéos et de multiples photos ont été pris et sont présentement répertoriés.Ils seront mis à votre disposition et pourront appuyer vos travaux.

Je vous rappelle que les principaux suspects ont fait l'objet de filature et que, de ce fait, plusieurs personnes ont été vues en leur compagnie. Afin de ne pas alourdir le dossier, nous pourrons fournir cette liste sur demande. Notre analyste vous fera parvenir un organigramme confirmant les liens entre les différents complices.

C'est le juge Augustin Paré de la Cour supérieure qui a autorisé les mandats d'écoute électronique et d'interception des communications téléphoniques, informatiques ou physiques directes (cellulaires, pagettes, *room bug*).

Les conversations qui nous semblent les plus importantes à ce moment-ci de l'enquêtte et qui viendront supporter la qualité de la preuve sont les suivantes :

1. Fin août 1995 : Premier contact entre Me Bélanger et Vincent Savoie (conversation captée par le cellulaire de Savoie).

2. Mi-septembre 1995 : Conversation entre Vincent Savoie et Me Bélanger pour engager Savoie (captée par le cellulaire de Vincent Savoie).

3. Octobre 1995 : Vincent Savoie fournit un cellulaire équipé d'un transmetteur à Me Bélanger.

4. Novembre 1995 : Renseignements donnés par Vincent Savoie à Me Bélanger, concernant l'incident de la bombe dans l'Econoline (renseignements enregistrés par le *tracker* de l'ordinateur du restaurant La Bonne Adresse).

5. Début décembre 1995 : Monique Lavallée, membre du SRQ, témoigne d'une rencontre entre Vincent Savoie, Me Bélanger et Luc Dion (confirmation d'identité).

6. Début mars 1996 : Enregistrement des conversations au Casino entre Me Taschereau, Me Bélanger, Karruda et Savoie (captées par le cellulaire de Vincent Savoie).

7. Début mars 1996 : Enregistrement des conversations au Casino entre Mes Taschereau et Bélanger concernant une

éventuelle importation de drogue (captées par le cellulaire de Me Bélanger).

8. Début mars 1996 : Josée Ferland, membre du SRQ, est présente au Casino (près de la table de Black Jack). Confirmation d'identité.

9. Avril 1996 : Conversation dans le bureau de Me Bélanger avec Vincent Savoie et Tom Gariépy concernant l'incident de la bombe dans l'Econoline (captée par la pagette et le cellulaire de Vincent Savoie). Note : un témoin, expert en explosifs, témoignera et expliquera comment faire sauter une bombe à distance à partir d'un téléavertisseur.

10. Avril 1996 : Conversation entre Danny Turcotte et Vincent Savoie concernant la protection offerte par les Devil's Choice (enregistrée par la pagette de Vincent Savoie).

11. Printemps 1996 : Un ordinateur portatif, muni d'un *tracker* est fourni à Jean-Denis Gauvin par Vincent Savoie.

12. Mai 1996 : Conversation entre Me Bélanger et Tom Gariépy concernant l'acceptation d'une participation au projet d'importation de drogue (enregistrée par le téléphone de Me Bélanger).

13. Mai 1996 : Conversation entre Mes Bélanger et Taschereau concernant un vol de diamants (captée par le cellulaire de Me Bélanger).

14. Août 1996 : Conversation entre Me Bélanger et Vincent Savoie concernant l'incident chez IDESOFT (captée par la pagette de Vincent Savoie).

15. Août 1996 : Confirmation de participation au projet IDESOFT par Me Bélanger (enregistrée par le *tracker* de l'ordinateur du restaurant La Bonne Adresse).

16. Octobre 1996 : Conversation entre Me Bélanger et Vincent Savoie concernant la recherche d'un endroit discret

pour la livraison de drogue (captée par la pagette de Vincent Savoie).

17. Octobre 1996 : Proposition de Me Bélanger à Me Taschereau concernant la disponibilité d'un endroit pour la livraison de drogue (enregistrée par le *tracker* de l'ordinateur du restaurant La Bonne Adresse).

18. Octobre 1996 : Conversation entre Me Bélanger et Taschereau au moment de la frappe (captée par le cellulaire de Me Bélanger).

De plus, Me Dufour, vous trouverez en annexe une copie du contrat de délation signé par Jean-Denis Gauvin, dit Le Bleaché.

Ainsi donc, comme nous l'avons convenu lors de notre dernier entretien téléphonique, nous vous faisons parvenir la transcription complète des différentes conversations reliant les divers complices entre eux, en marge de la méga saisie du lac Poilu ainsi que concernant le blanchiment d'argent, tel qu'il vous apparaîtra sur les vidéos et les conversations enregistrées au Bureau de Change de la rue Sainte-Catherine à Montréal. Le comptable de nos services vous fera parvenir sous peu un rapport définissant le parcours qu'ont empruntées les sommes d'argent et les profits générés par les activités criminelles des différents suspects.

Vous devrez considérer dans l'analyse des différents rapports que nous n'avions pas tout le personnel requis à la vérification des informations colligées. À votre demande, nous pourrons, si vous le jugez pertinent à ce stade-ci de l'enquête, vérifier et valider les informations concernant la prostitution, la contrefaçon de CD, le trafic de parfum, d'armes et de passeports par le corridor de la réserve indienne.

Nous sommes conscients de l'importance de la cause que vous avez à présenter. Si toutefois vous désirez obtenir les détails concernant l'infiltration des agents en cause, nous gardons un rapport complet de leurs gestes et discussions pertinentes.

Espérant le tout conforme à vos attentes, sachez que je demeure à votre entière disposition.

Pierre Gendron, directeur, SRQ

P.S. Toutes nos félicitations pour votre nomination à titre de responsable des enquêtes au sein de la Sécurité provinciale.